suhrkamp taschenbuch 2626

Flughunde sind fledermausähnliche Flattertiere mit hundeartigem Kopf. Für Hermann Karnau sind sie von Kindheit an Sinnbild einer Welt, die vor dem Zugriff fremder Stimmen geschützt ist.

Von Hermann Karnau, einer historischen Figur (Karnau war Wachmann im Berliner Führerbunker und den Westalliierten erster Zeuge für Hitlers Tod), hat Marcel Beyer eine der beiden Erzählerstimmen geliehen. Die andere gehört dem achtjährigen Mädchen Helga, älteste Tochter von Joseph Goebbels, dessen Reden die Menschen fanatisierten. Immer wieder kommt es zu Begegnungen der beiden. Zuerst, als anläßlich der Geburt des sechsten Geschwisters die Kinder eine Zeit in der Obhut des Familienfreundes Karnau verbringen. Zuletzt nach fast fünf Jahren nationalsozialistischen Kriegs im April 1945; Hermann Karnau verbringt die letzten Tage in Berlin, um die Führerstimme aufzuzeichnen.

Ein Zeitsprung führt in den Sommer 1992. Hermann Karnau, der nach dem Krieg untertauchen konnte, findet in seinem Plattenarchiv die Gespräche der Kinder während ihrer letzten Tage und Nächte wieder.

»Es ist für mich eines der eindrucksvollsten Bücher über die letzten Kriegstage.«

*Hellmuth Karasek im ›Literarischen Quartett‹*

Marcel Beyer, geboren 1965, lebt in Dresden. Für seinen Text *Flughunde* erhielt er beim Klagenfurter Ingeborg-Bachmann-Wettbewerb den Ernst-Willner-Preis 1991. Zuletzt erschien sein Roman *Kaltenburg*.

# Marcel Beyer
# Flughunde

*Roman*

Suhrkamp

Umschlagfoto: Sven Paustian

suhrkamp taschenbuch 2626
Erste Auflage 1996
© Suhrkamp Verlag Frankfurt am Main 1995
Suhrkamp Taschenbuch Verlag
Druck: Druckhaus Nomos, Sinzheim
Printed in Germany
Umschlag: Göllner, Michels, Zegarzewski
ISBN 978-3-518-39126-6

8 9 10 11 12 13 – 13 12 11 10 09 08

»Ich höre die süßen Stimmchen,
die mir das Liebste auf der Welt sind.
Welch ein Schatz, welch ein Besitz!
Gott erhalte ihn mir!«

I

Eine Stimme fällt in die Stille des Morgengrauens ein: Zuerst Aufstellen der Wegweiser. Die Pfähle mit dem Hammer tief einrammen in den weichen Erdboden. Mit aller Kraft. Die Schilder dürfen nicht wegsacken.

Die Befehle des Scharführers hallen über das Sportfeld. Auf Fingerzeig lösen sich einige Jungen mit Armbinden aus der Gruppe und machen sich an ihre Arbeit. Alle sind frisch getrimmt, bis auf die Ohren runter, mit ausrasierten Nacken, wo stoppelübersäte Kopfhaut schimmert. Gestoppeltes. Am Ziel wäre man wohl erst, wenn man sie noch kupieren könnte. So sieht die Welpenarbeit heute aus.

Rampen für Rollstuhlfahrer zimmern. Holzstege. Daß alle Krüppel bis in die vorderen Reihen geschoben werden können. Sollte der Regen stärker werden, darf niemand mit den Rädern im Schlamm hängenbleiben.

Die übrigen Befehlsempfänger bleiben unbeweglich stehen, die müden Schemen zittern nicht einmal in dem naßkalten Wetter, aufmerksam verfolgen sie jeden Ruf und jede Geste ihres Einsatzleiters in feuchter brauner Uniform:

Sechs Mann mit Kreidewagen. Linien ziehen entlang der Stege. Wo die Blindenhunde abtreten. Abstand zwischen den Linien sechzig Zentimeter. Schulterbreite plus Hund. Peinlich genau.

Es ist Krieg. Die Stimme schneidet in das Dunkel hinein, weit bis zur Bühne hinauf. Es herrscht eine seltsame Akustik. Allein hier vorn am Rednerpult braucht es sechs Mikrophone: Vier für die Lautsprecherblöcke, welche aus jeder Himmelsrichtung auf das Gelände ausgerichtet werden. Eins dient zum Auffangen von Sonderfrequenzen.

Während der Ansprache wird es fortwährend austariert, um bestimmte Effekte der Stimmführung hervorzuheben. Das sechste Mikrophon wird an einen kleinen Lautsprecher unter dem Pult hier angeschlossen, der dem Redner zur Eigenkontrolle dient.

Und zusätzlich werden im Radius von einem Meter weitere Schallempfänger installiert, um einen angemessenen Raumklang zu erzeugen. Sie anzubringen ist eine Kunst für sich. Im Blumenschmuck werden sie versteckt und hinter den Fähnchen postiert, damit das Publikum sie von unten nicht entdecken kann. Doch auch der Ehrengarde und dem Parteivolk im Rücken des Redners sollen sie verborgen bleiben. Wo liegen die schalltoten Ecken in diesem Stadion, wo brechen sich die Wellen an den Rängen, an welchem Widerstand prallen die Irrläufer ab und treffen überraschend wieder auf den Redner selber? Niemand weiß wirklich, ob unsere Berechnungen stimmen. Die Karte deutet manches dunkle Areal nur an.

Für den Gesamtklang ist ein Mikrophon besonders wichtig, das oben im Parteiabzeichen hängt, damit auch der Schall nicht verlorengeht, welcher vom Redner in den Himmel abgestrahlt wird. Die Nacht ist längst vorbei, aber hier draußen herrscht noch immer Dunkelheit. Vom riesigen Emblem über mir lösen sich Regentropfen. Einer schlägt mir ins Gesicht. Verfallenes Licht.

Unten werden die Ordner instruiert: Zuerst Einfahren aller Amputierten. Das Feld wird zügig überquert. An der Markierung anhalten. Beim Schieben volle Aufmerksamkeit. Obacht: Keine Zusammenstöße verursachen.

Da traben auch schon die ersten HJ-Jungen heran. Im Dunstschleier über dem Sportfeld sind sie kaum zu erkennen: Sie schieben leere Rollstühle im Laufschritt vor sich her. Bis zum Mittag soll der gesamte Aufmarsch noch mehrmals geprobt werden, damit der Empfang der Weltkriegskrüppel und Wehrunfähigen reibungslos abläuft. Entlang der Rampen sind Stühle als Hindernisse aufgestellt, während der Proben ersetzen sie das Publikum. Auf den feuchten Holzbohlen gerät ein Junge ins Schleudern und kracht mit seinem Rollstuhl in die Absperrung. Schon wird er angeherrscht: Verdammter, nichtsnutziger Trottel. Wenn dir das heute nachmittag passiert, dann bist du dran. Ein einziger Patzer und es gibt einen Strafappell. Jetzt alles noch einmal von vorne. Alle Mann. Zurück in die Katakomben. Dann zügig auf den Platz.

Wie der Scharführer seine Burschen triezt. Wie können diese Kinder noch vor Tagesanbruch solch ein schrilles Organ über sich ergehen lassen, ohne auch nur einmal zu mucksen? Ergeben sie sich da hinein, ertragen sie zähneknirschend die Erniedrigungen, diese halbstarke Herrenstimme, weil sie ihnen das Gefühl gibt, an einer Bewegung teilzuhaben, aus der sie selber als Herren erwachsen werden? Sind sie der festen Überzeugung, daß sich mit der Zeit eine ebensolche Stimme in ihren jungen Kehlen einpflanzen wird?

Mein Blick bleibt an dem verstörten Jungen hängen, der sich im Abgang unauffällig Knie und Ellbogen reibt. Ich schlage den klammen Mantelkragen hoch, er macht mir eine Gänsehaut, da sich der Stoff an meinen Kehlkopf legt. Und wie kalt meine Finger sind, und steif, die halten die brennende Zigarette kaum. Da erscheinen die Männer mit den Kabelrollen, zwischen den abrückenden Jungen bahnen sie sich einen Weg zur Bühne. Aber bevor hier oben die Leitungen verlegt werden, muß noch jemand mit dem Leiter der Verschönerungsgruppe sprechen, denn das geplante Eichenlaub-Arrangement soll zur Bodentarnung genutzt werden. Alle Kabel werden gut abgeklebt und durch Löcher im Tribünenboden nach unten geleitet. Nach der Ansprache will der Redner zu seinen Hörern hinuntersteigen, und dabei darf ihm nichts im Weg liegen.

Jetzt wird schon die Lichtanlage ausgerichtet. Wir Akustiker liegen etwas hinter der Zeit. Der Scharführer wird auch langsam nervös, denn der Einzug der Blinden gestaltet sich komplizierter als erwartet, und die HJ-Jungen geraten ins Schwitzen: Rollstuhlbremsen anziehen. Die Amputierten stehen unverrückbar fest. Danach die Hunde mit den Blinden. Abgerichtet auf Orientierung an den Kreidelinien. Stöcke sind dabei unterm Arm zu tragen. Abtasten des Bodens erst wieder erlaubt, wenn jeder Blinde auf seiner Position.

Tatsächlich hat man einige Blinde herbeigeschafft, um die Sache durchzuexerzieren. Aber die gehen ihren Schäferhunden durch, manche verheddern sich in der Führleine und drohen in den Dreck zu fallen. Junge Hunde irren vom Weg ab oder bleiben verstört stehen. Mit panischem Einschlag in der Stimme stutzt der Scharführer seine Jungen zusammen: Nachziehen. Nachziehen. Die Hundelinien sofort mit Kreide nachziehen, doppelt und dreifach. Die Tiere erkennen hier ja rein gar nichts.

Ein Blinder hält mitten im Strahl eines Scheinwerfers an und wärmt sich im Licht. Sein Führer zerrt an der Leine. Aber der Mann bleibt standhaft. In den schwarzen Brillengläsern spiegelt sich das grelle Licht. Und blitzt vom Rauchglas direkt in meine Augen.

Jeder Hund kennt seinen Platz. Abstellen des Krüppels. Dann Kehre vorn herum. Nicht auf der Stelle wenden. Nicht um den Rücken des Blinden herum. Beginn des Abgangs mit der letzten Reihe. Dann weiter bis zur Front.

Die Kriegsblinden haben den Redner in lockerer Haltung zu empfangen, und dabei würden die Hunde nur das Bild stören. Außerdem soll auf den Pressephotographien der Eindruck von Gebrechlichkeit zurückgedrängt werden zugunsten der Ausstrahlung von Stärke und Kampfbereitschaft. Und endlich steht die Formation halbwegs. Seit einer Woche schon üben die Blinden täglich eine Stunde lang die korrekte Ausführung des Deutschen Grußes. Doch als sie nun die rechte Hand heben, bietet sich ein schauerliches Bild: Da sieht man Arme waagerecht vom Körper weggestreckt, aber auch solche, die fast senkrecht in den Himmel reichen. Und ein paar Blinde halten den Arm so weit zur Seite, daß er dem Nebenmann vor dem Gesicht hängt. Die Stimme des Scharführers hat sich wieder gefangen, ohne Atempause erschallen jetzt die Kommandos: Heben. Senken. Heben. Senken.

Die HJ-Jungen knien am Boden und justieren Blindenarme, bis sich eine einheitliche Front ergibt. Ein Techniker meldet: Die Lautsprecher sind jetzt postiert, verkabelt ist auch, die Mikrophone können angeschlossen werden. Ein Wink von drüben: Es gibt Strom. Wer übernimmt die Tonprobe? Auf keinen Fall will ich das tun. Doch der Scharführer macht jeden Klangtest ohnehin zunichte: Zuletzt Einmarsch der Taubstummen. Die Taubstummen stehen im hintersten Bereich, weil sie dem Führer nicht zujubeln können.

Unsichere Blicke der HJ-Jungen. Zwei, sehe ich, flüstern sogar. Die Taubstummen: Da sieht man sie aus den Katakomben auftauchen. Oder sind diese Männer dort, die festen Schritts die Laufbahn betreten, gar keine Taubstummen? Hat sich der Scharführer vertan? Sind das nicht einfach Ehrengäste? Und doch muß das die angekündigte Delegation von Wehrunfähigen sein. Welch Erscheinung in

der Dämmerung, mit ihrer Geheim-, ihrer Gebärdenspra-
che, mit ihren wunderlichen Uniformen, lächerlich gut
gebügelt und gestärkt, die Regentropfen perlen an den
Rockschößen ab. Phantasieuniformen, da doch keiner von
ihnen jemals Mitglied der Wehrmacht werden könnte.

Was ist nun unsere Aufgabe, was tun wir als Akustiker
mit ihnen? Es ist ihnen doch gar nicht möglich, am Nachmittag den Wortlaut der Rede zu verfolgen. Doch wird die
gigantische Beschallungsanlage ihre Körper in fortwäh-
rende Erschütterungen versetzen: Wenn sie nicht den Sinn
der Töne auffassen können, so wollen wir ihnen die Eingeweide durchwühlen. Wir steuern die Anlage aus: Die hohen Frequenzen für die Schädelknochen, die niedrigen für
den Unterleib. Tief in die Dunkelheit des Bauches sollen
die Geräusche reichen.

Auf dem Sportfeld werden SS-Leute gesichtet, die den
Stand der Vorbereitungen kontrollieren. Den HJ-Jungen
scheinen die schwarzen Uniformen Angst einzuflößen, sie
wechseln andere Blicke als in Erwartung der Taubstummen: Wie sich die Lederstiefel, Regencapes und, im Schatten der Mützenschirme, selbst Gesichter nur schwach vom
fahlen Hintergrund abheben. Doch hat der Scharführer
seine Invaliden zum Glück noch rechtzeitig ordentlich
aufgestellt. Alles in Position. Leise klimpern die Orden.
Es folgt ein Probedurchlauf mit Anlage, am Rednerpult
spricht der Scharführer ein paar Worte. Und wie er brüllt,
wie er im Ton seinem Führer nacheifert, indem er die Beschallungsanlage bis an die äußersten Grenzen belastet.
Und seine Stimme ebenfalls.

Weiß er denn nicht, daß jeder Schrei, jede so laut her-
vorgebrachte Äußerung auf den Stimmbändern eine kleine
Narbe hinterläßt? Wissen die Menschen das denn nicht,
die ihre Stimmen derart gewalttätig aufreiben, die so un-

14

vorsichtig umgehen mit ihrem Organ? Jedes Aufbrausen zeichnet sich in die überdehnten Stimmbänder ein, das narbt sich immer weiter fort, und solch ein Mal läßt sich nie wieder zum Verschwinden bringen, die Stimme bleibt markiert bis an das Lebensende.

Das Stadion erbebt. Mein Leib zieht sich zusammen. Oder zieht er sich nicht, sondern wird zu einem starren Block gepreßt unter dem Druck? Es ist verboten, die Ohren mit den Händen zu bedecken. Das würde aber ohnehin nichts nützen: Es dröhnt so laut, es könnte einem das Mark aus den Knochen treiben. Mit ungeahnter Wucht werden hier Luftmassen umgewälzt. Und auf dem Sportfeld steht der kleine Haufen Statisten wie gebannt.

Sobald der Schalldruck endet, heben die Taubstummen den rechten Arm und öffnen ihren Mund, genau wie alle anderen auch. So wird ein harmonisches Gesamtbild erreicht. Doch während aus den vorderen Reihen ein lautes Sieg Heil erschallt, ist hinten kaum ein angestrengtes Krächzen zu hören. Dann schreitet ein SS-Mann an des Redners statt die erste Reihe ab. Die Arme und die toten Blicke ins Nichts gerichtet: Knapp an demjenigen vorbei, der nun eine erhobene Hand herunterzieht und anerkennend drückt. In diesem Moment setzt eine Kapelle mit Marschmusik ein.

Mein Auftrag ist damit erledigt. Auf dem Weg zum Ausgang lungert eine Schar Taubstummer abseits der Aufstellung. Müde treten die Männer von einem Fuß auf den anderen, rauchen und unterhalten sich im heraufziehenden Morgen in ihrer Zeichensprache. Wie Flughunde flattern die Arme lautlos zwischen Tag und Nacht.

Einer von ihnen legt zwei Finger auf die Lippen, um gleich darauf den Arm hochschnellen zu lassen in den Himmel: Bedeutet die Heftigkeit dieser Bewegung Ausdrucksstärke? Heißt dies für die Taubstummen, laut zu sprechen? Doch wie sieht dann eine leise, zaghafte Mitteilung aus? Ist vielleicht schon das Zittern des einen Mannes mit gesenktem Kopf als eine Nachricht an die anderen zu werten? Aber was, wenn sie seine Rede gar nicht erst bemerken, da sie selber bibbern in der feuchten Morgenkälte? Allein das Zittern sagt etwas, doch Laute kann es nicht ersetzen.

Undurchschaubar sind sie. Die Beinlosen erkennt man gleich. Und auch die Blinden erkennt man: An ihren abgetönten Brillen, an ihren Stöcken und tastenden Schritten, am leeren Blick oder den leeren Augenhöhlen, wenn einer die Brille hebt, um sich am Nasenbein zu kratzen oder den Schweiß vom Lid zu wischen. Aber die Taubstummen erkennt man nicht. Selbst wenn ein Taubstummer nicht reagieren sollte, falls man ihn anspricht, so könnte er auch einfach ein schweigsamer Mensch sein oder den Zuruf überhört haben.

Alle hier, die nicht sprechen können: Was hat ihnen die Stimme ausgetrieben schon vor der Geburt? Die keine Stimmen kennen: Was haben sie innen, was klingt in ihrem Inneren wider, wenn da keine Laute sind, wenn sie doch nicht einmal in der Vorstellung Stimmen hören können? Läßt sich das Innere dieser Menschen überhaupt begreifen, oder herrscht in ihnen Leere ein Leben lang? Nichts weiß man über die Taubstummen, nichts kann man, als Stimmträger, über ihre Welt erfahren. Dafür haben sie einander um so mehr zu berichten, ohne mich im Vorbeikommen zu bemerken: Der eine fällt dem anderen in die Gesten, und vor lauter Redeandrang kommen die Hände nicht mehr mit.

Ich bin ein Mensch, über den es nichts zu berichten gibt. So aufmerksam ich auch nach innen horche, ich höre nichts, nur einen dumpfen Widerhall von Nichts, unten aus der Bauchhöhle vielleicht, das Fiebern, das Rumoren meiner Innereien. Nicht, daß ich nicht empfänglich wäre für Eindrücke, daß ich abgestumpft wäre, daß ich meine Umgebung nicht aufmerksam sehen und hören wollte, im Gegenteil: Ich bin überwach, aufmerksam wie mein Hund, bin immer wach, verfolge die schwächsten Ton- und Lichtveränderungen, zu wach vielleicht, als daß hier etwas davon hängenbleiben könnte, weil schon wieder die nächste Erscheinung wahrgenommen werden will. Ein Mensch wie ein Stück Blindband, das vor Anfang des beschichteten Tonbandes angeklebt ist: Man könnte sich noch so sehr bemühen, es würde einem doch nicht gelingen, auch nur den unscheinbarsten Ton dort aufzunehmen.

Mein Hund ist Vorbild, nicht Begleiter: Sobald Coco mich nahen hört, wird er ganz aufgeregt, erkennt, wer in das Haus tritt, wenn unten das Tor aufgeschlossen wird, das Schaben meiner Schuhsohlen auf den abgewetzten Treppenstufen kennt er, weiß genau, wie das Geländer knarrt, wenn ich mich darauf stütze, er schiebt die Schnauze in den Spalt unter der Wohnungstür und nimmt die Witterung seines Herrn auf, er kratzt mit den Pfoten an der Klinke, er springt, wenn ich aufgeschlossen habe, an mir hoch mit gespitzten Ohren: Und dann erst hört er seinen Namen aus meinem Mund. Das ist es, was man im akustischen Hinterland lernen muß: Auf den Zustand der Luft horchen genau in dem Moment, bevor das erste Wort fällt.

Ein Rülpsen. Da hat jemand gerülpst in meiner Nähe. Und meine Nackenhaare sträuben sich, noch bevor mir die Natur des Geräusches deutlich wird. Im spiegelnden Straßenbahnfenster suche ich nach dem entsprechenden

Fahrgast, es muß ein Mann gewesen sein, schon etwas älter. Und da, zwei Sitzreihen hinter mir, verschwommen eine Männerfratze, die Zeitung vor sich aufgeschlagen, als sei nichts passiert. Alle Fahrgäste müssen doch gemerkt haben, daß dieser Mann laut gerülpst hat. Sollte das noch einmal geschehen, bleibt mir nichts anderes übrig, als einen freien Platz im vorderen Wagenteil zu suchen. Manch einer hat es offensichtlich darauf angelegt, seine Mitmenschen auf diese Weise zu tyrannisieren. Wo sind die Kriegsberichterstatter? Löschen. Man müßte die Laute solcher Kreaturen löschen können.

Ich stehe mir selber gegenüber wie einem Taubstummen: Es gibt da einfach nichts zu hören, und auch die Gesten und die Mimik kann ich nicht verstehen. Mit Ende Zwanzig eine noch ungravierte, glatte Wachsmatrize, wo sich andern längst unzählige Spuren eingeprägt haben, wo sie schon bald ein Kratzen oder Knacken hören lassen, weil sie so oft abgespielt worden sind. Keine erkennbare Vergangenheit, und nichts, das mir widerfährt, nichts in meiner Erinnerung könnte zu einer Geschichte beitragen. Alles bleibt beschränkt auf einige wenige Bilder, eigentlich auf Farbflecke. Nein, noch weniger: Nur ein Changieren zwischen Grau und Schwarz, im Zwielicht, ein kurzer Augenblick zwischen Nacht und Tag.

Einmal, als wir zur Winterzeit frühmorgens noch im Dunkeln mit der ganzen Schulklasse zu den unvermeidlichen Leibesübungen antraten, hörten wir von der Hallendecke ein befremdliches Geräusch, und als der Lehrer das Licht eingeschaltet hatte, sahen wir oben etwas Schwarzes flattern. Und einer sagte: Eine Fledermaus. Sie hatte sich wohl kurz zuvor dorthin verirrt, auf der verzweifelten Suche nach einem sicheren Platz für ihren Winterschlaf, und war nun zuerst von der lauten Horde

Jungen, dann von der Beleuchtung aufgestört worden. Während die Klassenkameraden weiter lärmten, blieb ich ganz still, als ließe sich mit dem Schweigen eines einzelnen der Krach der anderen verdrängen, damit das aufgeregte Tier sich beruhigen könnte. Ich hoffte schon, der Unterricht müsse nun bis zum Frühjahr ausfallen, damit die Fledermaus hier ihre Ruhe hätte. Doch da begannen die ersten, mit ihren Schuhen nach dem Tier zu zielen, und jemand hatte einen Ball dabei, den er dem besten Werfer in der Klasse reichte. Mit voller Wucht ließ er den nach oben schnellen, verfehlte knapp. Das Knallen beim Aufprall ging im Kampfgeschrei unter, und nochmal zielte er und warf, und nochmal, und immer lief schon einer los, um das herunterkommende Geschoß zurück zu holen, während die Fledermaus von einer Ecke in die andere floh. Mit einem lauten Ruf zur Ordnung machte erst der Turnlehrer dieser Szene ein Ende, als er den Unterricht beginnen wollte.

Das Zittern des Fledermausleibes mit seinen hilflos flatternden Flügeln blieb mir den ganzen Morgen vor Augen, die schwarze Kreatur stand als Nachbild, und es gelang mir nicht, diese Erscheinung zu überblenden, das unruhige Kreiseln zu einer schwungvollen Flugbewegung in freier Wildbahn werden zu lassen, wie ich sie von den Flughunden in meinem Zigarettenbilder-Album kannte. Zu Hause dann suchte ich gleich nach der Seite, die ich so oft aufgeschlagen hatte, daß sie Eselsohren hatte und speckig war, ein Bild aus Afrika: Gegen den roten Sonnenuntergang sticht ein kahlgefressener Baum ab, in dem kopfüber eine Traube schwarzer Tiere hängt. Ein paar Flughunde kreisen in der Luft, die sind schon aufgewacht zur Nacht, da sie, geleitet vom Duft nachtblühender Pflanzen, zu ihrem Freßbaum fliegen werden. Nachttiere.

Nacht. Eröffnung einer Welt, wo es kein Kampfgeschrei gibt und keine Leibesübungen: Komm, schwarze Nacht, umhülle mich mit Schatten.

Ich bin durchweicht bis auf die Haut und heiser, obwohl ich an diesem langen Morgen kaum ein halbes Dutzend kurzer Sätze mit meinen Kollegen gewechselt habe. Die nächsten Tage steht mir wieder Innendienst bevor, zumeist stupide Erledigungen, die mein Bürogenosse allerdings dem Außendienst vorzieht. Ich verstehe nicht, warum er überhaupt als Akustiker arbeitet, endlose Listen könnte er auch in jeder anderen Firma anlegen. Wen interessiert schon, ob die Beschallungsanlage, welche wir heute morgen installiert haben, auch ihre Sollwerte erfüllt, oder ob sich irgendwelche unerheblichen Abweichungen zeigen? Doch gerade solch stupide Arbeit ist es, die meinen Zimmernachbarn reizt: Zu überprüfen, ob die im Laborversuch ermittelte Leistung auch tatsächlich den Werten der Erprobung genau entspricht. Den Klängen selber gegenüber zeigt er sich gleichgültig, mir scheint sogar, er will durch die Papierarbeit der Welt der Töne ausweichen, mit der er im Labor oder im freien Feld zwangsläufig in Berührung käme. Heute gehe ich nicht mehr in den Betrieb. Da der Aufmarsch erst am Nachmittag stattfinden wird, sind die Werte ohnehin nicht vor dem späten Abend greifbar.

Die Morgennebel haben sich gelichtet, und doch wird es in meinem Zimmer nicht ganz hell. Das kleine Fenster und die Tür auf den Balkon weit offen, die kalte, schwere Luft, Gesang der Vögel. Hier steht mein Schreibtisch, überladen mit Papieren, Schreibgerät und Büchern, verstaubte Utensilien, da ich sie nur selten zur Hand nehme. Inmitten dieses Durcheinanders liegt ein freigeräumter Bereich, hier hat der Plattenspieler seinen Ort, immer in Reichweite, damit ich Platten auflegen kann, ohne aufstehen zu müssen. Einziger staubloser Fleck auf der Schreibtischfläche, denn Staub ist tödlich, tötet jeden Klang. Doch im Moment ist es nicht möglich Platten anzuhören, seit einer Weile schon bleiben sie unberührt im Pappkarton, in ihren vergilbten Papierhüllen, denn der Apparat steht auf dem Boden, aufgeschraubt, zerlegt in seine Einzelteile, die Innereien hängen heraus. Ein Fehler in der Führung: Liegt es am Übertragungsriemen oder am Motor?

Wir alle tragen Narben auf den Stimmbändern. Sie bilden sich im Laufe eines Lebens, und jede Äußerung hinterläßt ihre Spur, vom ersten Schrei des Säuglings angefangen. Und jedes Husten, jedes Kreischen und heiseres Sprechen verunzieren die Stimmbänder ein weiteres Mal mit einem Einschnitt, einem Höcker oder einer Naht. Wir nehmen das nur darum nicht zur Kenntnis, weil wir die Narben niemals sehen können. Anders, als wenn wir Furchen auf der Zunge bemerken oder tief in den Rachen schauen und eine gefährliche Rötung wahrnehmen. Und doch kennt jeder Zeichen der übermäßigen Beanspruchung zumindest vom Hörensagen: die sogenannten Sängerknötchen, die Polypen, die Fistel, Stimme. Wie achtsam man eigentlich mit den eigenen Stimmbändern umgehen müßte. Man dürfte wohl kaum sprechen.

Nur wenige Stimmen in dieser Welt sind narbenlos, oder sagen wir: von einer zarten, weichen Äderung überzogen. Kein Wunder, daß man jenes ungreifbare Etwas, das Seele genannt wird, in der menschlichen Stimme zu orten meint. Geformter Atem, Hauch: Das, was den Menschen ausmacht. So bilden die Narben auf den Stimmbändern ein Verzeichnis einschneidender Erlebnisse, akustischer Ausbrüche, aber auch des Schweigens. Wenn man sie nur mit dem Finger abtasten könnte, mit ihren Fährten,

Haltepunkten und Verzweigungen. Dort, in der Dunkelheit des Kehlkopfs: Das ist deine eigene Geschichte, die du nicht entziffern kannst.

Du spürst, ohne die Ursache zu kennen, lediglich, wie sie sich bemerkbar macht: Wenn vom einen auf den anderen Moment unvermittelt der Mund austrocknet, wenn sich der Hals zuschnürt, wenn dich, scheinbar grundlos, Atemnot befällt und aus den Lungen nur das eine dringt: nichts. Als ich anstehe, um das Ersatzteil für den Plattenspieler zu besorgen: Warum jagen mir Schauer über den Rücken, da plötzlich eine junge Frau ins Elektrogeschäft stürmt, deren lautes Selbstgespräch schon durch die Tür zu hören war? Der wirre Monolog schlägt um, die Frau beginnt, mit kehliger Stimme auf die verstummten Kunden einzureden, schaut einem nach dem andern in die Augen und beschwert sich, drei lange Wochen auf die Reparatur ihres Radios gewartet zu haben. Was höre ich in dieser Stimme, das mich zurückschrecken läßt, warum erscheint mir auch meine eigene Stimme abstoßend, ja, vor allem sie? Ich weiß es nicht. Fassungslos starre ich diese Verrückte an, die, weil niemand auf sie reagiert, noch lauter redet: Will endlich wieder meinen Heinz Rühmann hören. Den ganzen Tag lang sollten die seine Lieder bringen, nicht Siegesfeiern und den ganzen Quatsch.

Dann fängt sie auch noch an zu singen, krächzt ein paar Schlagerzeilen, die Stimme schwankt, heult, überschlägt sich und setzt wieder am Anfang ein. Doch niemand weist die Frau zurecht, es ist, als merkten die anderen Kunden gar nicht, wie sich die furchtbare Stimme in jede Körperzelle frißt. Bin ich der einzige, der diesen markerschütternden Ton wahrnimmt? Ein Ton, der auf das Schläfenbein hämmert und den gesamten Schädel zum Vibrieren bringt. Als wäre ich als einziger hellwach in tiefer Nacht, während ein Angriff aus der Luft bevorsteht, während die Bomben schon bald auf uns niedergehen. Und es gibt keinen sicheren Keller. Jetzt nimmt sich die Frau einen älteren Herrn vor und spricht ihm direkt ins Gesicht: Gerade den Weihnachtsmann getroffen, wir haben uns verabredet und werden einander schon bald wiedersehen. Wie oft triffst du denn so den Weihnachtsmann?

Der Angesprochene verzieht keine Miene. Ich könnte das nicht, es handelt sich doch um einen Angriff, wie heute morgen in der Straßenbahn von diesem Mann, der gerülpst hat. Jetzt zischt der Wortschwall knapp an meinem Ohr vorbei: Muß bald nach Hause, mein Kuschelbär ist ganz allein, der braucht doch seinen Hafer und sein Stroh.

So steht man, ohne sich zu versehen, ganz unvermittelt an der Hörfront. Nur löschen. Alles löschen.

Der Ursprung meiner tiefen Abneigung gegen verstörte, ungeschlachte Stimmerscheinungen ist mir völlig unklar. Und auch, welchen Grund meine Vorlieben haben: Warum erfaßt mich eine unermeßliche Ruhe, wenn ich vor meinem Plattenspieler sitze und eine dieser schwarzen Schellackscheiben in den Händen halte, am Abend, Dunkel, Dämmerstunde, das Licht bleibt in der ganzen Wohnung ausgeschaltet. Jede Schallplatte trägt im sogenannten Spiegel, dort, wo kurz vor dem Etikett die Rille endet, eine Gravur in fremder Handschrift: Technische Angaben normalerweise, Seriennummer und Plattenseite, doch in manchen Fällen auch kurze Botschaften unbekannter Hand, die der Matrizenschneider hier versteckt hat.

Ich lege die erste Seite auf. Der Plattenteller beginnt sich zu drehen, der Apparat funktioniert wieder. Noch viel länger hätte ich die Stille in der Wohnung nicht mehr ausgehalten. Ich senke den Tonarm und sofort ist das Knistern zu hören, bevor die Aufnahme einsetzt. Und dann: Ein Bariton. Wie er vibriert, wie er die Luft aufrauht. Es wird mir immer unerklärlich bleiben, wie eine konservierte Stimme solche Macht hat, das Innere zu greifen. Allein das Flattern fremder Stimmbänder. Coco sitzt bei mir und wir lauschen beide.

Die Nadel zieht dort eine Spur über das schwarzglänzende Schellack, tastet die Schallplatte ab unter schmerzlicher Berührung und fräst die Rillen mit jeder Umdrehung unmerklich weiter aus, als gelte es, in tiefere Regionen vorzudringen, um näher an den Ursprung der Geräusche zu gelangen. Mit jedem Abspielen wird so etwas vom Material freigesetzt, von dieser Mischung aus Harz, Ruß und Wachsabscheidungen der Lackschildlaus. Lebendige Wesen haben ihren Teil gegeben, hier sind Absonderungen des Lebens gepreßt worden, damit Klang zu Materie werden kann, so wie auch die hineingeschnittenen Laute Absonderungen, Lebenszeichen sind des Menschen.

Und immer muß noch Schwarz hinzukommen, Schwarz: Nacht und Schwarzverbranntes, erst dann lassen sich Laute bannen. Im Unterschied zum Schreiben oder der Malerei, wo Farbe aufgetragen wird, ohne den weißen Grund zu beschädigen, braucht es die Verletzung der Oberfläche, um Geräusche einzufangen, es braucht das Auskratzen des Tonspeichers mit dem Schneidstichel, als erfordere die flüchtigste Erscheinung gerade die härteste Vorgehensweise, als könnte das verletzlichste Phänomen nur mittels einer verletzenden Prozedur fixiert werden.

Und dann verschwindet der Gesang, das Lied ist aus. Der Tonarm hängt, am Ende der Klänge angekommen, in der Auslaufrille fest. Bei jeder Umdrehung knackt es einmal laut, wenn die Nadel zurückspringt und von neuem die gleiche Runde zieht.

Ich schaue einige neue, noch ungehörte Platten durch: Das sind Aufnahmen, die es nirgendwo zu kaufen gibt, es handelt sich um rare Tonaufzeichnungen aus unserem Schallarchiv. Das ist einer der wenigen Vorzüge meiner Arbeitsstelle: Der Zugriff auf die Sammlung von Spezialaufnahmen. Oft durchstöbere ich nach Dienstschluß noch lange die Kartei, um interessantes Material zu finden. Hier gibt es fast alles zu hören, fast alle vorstellbaren seltsamen Geräusche finden sich in Wachs gepreßt: die Vogelstimmen, die verschiedenen Arten von Wind, in allen Stärken. Auch Wasserrauschen und Lawinen. Fahrende Autos, laufende Maschinen, ja, sogar der Lärm, den der Einsturz eines großen Gebäudes macht. Solche Schallplatten sind nicht dazu gedacht, daß jemand sie zur Freude hört, sie dienen zu Prüfzwecken bei der Erprobung von akustischen Speicher- und Wiedergabegeräten im Labor.

Die meisten dieser Pressungen sind Einzelstücke: Ich habe mir einige Sprachaufnahmen mitgebracht, auch außergewöhnliche menschliche Töne. Und solche Aufzeichnungen nackter Stimmen sind mir noch lieber als Gesang, begleitet von Musik. Da liegt das Organ ganz offen vor mir, ungeschützt, da ist die zitternde Stimmritze, da ist die Zungenarbeit noch viel intensiver hörbar. Diese Platten lassen allein aufgrund einer Stimme einen ganzen Menschen in meiner Vorstellung entstehen. Dann läßt sich, wie bei der Arbeit eines Archäologen, der eine Scherbe untersucht, aus einem kleinen Bruchstück auf das Ganze schließen. Man braucht da nichts, nichts weiter, als genau zuzuhören.

Es ist auch spannend, eine Stimme zuerst nur vom Telephon zu kennen, sie beim Hören mit einem Körper zu versehen und hinterher dann ihrem Träger zu begegnen, um die eigene Phantasie an der Wirklichkeit zu überprüfen. Doch meist stellt sich Enttäuschung ein: Die Menschen sind längst nicht so interessant, wie ihre Stimmen es vermuten lassen. Da muß ich genauere Studien treiben, da muß ich ein noch empfindlicheres Gehör entwickeln und auf jede Schattierung horchen, um die Vorstellung einmal mit der tatsächlichen Erscheinung einer Person zur Deckung zu bringen.

Jetzt will Coco gestreichelt werden, während eine Platte mit Niesen, Räuspern und Atmen abspielt. Er drängt sich an mich und reibt sein weiches, bebendes Fell an meiner Seite. Sind es die Töne, die ihn dazu treiben? Er kommt zu mir herauf gesprungen, leckt mir übermütig die Hände und läßt sich auch durch mein gespieltes Desinteresse nicht davon abhalten. Bis ich nachgebe: Ich streichele ihn und greife zwischen seine Ohren. Die feuchte Schnauze stößt an meinen Handballen. Mit diesen pelzigen Ohren also kann er besser hören als wir Menschen. Man kann sehr tief in sie hineinschauen bei Tag. Die rosigen Windungen hinab in die Dunkelheit. Ich kraule Cocos Hals, und er hebt gleich den Kopf so weit wie möglich, um meiner Hand freies Spiel zu lassen. Ich ertaste den harten Hundekehlkopf mit den Fingern. Hier ist die Stelle, von der die Laute kommen, hier unter diesem knorpeligen Schutzschild liegt der Ort der Stimme.

Ich fahre Cocos Schädel ab: Wo sitzt da der Gehörsinn? Wo ist die Fähigkeit, Töne zu bilden, in seinem Hundehirn verankert? Die Form des Schädels, die Beulen und Einbuchtungen lassen auf den Sitz bestimmter Hirnregionen schließen, so hat Professor Joseph Gall schon Anfang des letzten Jahrhunderts festgestellt. Für Gall war jeder Kopf eine Gehirnlandkarte. Bei Taubstummen zum Beispiel, wenn ihre Schädel kahlrasiert waren, konnte er die Art der Schädigung schon auf Sichtweite diagnostizieren, ohne daß man ihm zuvor etwas darüber mitgeteilt hätte. Professor Galls Beobachtungen füllten ganze Atlanten.

Nur das Verzeichnen könnte wappnen gegen den Zugriff der entstellten Laute. Doch was die Natur der menschlichen Stimme betrifft: nur hingeschluderte Entwürfe zur Stimmhaftigkeit, mit ein paar krakeligen Strichen aufs Papier geworfene Skizzen, welche das Areal der Hörenden umreißen sollen. Ansätze vielleicht zu einer Karte, von der höchstens die linke untere Ecke ein paar schwache Linien zeigt, ohne daß bisher überhaupt schon der Maßstab feststünde. Dazu wenige matte Punkte, welche kaum der Orientierung dienen. Wo denn auch, in welchem Gebiet, da der Plan gar keine Legende hat?

Coco hat sich auf meinem Schoß zusammengerollt und schläft schon. Von meinem Platz aus öffne ich die Balkontür und bleibe noch auf eine Zigarettenlänge vor der abgelaufenen Platte sitzen. Eine sehr klare, kalte Nacht. Bei solcher Luft sticht jeder Ton von draußen tief ins Ohr. Ein Fuhrwerk irgendwo. Und Schritte, die leise verhallen. Nein, Coco schläft nicht wirklich, zumindest nicht sehr tief: Die Ohren zucken immer schon einen Moment, bevor ich ein Geräusch dann selber höre.

Eine Karte, auf der auch die unscheinbarsten menschlichen Laute verzeichnet werden müssen: Zum Beispiel dieses heftige Hervorpressen von Luft zwischen den schlaffen Lippen, das manche Raucher praktizieren, eine halb nachlässige, halb lasziv gemeinte Geste, die ein solch widerwärtiges Geräusch erzeugt, daß es mich bis aufs Blut reizt und in mir unversehens der Drang aufsteigt, denjenigen zu erwürgen, der so abstoßend tonlos pfeift. Aber für solch eine vielleicht gerechtfertigte Tat wäre ich am Ende doch wohl immer viel zu feige. Zu feige schon, den Raucher zu beschimpfen, oder auch nur, ihn höflich auf die Störung hinzuweisen. Ich bin der Feindberührung nicht gewachsen. Tatsächlich wage ich es noch nicht einmal, mich ermahnend zu räuspern. Möglich, daß jene HJ-Jungen von heute morgen als Erwachsene zu Derartigem fähig sein werden, ohne ein Wimpernzucken, da sie sich schon im Kindesalter dazu überwinden, an einem kalten Morgen noch bei Dunkelheit aufzustehen, nur mit dem einen Ziel, unter dem Regiment eines Scharführers zu schwitzen. Ein Glück für jemanden wie mich, vor diesem Reich aufgewachsen zu sein: das Lagerleben, die Appelle. Ertüchtigung, dann hinterher Männergestank und -sprüche in einer dunstigen Umkleidekabine: die feuchten Träume überwacht.

Wer ein geborener Feigling ist, der muß wohl alles fürchten. Sogar das Untergehen in einer Gruppe gleichermaßen unsicherer Jungen, wo alle vor einander entblößt werden bis auf die kaum erwachten Schwänze. Der traut sich nicht, in der Gemeinschaftsdusche nackt zu stehen, der wagt es nicht einmal, zwischen den Beinen der anderen nach Flaum zu luchsen im heißen Wasserdampf. Wenn nur der derbe Ton nicht wäre, der offenbar stets dazugehörende zwielichtige Ton in diesen Männerstimmen. Der kann schon dazu führen, daß man sich ausschließt, weil man da einfach nicht zuhören kann. Auch weil er untrennbar verbunden scheint mit jenem anderen: dem Befehlston ohne jede Doppeldeutigkeit, dem Frontorgan, aus dem jede Färbung geblichen ist. Wie leicht geschieht es, daß jemand, wenn er den einen beherrscht, mitunter automatisch in den anderen fällt. Sind wir denn alle in Gefahr, einmal diesen Kasernenhofton anzunehmen? Vielleicht kann niemand sich von der Verlockung freisprechen. Außer den Taubstummen natürlich, vor denen dieser Ton kapitulieren muß, weil er sich in sie nicht hineinfressen kann. Und außerdem: Professor Gall war auch ein einsames Kind. Als ihm schon mit neun Jahren an Schulkameraden mit Glotzaugen auffiel, daß diese besonders gut auswendig lernen konnten, hat ihm das nicht gerade Freundschaft eingebracht. Aber Professor Gall, der hatte seine Schädel immer um sich, der hatte wenigstens seine Sammlung von Totenkopfkindern.

Wer diese Karte aller Stimmfärbungen anlegen will, der darf, wie Gall, sich von den Mitmenschen in seiner Arbeit nicht beirren lassen. Der kann, wie jener Schädelmesser, auch nicht als feige angesehen werden. Der darf selbst die extremsten Äußerungen nicht scheuen, der muß auch dort zur Stelle sein, wo die Gefahren lauern, damit er jeglichen Ton aufzeichnen kann. Der darf auch davor nicht zurückschrecken, daß manche Klänge keineswegs angenehm sind, weder für das Ohr des Hörers noch für denjenigen, der sie hervorbringt. Die Schallquelle, welche in diesem Moment für den Hörer nur genau dies eine sein darf, Schallquelle, nicht etwa ein Mensch mit Schmerzen, dem es zur Hilfe zu eilen gilt. Ich darf mich von einer bemerkenswerten Stimme nicht ablenken lassen durch das viehische Gebaren, mit dem der Scharführer die Jungen malträtiert, ich darf mich nicht ablenken lassen von der verwahrlosten Erscheinung des Flegels in der Straßenbahn, vom Auftreten der geistesgestörten Frau, die auf den alten Mann eindrischt mit ihren Fragen nach Weihnachtsmann und Stroh und Kuschelbär. Und darf auch nicht die Taubstummen anstarren mit ihren seltsamen Gebärden, während mir vielleicht entgeht, wie einem doch ein unartikulierter Laut entweicht. Selbst wenn ich dem, der Zigarettenrauch geräuschvoll aushaucht, an die Kehle ginge, so dürfte der Kraftaufwand beim festen Zugriff meiner Hände mich nicht unaufmerksam werden lassen für einen bevorstehenden letzten Seufzer.

Denn diese Karte wird nicht nach bekannten Regeln angelegt, nicht innerhalb abschätzbarer Grenzen, sie vermißt nicht ein bekanntes Terrain lediglich unter neuem Blickwinkel: Sie zeigt ein Areal jenseits aller kartographierten Gegenden des Menschen. Das Anlegen solch eines Plans erfordert unermeßliche Geduld, vielleicht macht ein bestimmtes Wimmern Vergleichsaufnahmen nötig, um die Nuancen dieses Klagelauts im Kartenwerk zu erfassen, aber der weiße Fleck läßt sich nicht ausfüllen, erst Jahre später ein verwandter Ton, aus dem Mund einer anderen Schallquelle. Möglich, daß ein einzelnes Menschenleben dafür gar nicht ausreicht. Als Tier muß man die Fährten ablaufen, man darf das keinesfalls als der Mensch tun, der man ist, als dieses Augentier, das meint, alle Erscheinungen seien für immer allein so zu betrachten, wie es sich im bisherigen Leben aus den Gewohnheiten ergeben hat. Bis dann mit einem Mal der Himmel aufreißt, bis dann mit ungeheurer Wucht die Welt der Töne über einen hereinbricht und alles Gewohnte zum Einsturz bringt, wie jenes Rülpsen mich noch überrascht, obwohl es in meinen Ohren nur dies eine sein dürfte: der Anlaß für einen weiteren Eintrag auf meiner fast noch leeren Karte.

II

Jetzt sind wir sechs. Der Traum ist noch nicht aus, stock-dunkel, mitten in der Nacht, laß mich weiterschlafen, hör auf, an mir zu rütteln, laß mich los, eine kleine Schwester, Heide, gerade geboren, aber deswegen brauchen wir doch noch nicht aufzustehen, nicht mitten in der Nacht, erst wenn es hell ist, morgen früh, wollen wir sie gleich besu-chen, laß mich endlich in Ruhe, auch nicht zur Schule jetzt, es ist noch keine Zeit, und auch kein Luftalarm, es ist doch gar kein Luftalarm.

Sie hat mich wachgerüttelt. Sie ist wieder weg, sie hat die andern mit ins Bad genommen. Wie spät ist es? Müssen wir in den Bunker? Der Traum ist noch nicht aus. Wer hat das Licht angeschaltet? Das Bett ist warm, das Kissen plattgedrückt. Wer hat geflüstert: Anziehen und Waschen, schnell? Die Kinderfrau. Ich höre ihre Stimme aus dem Bad, sie redet leise mit meinen Geschwistern. Sie hat ge-sagt: Ihr werdet abgeholt.

Warum denn abgeholt? Von wem? Wohin? Werden wir zu Mama ins Krankenhaus gefahren, sollen wir Heide se-hen? Die schlafen doch. Ist etwas passiert? Mama ist schon einen ganzen Monat in der Klinik, es ging ihr schlecht, die ganze Zeit hat sie auf das Kind gewartet, sie war immer so traurig, wenn wir sie sahen. Und nun ist es am Ende doch ein Mädchen und kein zweiter Junge, wie Papa gern gehabt hätte. Als Mama uns an einem Nachmittag zu Hause besu-chen durfte, hat sie mit Papa noch von einem kleinen Sohn gesprochen.

Ich schaue durch den Vorhangspalt nach draußen: Noch immer schwarze Nacht, nirgendwo ein Licht, alles ver-dunkelt. Es ist so still, es ist zu früh für Vögel und für Menschen. Geht Wind? Ich weiß es nicht, ich sehe keine

Bäume. Doch, da, da wippt ein Zweig gleich vor dem Fenster. Aber der Zweig ist kahl, es rauschen keine Blätter, das ist das Wasser, aus dem Bad. Sonst ist es still hier in der Wohnung. Die Kinderfrau ruft mich: Helga, suchst du für jeden ein Spielzeug zusammen? Aber nur eins, hörst du, mehr könnt Ihr nicht mitnehmen.

Ich will sie fragen, aber ich kann so früh noch gar nicht sprechen: Wenn wir in unser Haus nach Schwanenwerder fahren, brauchen wir doch kein Spielzeug mitzunehmen. Und wozu sind zwei vollgepackte Koffer hier, mit warmen Sachen. Wir haben in jedem Haus genug zum Anziehen. Im Badezimmer ist es warm, die Kacheln sind beschlagen, eine Dunstwolke hüllt alle ein. Die Kinderfrau steht mit Holde vor dem Waschbecken, aber die will den Mund nicht aufmachen zum Zähneputzen. Was sollen wir mit den Koffern und der ganzen Kleidung?

Ihr werdet eine Weile bei einem Bekannten der Eltern wohnen, er wartet unten schon auf euch. Eure Mutter ist noch zu schwach, sie hat auch erst einmal genug zu tun mit Heide. Und euer Vater hat keine Zeit, um auf euch fünf aufzupassen, wenn er bis in die Nacht arbeitet, wenn er im Büro sogar übernachtet, oder in seinem Haus in Lanke, und weil er außerdem so oft auf Reisen ist. Jetzt trödelt bitte nicht so lange herum.

Meine Geschwister hören gar nicht zu, sie sind viel zu müde. Helmut steht da im Unterhemd und wartet, daß er gewaschen wird, Hedda wühlt im Kleiderstapel herum und Hilde schläft auf dem Klo schon wieder ein. Keiner sagt etwas. Holde kratzt sich am Bein, sie hat am ganzen Körper Gänsehaut. Die Kinderfrau macht ihr die Zöpfe.

Im Spielzimmer ist es kalt. Für Hilde und für mich die neuen Puppen, die Papa uns aus Paris mitgebracht hat. Es stimmt: Er hat nur wenig Zeit für uns, letzte Woche ist er nach Paris gefahren, dann gleich nach Wien, und erst vorgestern wiedergekommen. Ich krame aus der Schublade Helmuts Soldaten und Holdes Bauernhoftiere zusammen. Hedda spielt sowieso nur immer mit ihrer Schlenkerpuppe, die liegt noch drüben im Gitterbett unter der warmen Decke. Nun sind die Koffer voll, aber wenn wir über Nacht wegbleiben sollen, brauchen wir auch unsere Stofftiere. Wer ist dieser Bekannte von Mama und Papa? Haben wir ihn schon einmal gesehen? Ich will nicht fort, so früh hinaus in diese Finsternis. Jetzt ist mir kalt, ich muß mich anziehen, aber ich will das warme Nachthemd noch ein wenig anbehalten, nicht die kalte Unterwäsche anziehen.

Wo ist denn Papa überhaupt, will er uns nicht verabschieden? Schläft er noch, oder ist er bei Mama im Krankenhaus? Vielleicht ist er auch nach seiner Geburtstagsfeier gestern abend raus nach Lanke gefahren und übernachtet dort. Die Kinderfrau ruft über den dunklen Flur: Bist du schon fertig Helga? Dann kämm' dich ordentlich und geh hinunter in den Salon, dort wartet der Herr auf euch. Sag ihm Guten Tag, und auch, die anderen kämen gleich.

Papa ist sicher unten, um uns Auf Wiedersehen zu sagen, und er unterhält sich mit seinem Bekannten. Ich bleibe auf der Treppe stehen und horche: Aber ich höre keine Stimmen aus dem Salon, nur aus der Küche Tellerklappern. Vielleicht reden die beiden leise miteinander.

Es ist beinahe dunkel im großen Salon. Da brennt nur eine kleine Lampe auf dem Sofatisch, und über dem Sesselrücken sehe ich einen Hinterkopf, im Schatten, das ist nicht Papas schmaler Kopf und Sehnenhals, das muß der Bekannte unserer Eltern sein. Ich bleibe in der Tür stehen: Er rührt sich nicht, er hat nicht gehört, wie ich die Treppe heruntergeschlichen bin. Ich will gerade umdrehen und leise in die Küche gehen, da steht er auf und schaut mich an, er hat mich also doch gehört. Er sagt Guten Morgen und stellt sich vor: Er heißt Herr Karnau. Ich habe mir diesen Bekannten viel älter vorgestellt, wie soll denn dieser junge Mann auf uns fünf Geschwister aufpassen? Er sieht auch noch sehr müde aus, im Halbdunkel, wie er mich jetzt anlächelt und fragt: Du bist Helga, die Älteste?

Ich nicke nur und gebe ihm die Hand. Dann laufe ich hinüber in die Küche. Ich habe diesen Mann noch nie gesehen, und unsere Eltern haben auch nie von einem so jungen Bekannten erzählt. Nach und nach erscheinen auch die anderen in der Küche, als letztes kommt die Kinderfrau mit der herausgeputzten Hedda. Wir bekommen Kakao und Marmeladenbrote, aber so früh am Morgen kann noch niemand etwas essen: Keiner trinkt seine Tasse leer, und angebissene Schnitten liegen auf dem Tisch. Die Kinderfrau holt den Bekannten aus dem Salon, er sagt zu allen Guten Morgen. Aber meine Geschwister schauen nur wortlos zu ihm hinauf.

Dann stehen wir mit Mantel und Schal an der Garderobe. Die Kinderfrau erklärt Herrn Karnau noch ein paar Dinge, auf die er achten soll: Wir dürfen bei ihm nicht auf dem Boden spielen und nicht im Durchzug sitzen, weil wir so anfällig sind für Erkältung, eins steckt sofort das andere an, sagt sie. Herr Karnau mustert uns der Reihe nach, nimmt Hedda auf den Arm und geht voraus auf die Straße. Papas Chauffeur hat unser Gepäck schon verstaut. Es ist gar nicht so kalt, wie die Kinderfrau gemeint hat, es nieselt nun, der Regen ist beinah wie Nebel und glitzert im Schein der abgeklebten Autolampen. Papa ist nicht mehr gekommen, um uns Auf Wiedersehen zu sagen. Ich hätte ihn noch gern gefragt, wer dieser Herr Karnau ist. Da fahren die ersten Wagen auf der Hermann Göring-Straße. Die Luft riecht seltsam, nach den Blättern, die im Herbst verfaulen, wie Haferschleim riecht das, wenn die Milch überkocht.

Papas Chauffeur hält uns die Autotür auf, wir passen alle fünf nach hinten: Hedda und Holde teilen sich die vordere Bank, sie liegen da und schlafen weiter unter einer großen Wolldecke. Holde lehnt ihren Kopf an die kalte Fensterscheibe, und wenn der Wagen über eine holprige Straße fährt, erzittert Holdes Schopf. Herr Karnau schaut vom Beifahrersitz zu uns und unterhält sich leise mit Hilde und mir. Wir sitzen auf der hinteren Bank und haben Helmut zwischen uns, er hat den Kopf auf meinen Schoß gelegt und döst mit offenen Augen. Der Regen prasselt jetzt aufs Wagendach, die Scheibenwischer quietschen. Der Chauffeur konzentriert sich stumm auf die Straße, die Laternen sind noch immer aus, und die Scheibe beschlägt immer wieder. Zu Hause hat Herr Karnau einen Hund, der uns fünf schon erwartet. Woher weiß Herr Karnau denn, daß Hilde Tiere über alles liebt? Hat er Mama und Papa über uns ausgefragt? Leise, um unsere kleinen Schwestern nicht zu wecken, sagt er: Coco hat schwarzes Fell, am Hals ist es besonders weich, und da wird Coco gern gekrault.

Auf einmal ist Hilde hellwach, sie lacht: Coco? Das ist doch gar kein Hundename. Helga, hast du schon mal gehört, daß ein Hund Coco heißt? Wir haben seit dem Sommer einen Setter, aber nicht im Stadthaus, sondern in Schwanenwerder, und der heißt Treff, das ist ein richtiger Hundename.

Aber trotz des seltsamen Namens findet Hilde Coco jetzt schon süß. Das Auto hält an, und der Chauffeur hupt zweimal. Wir warten, bis eine Frau aus dem Haus kommt,

wo Herr Karnau wohnt. Im Gehen zieht sie einen Regen-
mantel über, dann spannt sie einen Schirm auf. Sie ist die
Haushilfe von Herrn Karnau, er sagt, so lange wir hier
sind, wird sie für uns sorgen. Er hat wohl keine eigene
Frau. Papas Chauffeur kommt nur ganz kurz mit in die
Wohnung und stellt das Gepäck in den Flur, dann muß er
den Wagen wieder nach Hause fahren. Jetzt sind wir allein
bei einem Fremden.

Der Hund hat wirklich schwarzes Fell, er tollt um uns
herum und wedelt mit dem Schwanz, er will an allem
schnuppern: an unseren Schuhen, Mänteln und an meinen
Händen, daß es kitzelt. Herr Karnau zeigt uns unser Zimmer, wir gehen alle noch einmal ins Bett, um auszuschla-
fen.

Ich liege neben Hedda auf dem Schlafsofa, Herr Karnau
hat an ein Gitterbett für sie wohl nicht gedacht. Schlafen
die andern schon? Die Bettwäsche riecht anders als bei uns
zu Hause, das Kissen knistert beim Zusammendrücken,
und die Decke, die wir uns teilen müssen, ist zu klein.
Hedda murrt und klemmt ihr Ende unter den Arm. Das
Licht geht aus. War das Herr Karnau? Er flüstert draußen
mit seiner Haushilfe, die Tür ist angelehnt, vom Flur her
fällt ein Lichtstreifen auf unser Bett.

Ganz langsam wird die Wohnungstür geöffnet, Schritte
hallen im Treppenhaus, jemand sagt leise Gute Nacht, das
ist die Stimme von Herrn Karnau. Er schließt die Tür ab
und geht in sein Zimmer. Jetzt ist der Lichtstreifen verschwunden, jetzt ist es völlig dunkel.

Fast lautlos atmend in der Dunkelheit, und in ruhigen Zügen: So schlafen die fünf Kinder drüben, und jedes holt in
seinem eigenen Rhythmus Luft, fünf Rhythmen nebeneinander. Sie sind wohl gar nicht richtig wach gewesen auf

dem Weg hierher, der nächtliche Umzug hat sie kaum dem Schlafatem entrissen, gleich sind sie wieder eingeschlafen. Nun ist die ganze Wohnung von einem schwachen Nachtgeräusch erfüllt, das bis zum Morgen nicht nachlassen wird, so lange nicht, bis die fünf Geschwister erwachen. Noch nie habe ich kleine Kinder im Schlaf Luft holen hören, ich kenne nur mein eigenes Atmen vor dem Einschlafen. Da trappeln Pfoten auf den Dielen, Coco kann vor Neugier noch nicht schlafen, er stupst die angelehnte Tür zum Nebenzimmer sachte mit der Schnauze auf und schnuppert jetzt wohl an unseren Gästen, um ihren fremden Geruch aufmerksam zu prüfen.

Wie mich die Kinder vorhin mit ihren großen Augen angesehen haben. Die Mädchen waren alle sauber gescheitelt, so daß auf ihren Köpfen ein Streifen Kopfhaut durchschien, und an den Seiten hatten sie Zöpfe gebunden. Wer soll ihnen, wenn sie am späten Morgen mit Heimweh erwachen, das aufgelassene Haar erneut zu Zöpfen flechten?

Da kommt Coco zurück, aber er bleibt am Kopfende des Bettes stehen und legt die Vorderpfoten mir vor das Gesicht, er schnüffelt auf der Zudecke herum, als wäre auch sein Herr ein Fremder jetzt, da Fremde in der Wohnung sind. Sein warmer, feuchter Atem streicht um meine Nase. Nun endlich springt er doch herauf, ganz vorsichtig tappt er über meinen Körper hinweg und rollt sich dann zwischen meinen Beinen zusammen. Er schnauft einmal sehr heftig. Dann lange nichts, nur wieder deutlich die fünf Kinder drüben, und eines hustet plötzlich aufgeregt, wohl Helmut. Die andern, aus dem Tiefschlaf aufgestört, wechseln in einer Wellenbewegung ihre Lage: Bettwäsche raschelt, und Seufzer im Traum. Dann setzt der Hundeatem wieder ein.

Ich bin als erster wach. Nichts rührt sich in der Wohnung. An jedem Morgen herrscht einen Moment lang eine eigenartige Stille, kurz bevor dann der Lärm des Tages losbricht. Ich werfe einen Blick ins Wohnzimmer: Die Kinder sind noch tief in ihrer Nachtwelt. Die trockene, verbrauchte Luft. Im Halbdunkel erkenne ich, daß alle Betten ganz zerwühlt sind: Vom Schlafsofa ist die Decke zu Boden geglitten, Helga hält nur noch einen Zipfel davon fest im Arm, neben ihr liegt die kleine Hedda mit verrutschtem Nachthemd, und aus Helmuts Faltbett vor dem Fenster hängt ein nacktes Bein. Ich schließe die Tür leise. In der Küche ziehe ich die Vorhänge zur Seite: Trübes Licht, nach einer weiteren Nacht Verdunkelung.

Schon ein Jahr Krieg. Es ist Mittwoch, der 30. Oktober. Halb acht, es ist noch gar nicht wirklich hell. Die Tauben auf der anderen Straßenseite wachen gerade auf, strecken den Kopf aus dem Gefieder, putzen sich kurz. Dann aber plustern sie sich wieder auf und graben den Schnabel noch einmal ins Federkleid. Ihr Schlafplatz, das Gesims zwischen der Schneiderei im Erdgeschoß und den Fenstern des ersten Stocks, ist mit Kotschlieren weiß verschmiert. Ich stelle den Wasserkessel auf für einen ersten Kaffee. Mögen die Kinder auch Malzkaffee?

Ich versuche, mir den Geschmack als Kind, auf meiner Kinderzunge vorzustellen. Welches Aroma hat meinen Mund zuerst erfüllt, noch vor dem Zähneputzen? Welche Flüssigkeit machte jeden Morgen jener Trockenheit ein Ende, die meinen Gaumen über Nacht befallen hatte? Ich taste meinen Mundraum mit der Zunge ab. Es muß ein wässriges Getränk gewesen sein, kein milchiges, soweit erinnere ich mich. Kamillentee? Nein, den mögen Kinder nicht, den müssen Kranke trinken. Unausgeschlafen eine warme Tasse an den Mund zu führen, mit: Hagebuttentee.

Und stark gezuckert. Heiß, daß ich mir mit dem ersten Schluck die Zunge verbrannte.

Ich zünde meine erste Zigarette an. Von ihrem Schlafplatz aus beobachten die Tauben unbemerkt Passanten unten auf dem Bürgersteig: Sie drehen die Hälse nach zwei trödelnden Schulkindern. Die werden jetzt mit hastigen Schritten überholt von einer Frau, die wohl zu spät zur Arbeit kommt. Die Kinder trinken also Früchtetee. Oder ist Hedda, die Kleinste, doch eher heiße Milch gewöhnt? Wenn die fünf schon bei einem Fremden erwachen, muß ihnen wenigstens das übliche Morgengetränk angeboten werden, ohne daß es erst einer Nachfrage bedarf. Sonst kann es leicht geschehen, daß sie von Furcht ergriffen werden, weil von der Wohnung hier, von mir eine unbestimmbare Gefahr auszugehen scheint, die erst mit der Abreise verfliegt. Essen die Kinder so früh am Tag überhaupt Brot?

Als Kind war mein Lieblingsfrühstück gedeckter Apfelkuchen, vom Blech, mit zuckriger Glasur. Vor Tagesanbruch, in einem nur schwach erhellten Raum: Der Teelöffel ganz kalt in meiner Faust, da ich, noch im Schlafanzug, am Küchentisch kauerte. Wie lange ich immer gebraucht habe, um ein Stück Kuchen aufzuessen: Die Eltern waren längst gewaschen und angezogen, sie standen schon bereit zum Gehen, als vor mir noch fast der ganze Kuchen lag, der nun mit großen Bissen rasch verschlungen werden mußte. Oder er wurde verpackt, im Brotkasten verwahrt, und am Abend wartete der Rest auf mich, als Nachtisch. Und dann hielt meine Hand statt des metallenen Löffels die Hand von Vater oder Mutter, die mich auf dem Weg zum Kindergarten durch das Dunkel zog.

Im Dunkeln aus dem Bett um diese Jahreszeit, so wie auch die fünf Kinder letzte Nacht, ohne zu quengeln, aufgestanden sind. Ist es bei ihnen Disziplin, sind sie in diesem Alter schon so abgehärtet? Dabei sind Hilde und Helga doch nicht in einer Kükengruppe, und Helmut wäre auch noch viel zu jung für die HJ. Oder fühlen sie sich unweigerlich, wie ich schon damals, hingezogen zu dieser Morgenwelt?

Es ist zwar bald nach acht, doch trotzdem spüre ich, bei diesem matten Licht, etwas von dem Gefühl, Teil einer Nacht zu sein in klarer Luft, wo jeder Schritt, jedes geflüsterte Wort widerhallt, um dann einfach spurlos im Dunkeln zu verschwinden. Da hatte jeder Laut eine besondere Bedeutung: Ein Vogel, der im Schlaf ein oder zweimal piept. Das unvermittelte Rascheln am Straßenrand: Eine Maus, die sich durch das verfaulte Laub wühlt, oder ein Igel irgendwo, der nicht begreift, daß bald die Menschen und das Licht kommen. Als würden die Geräusche jeden Morgen von neuem erschaffen, als müßten auch die Stimmen qualvoll erst geboren und geformt werden bei Tagesanbruch. Als gäbe es das Grölen gar nicht in der Nacht, die derben Sprüche, die lauten Rufe von einer zur andern Straßenseite und den herrischen Ton, welchen manche Menschen am Leibe haben, alle akustischen Eindrücke, die dazu angetan sind, ein Kind bis ins Mark zu erschrecken. Als sei das Schreien erstorben und als entstünde auch das Schwatzen nur unter dem Licht der Sonne, ein wenig Aufschub noch, solange, wie sich mein Atem als warmer Dunst in der Nachtkälte verflüchtigte. Solange kaum jemand zu sehen war dort auf der Straße, jeden Morgen dieselben vermummten Gestalten, die ich nur als müde Schemen kannte, und nicht als wache, laute Menschen, die sie zu einer späteren Tageszeit zweifellos gewesen sein müssen.

Und es stand nicht in meiner Macht, das Dunkel länger

walten, die fremden Stimmen schlafen zu lassen, während die Elternhand mich weiter zog, durch die nun bald gefährliche Restnacht, die unweigerlich umschlagen mußte in die Welt der Herrenstimmen, des Kreischens und des Lärmens, entschlossen von der großen Hand gezogen, daß ich fast laufen mußte, um Schritt zu halten mit dem Erwachsenengang, als gelte es, diesen Bereich so schnell wie möglich zu durchqueren, als könnte man nichts anderes tun, als sich dem Licht und den Geräuschen tatenlos zu ergeben, dem Wandel aller Morgenschemen zu Stimmenschemen über Tag. Und nur die Flughunde in meinem Album waren davon ausgeschlossen. Niemals flogen sie bei Sonnenlicht, nur in der Dunkelheit, die ihre schwarzen Körper noch verstärkten, als schluckten diese Flügel noch das letzte Licht. Sie allein hätten mich vor dem Tag bewahren können, eingehüllt von diesen weichen Flügeln, versunken in der Lichtlosigkeit. Das war die Morgenwelt, und die war abgetrennt von jener Welt bei Tageslicht. So daß der angebissene Kuchen auch niemals untertags hätte aufgegessen werden können. Das ging erst abends, als es längst schon wieder dunkel war.

Jetzt kommt Leben in die Reihe der Tauben. Ein Tier, das wohl auf dieser Seite hier genächtigt hat, landet auf dem Gesims. Die anderen schrecken auf und trippeln hin und her. Eine Taube stürzt beinahe hinab: Im Fallen breitet sie die Flügel aus und flattert herüber auf diese Straßenseite. Schon ist sie oben irgendwo verschwunden. Wird die Haushilfe von alleine daran denken, auch Kuchen für die Kleinen mitzubringen? Sie hat von mir sicherlich ausreichend Bezugsmarken erhalten. Denn für die Kinder gibt es Sonderzuteilungen, Vollmilch für Hedda, echten Honig, und auch Butter. Länger als ein Jahr gilt nun bereits die Bewirtschaftung, aber mir fehlt noch immer der Überblick über die verschiedenen Abschnitte, die erlaubten Rationen. Wo sind jetzt wieder meine Rauchermarken? Hat die Haushilfe sie aus Versehen mitgenommen?

Ich gieße kochendes Wasser auf. Passen wir zu sechst überhaupt an diesen Tisch? Braucht die Haushilfe einen Platz, weil Hedda noch gefüttert werden muß? Die ist ja wirklich noch sehr klein. Auf jeden Fall benötigt sie ein Kissen auf dem Stuhl, um auf den Tisch schauen zu können. Die erste Taube gleitet jetzt hinunter auf das Pflaster. Und eine zweite folgt ihr hinterher. Gemeinsam picken sie herum im Rinnstein und laufen ungestört bis auf die Fahrbahn, noch kein Verkehr um diese Zeit.

Mit meinem Kaffee setze ich mich an den Tisch und rauche eine zweite Zigarette. Da kommt Coco herüber aus dem Zimmer. Wie jeden Morgen legt er zuerst seinen Kopf einen Moment auf meinen Schoß und läßt sich streicheln, als müßte er sich vergewissern, daß wir nach der vergangenen Nacht noch immer zusammengehören. Er trottet durch die Küche und schnuppert in den Ecken: Ja, es ist derselbe Raum wie gestern abend. Dann beobachtet er die Tauben draußen: Sie sitzen mittlerweile überall verteilt, auf Fensterbänken, Dächern, in den Regenrinnen. Nur das Gesims dort gegenüber ist nun leer. Coco beginnt zu winseln, als der erste Schwarm Tauben zwischen den Häusern in der Luft kreist, um dann die Straße zu verlassen. Und jetzt sind aus dem Nebenzimmer leise Kinderstimmen zu hören. Es ist auch schon halb neun. Ich trinke meine Tasse leer, ich muß mich langsam anziehen, denn Coco will seinen Morgenspaziergang machen. Es wird den ganzen Tag nicht richtig hell werden.

Hilde und Holde haben mich geweckt, sie tuscheln in ihrem Bett. Warum schlafen wir alle im selben Zimmer? Das ist Hedda neben mir, die sich herumwälzt. Hilde und Holde kichern. Wir sind bei anderen Leuten, fällt mir ein: Wir sind bei diesem Bekannten von Mama und Papa, bei dem Herrn Karnau. Und alles nur, weil wir eine neue Schwester haben. Sonst mußten wir nicht weg, sonst hat unsere Kinderfrau für uns gesorgt, wenn Mama in der Klinik war. Sechs Kinder sind wir jetzt. Und dann hatten wir noch ein Geschwisterkind, aber das wird nicht mitgezählt, das hat auch niemand je gesehen. Die Kleinen wissen nicht einmal, daß dieser unbekannte Bruder in Mamas Bauch gewesen ist. Einmal, als ich noch klein war, da mußte Mama plötzlich schnell ins Krankenhaus. Aber als sie wieder nach Hause kam, brachte sie unseren Bruder nicht mit. Mama war sehr traurig und noch lange krank. Papa hat mich beiseite genommen und mir erklärt, daß es nun wieder lange dauern würde, bis wir ein neues Kind bekommen.

Sonst wären wir jetzt sieben, nein, eigentlich acht, wenn man Harald dazurechnet. Harald ist auch ein Kind von Mama, aber er ist viel älter als wir anderen, und er wohnt nicht bei uns, er kommt uns nur manchmal besuchen. Harald ist nämlich Soldat. Darf er nicht bei uns wohnen, weil Papa nicht sein Vater ist? Aber Papa mag Harald doch, er hat ihm einmal sogar ein Motorrad geschenkt. Mama hatte früher einen anderen Mann, aber das ist schon lange her, da haben wir noch nicht gelebt. Haralds Vater kennen wir nicht, aber Papa kennt ihn bestimmt.

Nun ist auch Hedda wach, sie schaut mich verschlafen an. Wir kuscheln uns zusammen unter der Bettdecke, der Arm von Heddas Schlenkerpuppe hängt mir im Gesicht. Hilde ist viel zu aufgeregt, um noch länger liegen zu bleiben, sie sagt jetzt laut: Wir wollen endlich Coco sehen.

Fünf Kinder sitzen vor mir in ihren Nachthemden. Helmut kaut still an seinem Marmeladenbrot. Helga hockt da mit eingezogenen Schultern. Und Hedda schaut, als fange sie gleich an zu weinen. Nur Hilde und Holde benehmen sich unbefangen, Coco lenkt sie ab. Nein, die Haushilfe hat leider keinen Kuchen mitgebracht. Von ihrem Kakao haben die fünf kaum getrunken.

Sie fühlen sich ganz offensichtlich hier nicht wohl. Hoffentlich ist ihre Mutter bald soweit erholt, daß die Kinder wieder nach Hause dürfen. In welche Lage habe ich sie hineinmanövriert? Wie habe ich der Bitte ihres Vaters so unbedacht entsprechen können, die fünf Kinder auf ein paar Tage in meine Obhut zu nehmen, wenn ihre Mutter niederkommt? Sie sind, als Kinder einer hochgestellten Persönlichkeit, schließlich ganz andere Verhältnisse gewohnt. Und wie ist ihr Vater auf die Idee verfallen, gerade mich darum zu bitten? Wir kennen uns doch auch noch gar nicht lange: Es war jene gigantische Beschallungsanlage und deren überwältigende Wirkung, die den Vater auf mich aufmerksam werden ließ. Denjenigen, der den Aufbau überwacht hatte, wollte er fortan regelmäßig in seinem eigenen Tonstudio sehen, wann immer eine Rundfunkrede aufzunehmen war. So kamen wir während der Arbeit ins Gespräch. Hat er mich ausgewählt, weil er Verständnis bei mir spürte für seine Ansichten über Erziehung? Er lehnt es kategorisch ab, seine eigenen Kinder der HJ zu überlassen. Ist das der Grund gewesen? Ich werde es wohl nie erfahren. Es erging einfach die freundliche, doch bestimmte Aufforderung, mich für den Fall bereitzuhalten, daß keine andere Unterbringungsmöglichkeit gefunden würde.

Ich muß sehr darauf achten, daß ich die Namen der Kinder nicht verwechsele: Helga ist die Älteste, das ist klar, dann Hilde, die mich auf der Fahrt nach Coco löcherte. Helmut, der einzige Junge. Holde kommt danach, sie schielt ein bißchen. Hedda, die Kleinste. Heide die Neugeborene. Sogar der Vater scheint manchmal die Übersicht zu verlieren: Einmal, als er von Hedda sprach, nannte er sie immer Herta. Doch niemand wagte es, ihn darauf aufmerksam zu machen. Möglich, daß er die Mädchennamen auch darum durcheinanderwirft, weil ihm so viele Jungennamen im Kopf herumschwirren, mit denen er seine imaginären Söhne ruft: Harder, Hartmann, mit seiner linksrheinischen Intonation prüft er, ob diese Namen dem Rang seiner männlichen Nachkommen angemessen sind, in diesem Singsang, der sich gleich mit dem ersten Laut entrollt, der sich aus Mund- und Rachenraum ergießt, und den selbst die gespitzten Lippen nicht vertuschen können beim Versuch, ein reines Hochdeutsch zu gestalten. Die auffällige Satzmelodie des Vaters hat auch auf seine Kinder abgefärbt. Und vielleicht murmelt er insgeheim sogar: Hermann, meinen Namen.

Im Loch. Im Loch sind wir, bei einem Fremden, der keine Ordnung halten kann, wo überall Krempel herumliegt. Hier in der Küche ist es viel zu eng für uns alle, die Wohnung hat nur zwei Zimmer, wo sollen wir da spielen? Warum haben uns Mama und Papa denn nicht aufs Land geschickt? Dann hätte unsere Kinderfrau auch mitkommen können. Die Haushilfe stellt Herrn Karnau eine Tasse Kaffee hin, so heftig, daß die Haut auf meinem kalten Kakao zittert. Wir sind, wo wir nicht hingewollt haben, Mama und Papa haben uns einfach so weggegeben, ohne weiter zu überlegen. Die kümmert es nicht, ob wir uns auch wohlfühlen, oder sie wissen das gar nicht, weil sie uns gar nicht richtig kennen. Und nur ein Spielzeug jeder.

Oder weiß Mama gar nicht, daß wir hier sind, hat Papa das allein entschieden? Mama hätte das bestimmt nicht zugelassen.

Herr Karnau läßt für Coco ein Stück Käserinde fallen. Bei uns zu Hause darf Treff nicht in die Wohnung, weil das unhygienisch ist, wie Mama sagt. Coco schnappt die Rinde noch in der Luft. Aber die Haushilfe sagt: Das kann man doch nicht machen.

Herr Karnau tut, als hätte er das nicht gehört. Er reicht Hilde ein zweites Stück, das darf sie Coco geben.

Die Haushilfe schaut mich über die Schulter an. Ist das ein vorwurfsvoller Blick? Sie hat etwas von meinem Zimmernachbarn im Büro, mit dem ich überhaupt nichts anfangen kann. Wir sprechen so gut wie gar nicht miteinander, und es gibt Dinge, die er und meine anderen Kollegen in der Abteilung nicht von mir wissen sollen, da sie mich sonst garantiert für verrückt hielten. Sie dürfen nichts wissen von den privaten Studien, die mich beschäftigen, oft bis in die späte Nacht hinein. Denn ich habe schon einiges unternommen, um dem Geheimnis der Stimme auf die Spur zu kommen, manche meiner Untersuchungen sind mir mittlerweile zu einer Gewohnheit geworden, so oft habe ich sie wiederholt, die Versuchsanordnungen verändert und wieder von vorne angefangen: Aber ich habe keine Antwort gefunden, ich habe das Geheimnis nicht ergründen können. Wie könnten die Kollegen dafür Verständnis haben, daß einer der Mitarbeiter sich an manchen Morgen lange vor Dienstbeginn aufmacht zu einer Fleischerei, wo an diesem Tag frisch geschlachtet wird, um dort den Anglern und Hundehaltern zuvorzukommen, wenn es darum geht, einen besonders schönen, möglichst unverletzten Tierschädel zu ergattern?

Es kostet einige Überwindung, wenn man sich nicht damit zufriedengeben will, das Funktionieren des Ohrs, die Arbeit der Zunge und des Kehlkopfs nur von immer gleichen Schemazeichnungen in Büchern abzulesen. Am Ende geben diese Darstellungen doch nichts preis von dem Geheimnis lebendiger Laute. Mir blieb nichts anderes übrig, als meine Studien am Objekt weiterzutreiben. Nachdem ich mich anhand einer kurzen Einführung mit den Grundtechniken des Sezierens vertraut gemacht hatte, stand eines Tages mein erster Gang zum Metzger an. Ich zögerte, ich spürte eine Scham, die vielleicht mit Blick auf die Meinung der Kollegen aufkam. In der Roßschlachterei stellte ich mich dann auch wirklich ungeschickt an: Ich stotterte herum, und hinter mir die Männer in der Warteschlange wurden ungeduldig, als ich fragte, ob auch ganz sicher eine Zunge in dem Pferdemaul vorhanden sei. Alle anderen Kunden hatten Eimer mitgebracht, ich war der einzige, dem die Verkäuferin den blutigen, augenlosen Kopf in Zeitung einwickeln mußte.

Herr Karnau hat wohl ganz vergessen, daß wir uns anziehen müssen. Er merkt anscheinend gar nicht, daß wir noch nicht gewaschen sind. Wann ist er mit dem Frühstück fertig? Er hat sein Brötchen noch nicht aufgegessen, statt dessen raucht er jetzt schon wieder eine Zigarette. Herr Karnau raucht fast so viel wie Papa. Auch Mama raucht sehr viel, wenn es ihr nicht gut geht. Was hat denn Hilde alles mit Herrn Karnau zu erzählen? Er fragt sie aus über Mama und Papa. Komisch: Wenn er wirklich ein Freund von unseren Eltern ist, warum weiß er dann über sie so wenig? Auf einmal spricht Holde den beiden laut dazwischen: spielen gehen.

Und endlich fragt Herr Karnau uns, ob wir vom Tisch

aufstehen wollen. Die Haushilfe wischt sich die nassen Finger an der Schürze ab und kommt uns hinterher. Sie schleppt die Koffer in unser Zimmer. Als Helmut merkt, daß nicht alle Spielsachen mitgekommen sind, die er haben wollte, ist er beleidigt. Er kramt tief in der Tasche und ruft: Wo ist mein Auto? Der Metallbaukasten? Helga, wo hast du denn mein Auto hingepackt?

Er schmeißt seine Soldaten durch das Zimmer und reißt der Holde eine Holzkuh aus der Hand. Die Haushilfe nimmt Helmut die Kuh wieder ab. Helmut fängt an zu plärren und läuft hinüber in die Küche. Soll er doch zu Herrn Karnau gehen und sich trösten lassen.

Und wie es dann erst aus dem Halsansatz blutete, als ich mit dem Schädel unter dem Arm auf der Straße stand. Das Paket stank furchtbar, mir wurde übel. Mit der Zeit hat sich dieser Ekel allerdings verflüchtigt und der Umgang mit Tierschädeln ist für mich mittlerweile nichts Ungewöhnliches mehr. Auch läßt der stechende Geruch sich durch Versprühen von Kölnischwasser in der Wohnung fast gänzlich verdrängen. Die medizinischen Fachbücher brauche ich schon lange nicht mehr, die Sektionskurse, die anfangs immer aufgeschlagen auf dem Tisch lagen und deren Seiten beim Umblättern rotbraune Fingerabdrücke bekamen, weil meine Hände blutig waren.

Ich arbeite am Küchentisch. Coco bleibt währenddessen ausgesperrt, im Flur wartet er ungeduldig, bis er die zerschnittenen Reste zum Futter bekommt. Brotmesser, Schere, Pinzette und Stricknadel sind meine Werkzeuge. Und manchmal auch ein alter Spaten, wenn ein Schädel besonders schwer aufzubrechen ist. Mit dem Kartoffelschäler zum Beispiel läßt sich Kopfhaut mühelos abziehen.

So kommt man Schicht für Schicht vielleicht wenigstens dem Geheimnis näher, selbst wenn man es auf diese Weise nicht ergründen wird: Ein Leben lang benutzt man die Zunge als Werkzeug und meint, es handele sich um eine flache Scheibe, da man im Mund nur ihren oberen Teil am Gaumen spürt und nur die Zungenspitze sieht im Spiegel. Wenn man nun aber solch eine Pferdezunge vor sich hat, läßt sich von diesem runden Muskel auch auf die Menschenzunge schließen, und es erscheint unbegreiflich, daß ein derart grobes, unförmiges Stück Fleisch Anteil an der Bildung fein unterschiedener Laute hat.

Schweine sind mir bekannt, Pferde, Ochsen und Kühe jeden Alters. Und gestern nacht nun habe ich meinen letzten Schädel so überraschend verschwinden lassen müssen und gegen die fünf Kinder eingetauscht.

Warum streichelt Herr Karnau Helmuts Kopf? Wird Herr Karnau jetzt mit mir schimpfen?

Helga, eure Kinderfrau hat mir gesagt, Ihr habt auch Schulsachen mitgebracht. Euer Vater besteht darauf, daß Ihr jeden Tag ein wenig lernt, selbst wenn Ihr von der Schule beurlaubt seid. Hilde, kommst du dann bitte auch in die Küche?

Wir sind enttäuscht, wir haben keine Lust zu lernen. Die anderen müssen im Kinderzimmer bleiben und leise spielen, damit sie uns nicht stören. Am Küchentisch packen wir unsere Stifte aus. Herr Karnau liest die Aufgaben vor, dann geht er zu den anderen.

Hilde, was habt Ihr vorhin beim Frühstück geredet? Was waren das für Tiere, von denen Herr Karnau dir erzählt hat? Diese Hunde?

Flughunde heißen die. Das sind schwarze Hunde, eine besondere Rasse, die wirklich fliegen kann. Aber nur nachts, hat Herr Karnau gesagt. Ganz klein sind die, so groß wie Mäuse. Nur wenige Menschen haben die schon mal gesehen, aber Herr Karnau kennt einen Mann, der sie beobachtet hat, in echt, nicht nur auf Bildern. Ein Freund von ihm.

Du spinnst, das gibt es nicht. Was sollen denn das für Hunde sein. Das ist doch Blödsinn. Hunde können laufen, aber nicht fliegen. Du meinst vielleicht Fledermäuse, und diese Hunde denkst du dir nur aus.

Nein, Flughunde, das stimmt, Herr Karnau hat das doch gesagt.

Das hast du bestimmt falsch verstanden, da hast du nicht richtig zugehört, und jetzt lügst du mich an. Dabei weißt du, daß wir niemals lügen dürfen.

Du bist gemein. Das ist die Wahrheit, Flughunde können wirklich fliegen. Die gibt es eben nur in Afrika.

Quatsch. Woher willst denn du das wissen?

Herr Karnau hat es mir erzählt. Der Freund von ihm, der hat die Flughunde schließlich schon gesehen.

Herr Karnau, Herr Karnau. Der kennt nicht mal unsere Eltern. Der ist noch nie bei Mama und Papa eingeladen gewesen. Oder hast du ihn vielleicht schon mal bei uns zu Hause gesehen?

Du bist ganz einfach doof, Helga. Herr Karnau kennt doch unsere Eltern.

Und woher weißt du das?

Du ärgerst dich ja nur, weil er zu mir so nett ist.

Du mit deinen doofen Hunden.

Wenn das Herr Karnau hört.

Sei endlich still und mach deine Aufgaben, du Petze.


Was ist denn in der Küche los? Sitzen Helga und Hilde gar nicht bei der Arbeit? Ich lasse die Kleinen auf dem Sofa weiter Bauernhof spielen und sehe in der Küche nach den beiden Mädchen: Was ist, seid Ihr mit den Aufgaben denn schon fertig? Dann räumt eure Sachen wieder zusammen. Wenn die Haushilfe vom Einkaufen zurück ist, wird sie bald Mittagessen auftragen wollen. Die Hausarbeiten können wir noch am Nachmittag nachschauen.

Verlegen schauen mich die beiden an. Sie klappen ihre Hefte zu und packen alle Stifte in die Mäppchen. Ihre Blicke weichen einander aus. Sie haben wohl gestritten. Jede steht still für sich auf und trägt ihre Schulsachen hinüber in das andere Zimmer. Haben sie sich vielleicht gar nicht mit ihren Aufgaben beschäftigt und fürchten nun, ich werde beim Kontrollieren mit ihnen schimpfen?

Nach dem Mittagessen verabschiedet sich die Haushilfe. Bis morgen früh haben wir jetzt Ruhe vor ihr. Hedda und Holde machen ihren Mittagsschlaf. Die anderen sind auch nicht mehr so munter wie am Vormittag, sie sitzen in der Küche auf der Fensterbank und schauen hinunter auf die Straße. Sie sprechen nur leise miteinander, wie um die beiden Kleinen nicht zu wecken.

Sie kennen ein Spiel: Sie sind die Flüsterer. So ganz durchschaue ich den Ablauf nicht, ich will die Kinder auch nicht nach den Regeln fragen, da sie so tief ins Spiel versunken sind. Doch erkenne ich eine wechselseitig wiederholte Formel, die jeweils einen Spielabschnitt markiert: Nimm dich in acht, sonst kommt das böse Flüstern auch zu dir.

Sie sagen das in einem Märchenton, so wie der mißgünstige Zauberer spricht. Das böse Flüstern: Es läßt das Blut gerinnen und das Herz austrocknen. Eine besondere Stimmfärbung, nur in der einen Absicht angenommen: den Angesprochenen zum Erstarren zu bringen. So eng liegen im Bild die Stimme und die Seele beieinander.

Die Kleinen kommen mit verknitterten Gesichtern in die Küche getapst, wir haben sie wohl doch zu früh aus ihrem Mittagsschlaf geweckt. Sie sind durstig, und nun mögen sie auch Hagebuttentee, aber schon abgekühlt. Auf einmal riecht es seltsam, ungewohnt: Hat Coco in den Flur gemacht? Doch Helga ruft laut: Die Hedda hat die Hose voll.

Braucht denn ein zweijähriges Mädchen noch seine Windeln? Hedda scheint genauso verdutzt wie ich. Helga hat sie schon vom Stuhl gehoben und zieht ihr Strumpfhose und Schlüpfer aus. Hedda hilft mit, indem sie ihren Fuß ganz unbeteiligt hebt. Da sie einbeinig stehenbleibt, gerät sie ins Wanken und rudert heftig mit den Armen. Ganz automatisch greife ich nach ihrer Hand. Jetzt steht sie wieder, und strahlt mich an, so daß ihr Blick mich auffordert, etwas Freundliches zu sagen: Siehst du, Hedda, das ist alles gar nicht so schlimm. Komm mit mir und wir holen dir eine neue Hose.

Doch Helga geht dazwischen: Nein, jetzt noch nicht. Hedda muß erst gewaschen werden.

Auch das noch. Hedda läßt meine Hand nicht wieder los, so daß mir gar nichts anderes bleibt, als mit ihr ins Bad zu gehen. Ich nehme einen frischen Waschlappen und prüfe mit dem Finger, ob das Wasser auch nicht zu heiß ist. Aber hier kommt Helga mir schon wieder zuvor: Was machen Sie denn da, Herr Karnau. Die Hedda kann doch nicht mit nackten Füßen auf den Fliesen stehen. Da muß man ein Handtuch unterlegen.

Schon schrubbt sie Hedda mit dem eingeseiften Lappen. Mir bleibt nichts mehr zu tun. Ob Helga sich zu Hause genauso pflichtbewußt um ihre kleinen Geschwister kümmert? Jeden Handgriff scheint sie ganz selbstverständlich zu beherrschen. Ich sage halb im Scherz: Na,

Helga, du machst das ja schon so perfekt wie eine richtige Kinderschwester.

Aber sie antwortet mir nicht, tut, als habe sie das überhört, da sie damit beschäftigt ist, Hedda die Beine abzutrocknen.

Wie laut das knackt, wie es in den Ohren knackt, die Kälte läßt die Ohren knacken, wenn ich den Kopf bewege, wenn ich spreche, das sind die Knochen oder Trommelfelle, wie kalt es ist, schon richtig Winter.

Wir haben uns alle warm angezogen zum Spazierengehen, mit Mützen, und die Kleinen tragen ihre Fäustlinge. Herr Karnau geht mit mir voraus, und auf einmal ruft eine meiner Schwestern von hinten: Liebespaar, küßt euch mal.

Die Kinder lachen hinter meinem Rücken, sie tuscheln aufgeregt und fangen immer wieder an zu kichern, weil Helga sich alleine mit mir unterhält. Dabei kam es mir heute mittag noch so vor, als wollte sie am liebsten gar nicht mit mir reden. Es ist, als wären die Kinder erst an der frischen Luft richtig aufgewacht, als wären sie in der Wohnung noch benommen gewesen vom überraschten Aufstehen letzte Nacht. Jetzt wird Helga langsam zutraulicher und redet bald ganz ungebremst, zeigt auf Laub am Boden und nennt den dazugehörigen Baum, sie fragt nach meiner Arbeit und erzählt mir von zu Hause, von ihren Freundinnen und den Eltern.

Coco zerrt an der Leine, meine Geschwister drängeln sich um Herrn Karnau. Jeder will Coco führen. Nun läuft Hilde mit Coco los, und ihr Schal flattert in der Luft. Die anderen rennen hinterher, aber ich bleibe bei Herrn Karnau. Ich darf den Sportwagen alleine schieben, Hedda ist bis zum Hals eingemummelt und hat rote Backen. Sie ruft den anderen nach, sie hört nicht, was wir beide reden, sie schaut nur, wie Coco über die matschige Wiese springt. Herr Karnau fragt: Na, Helga, hast du Heimweh? Wärst du lieber zu Hause geblieben? Das geht mir oft genauso, auf Reisen, und als Kind bin ich auch nie gern bei fremden Leuten gewesen.

Vielleicht ist Herr Karnau ja gar nicht so seltsam, wie ich am Anfang dachte. Jedenfalls wird er langsam netter und kümmert sich nicht mehr nur um die Kleinen. Die spielen jetzt mit Coco Fangen.

Helga ist ein aufgewecktes Mädchen, und manche Frage, die sie an mich richtet, manches Wort, das sie benutzt, manche Bemerkung aus ihrem Munde klingt gar nicht so, als wenn sie von einem achtjährigen Mädchen stammte. Als wäre Helga schon viel älter, als stünde sie schon auf der Schwelle zum Erwachsenendasein, da man die Sprache und die Themen eines Kindes bewußt abzustreifen sucht. Und dann entfahren ihr doch immer wieder Sätze, welche das Alter deutlich offenbaren, als werde Helga im Sprechen ungewollt zurückgerissen in die Gemeinschaft ihrer Geschwister. Dann schaut sie scheu von unten an mir herauf, wie um zu sehen, ob es mir aufgefallen wäre. Diese Momente sind so rührend, daß es Beherrschung kostet, nicht zu lächeln. Aber ein solches Lächeln würde Helga sicher als überhebliche Erwachsenengeste deuten.

Ich reize Helga immer wieder, damit sie weiterredet, ich verwende absichtlich das eine oder andere Wort, das sie aller Wahrscheinlichkeit nach noch nicht kennt, und tatsächlich fragt sie dann auch nach der Bedeutung. Sie gibt sich nicht den Anschein, wie eine Erwachsene alles zu verstehen, sondern ist wißbegierig, probiert das neue Wort in einem anderen Zusammenhang aus, fragt, ob man es so verwenden könne, ob es wohl etwa diesem oder jenem Wort aus ihrem eigenen Wortschatz entspreche, und freut sich, daß sie etwas Neues lernt. Aufmerksam verfolgt sie meine Worterklärungen, meine Umschreibungen von Sachverhalten, woraus sich gleich wieder neue Fragen ergeben, die eine Beantwortung von mir verlangen.

Zum Beispiel, wenn Heide auch so eine Taubstumme wäre, wie diese Leute, von denen Sie erzählt haben. Wir wissen das ja nicht, wir haben sie noch nicht gesehen. Und anfangs merkt man doch auch gar nichts, weil Heide sowieso nicht sprechen kann. Könnten wir dann niemals mit ihr reden? Wäre sie ein richtiger Krüppel? Das wäre doch furchtbar. Wir hatten nämlich schon mal einen Krüppel, der hat aber erst gar nicht gelebt.

Herr Karnau sagt: Machst du dir Sorgen um deine kleine Schwester? Aber warum denn Krüppel, Helga, Krüppel ist ein so hartes Wort. Wenn Heide taubstumm wäre, was sie aber sicher nicht ist, wenn wir also einmal annehmen, sie wäre taubstumm: So sehr viel anders als Ihr fünf Geschwister wäre sie doch gar nicht. Natürlich gibt es Unterschiede, Heide müßte die Gestensprache lernen, und Ihr andern auch, genau wie eure Eltern, dann könntet Ihr in Zeichen mit ihr sprechen. Das erfordert zu Anfang viel Mühe, denn Ihr habt Sprechen ganz von allein gelernt, ein Kind, das nicht taubstumm ist, hört schon lange, bevor es das erste Wort sagt, wie seine Eltern mit ihm und miteinander sprechen, und es kann sich durch Imitieren langsam an die Sprache herantasten. Und vorher schon: Was tut ein Säugling anderes, als ständig seine eigene Stimme und deren Wirkung zu erproben, wenn er schreit, wenn er wimmert, lacht oder vor sich hinlallt, ganz selbstgenügsam, ohne damit die Aufmerksamkeit der Mutter erregen zu wollen, wenn er aus dem Mittagsschlaf aufgewacht ist, aber sich noch niemand eingefunden hat, um ihn aus dem Bett zu heben.

Ja, ein taubstummes Kind muß sich seine Sprache hart erkämpfen, es wird sich zu Anfang jeder einzelnen Geste bewußt sein, die es ausführt, um etwas mitzuteilen, aber schon bald wird es die Zeichensprache so perfekt beherrschen, daß es auch ganz spontan und ausgelassen redet, wenn es nur weiß, daß seine Geschwister oder Freunde es verstehen.

Wie anders ist es, wenn man mit Erwachsenen spricht. Da gehe ich Gesprächen nach Möglichkeit aus dem Weg. Nicht daß es mich stört, wenn mir jemand von sich aus erzählt, sondern wegen der Pflicht zu antworten und nachzufragen, zu bestärken, als gehe es allein darum, mir meine Stimme bewußt zu machen, als koste der Gesprächspartner es aus, mir ihren unangenehmen Klang vorzuführen.

Die erste Begegnung mit meiner eigenen Stimme liegt schon weit zurück, vielleicht war es in früher Jugend, daß ich sie erstmals hörte, ohne zugleich zu sprechen: Im Kreis von Freunden hatten wir unter der Aufsicht eines Elternteils auf einer Tonwalze reihum einige Worte konserviert, die dann gleich abgespielt wurden. Die ganze Geburtstagsgesellschaft bestaunte dieses Wunder: Die Stimmen aller Kinder waren zu hören, nur meine eigenen Worte fehlten offensichtlich. Doch war das den anderen gar nicht aufgefallen. Dann merkte ich, daß zu einer fremden, unnatürlichen Stimme, die aus dem Schalltrichter erklang, keiner der Freunde in unserer Runde paßte.

Es dauerte einen Moment, bis ich begriff, daß dies nur ich selber sein konnte. Mein innerer Schädelklang war aber von dieser kindischen Stimme völlig verschieden: Tiefer und wärmer erscheint mir bis heute das, was von meinen Knochen an mein Gehör übertragen wird, als die Geräusche, welche sich ihren Weg von außen zum Ohr bahnen. Ich war bestürzt. Einerseits drängte es mich, die Aufnahme noch einmal zu hören, um mich zu vergewissern, andererseits war ich froh, daß sich die anderen Jungen längst einem neuen Spiel zugewandt hatten, dem ich mich unauffällig anschließen konnte. Die Tonwalze hatten sie schon wieder vergessen, während ich noch mit Schrecken an die zitternde Nadel zurückdachte, welche unerbittlich die tiefen Gravuren abtastete und zu Schall werden ließ im Raum, an diese abstoßenden Klänge, die ich nie wieder hören wollte.

Seitdem gibt es manchmal das plötzliche Verstummen mitten im Gespräch, wenn mir der Mißklang meiner Stimme zu Bewußtsein kommt. Dann schäme ich mich und will nichts mehr sagen. Obwohl ich der Überzeugung bin: Die Stimme muß doch formbar sein, sie muß sich doch dem inneren Schädelklang durch Übungen näherbringen lassen, durch die aufmerksame Handhabung von Kehlkopf, Zunge, Brusthöhle und Rachenraum schon vor dem Sprechen. Es muß doch in den Griff zu bekommen sein, dieses Organ, das jeder Fremde vernehmen kann, diese Verbindung von innen nach außen, welche die Züge eines Menschen wie keine andere Regung offenlegt.

Doch Helga, die ganz ungezwungen mit mir redet, scheint diesen Stimmfehler nicht zu bemerken. Vielleicht gehören für sie meine Stimme und ihr Träger auch ganz selbstverständlich zusammen, weil sie noch nicht aus Erfahrung wissen kann, wie wenig beide zueinander passen. Und die Geschwister plappern hinter uns und jauchzen, ohne daß in mir der Wunsch nach Stille wach wird.

Herr Karnau?

Helga reißt mich wieder zurück, sie stellt schon wieder eine neue Frage. Hat sie in der Zwischenzeit überhaupt geschwiegen?

Herr Karnau? Haben Sie auch so viele Geschwister wie wir?

Nein. Ich habe gar keine Geschwister.

Dann waren Sie immer allein?

Herr Karnau weiß nicht, was er antworten soll. Er hat Hedda auf den Arm genommen, damit meine Geschwister mit dem Kinderwagen spielen können. Sie lassen ihn als Panzer durch die Pfützen fahren. Ich halte Coco an der Leine. Vielleicht hat Herr Karnau recht: Um Heide muß man sich keine Sorgen machen.

Wir sind wieder im Warmen. Cocos Fell ist kalt, es duftet nach der frischen Luft, und eine kühle Wolke zieht durch die Küche. Unsere Backen sind so rot wie bei dem Baby, das auf den Gläsern mit dem Kinderbrei abgebildet ist, pausbäckig, lachend, mit blonden Locken. Herr Karnau fragt uns nicht mehr nach den Hausaufgaben. Sollen wir Winterhilfswerk spielen? Die Kleinen haben keine Lust dazu, weil sie dann spenden müssen, während Hilde und ich in unseren Pelzjacken vor dem Hotel Adlon stehen und das Geld einsammeln. Wir haben das schon einmal mit Papa gemacht, im letzten Jahr, vor Weihnachten, und alle Leute haben uns bestaunt. Deswegen sind die Kleinen immer noch neidisch.

Wir spielen also Vater Mutter Kind. Aber keiner meldet sich als Mutter, dafür will sich niemand hergeben, weil sie die meiste Zeit im Bett liegen muß und es ihr nicht gut geht. Sie ist zwar in der Kur, mit frischer Luft, und alle Arbeit wird ihr abgenommen, aber sie muß Tabletten schlucken, wenn sie einen Ohnmachtsanfall hat. Beim Autofahren fällt sie einmal in einer Kurve aus dem Wagen, mit Knochenbruch und Gehirnerschütterung. Wir sind dann sehr besorgt um sie, vor allem der Vater, weil er am Steuer gesessen und zuviel Gas gegeben hat. Trotzdem wollen alle lieber den Vater spielen, das schlechte Gewissen muß auch gar nicht lange anhalten, und der Vater darf seinen Mitarbeitern Befehle geben, er hat eigene Sekretäre und immer viel zu tun. Hilde darf heute Vater sein. Sie sucht sich Helmut und mich als Sekretäre aus, die Kleinen sind die Kinder.

Der Vater läuft im Büro auf und ab, er diktiert eine neue Rede aus dem Stand, er spricht von gnadenloser Offenheit, von Volkes Stimme und eiskalter Wahrheit, und Helmut stenographiert mit, er kann ja noch nicht richtig schreiben, und bei Kurzschrift malt er nur Kritzeleien aufs Papier. Hilde spricht viel schneller, als Helmut schreiben kann, wenn es schwarz in schwarz steht, dann malen wir auch schwarz in schwarz, sie zögert, Helmut kommt nicht mehr mit: Dann malen wir so dunkel, wie es geht.

Im Moment haben die Kinder noch nichts zu tun, der Vater bestimmt: Es herrscht drückende Lazarett-Atmosphäre, alle Kinder sind krank und haben sich still zu verhalten, während er arbeitet. Hilde gibt eine Anweisung: Das mit den Ärztefilmen hat jetzt ein Ende. Zu viele Ärztefilme sind nicht gut. Aber Helmut, der die Anweisung an mich weiterleiten soll, sagt: Ab jetzt werden keine ernsten Filme mehr gedreht.

Wir lachen über Helmuts Fehler. Helmut ist Tran, von Tran und Helle, den beiden Filmfiguren, die der Vater selbst erfunden hat. Doch Helmut findet das nicht lustig, er läßt sich abkommandieren. Erst als der Vater prüfen muß, will er wieder dabei sein. Und endlich können auch die Kleinen mitspielen, sie dürfen bei der Filmprüfung mitschauen. Geprüft werden Bergfilme, Wochenschauen und Kinderfilme, die auch der Vater lustig findet. Hilde erzählt uns einen Film mit Micky Maus. Am Ende sagt der Vater: Schluß, der Film wird glatt verboten.

Ich lausche an der Tür: Die Kinder haben mich vergessen, für einen Moment wissen sie nicht mehr, daß sie bei einem Fremden zu Besuch sind.

Lohnt es sich, vor dem Abendessen noch eine halbe Stunde über meinem Kartenprojekt zu verbringen, während die Kinder weiter spielen? Die Lautsammlung wächst stetig: Schon an die hundert Beispiele der seltsamsten Äußerungen habe ich zusammentragen können. Alltägliche Geräusche sind darunter, stimmliche Erscheinungen, die für gewöhnlich gar nicht wahrgenommen werden, vor allem jetzt im Herbst gibt es unendlich viele Laute zu beobachten: ein Räuspern, Hüsteln, Nase-Hochziehen, von der Schallquelle achtlos dahin geschneuzt, doch auf der Platte gnadenlos gespeichert. Und wahre Schätze sind in meiner Sammlung, hier diese Aufnahme aus einem Bordell in der Etappe ist mir von einem Bekannten zugespielt worden: Selbst bei der Liebe muß man die Menschen abhorchen. Unwiederholbar in das Wachs gestichelt, denn kurz nach der Aufzeichnung hat man das Bordell ausgehoben, wegen der Seuchengefahr. Wie mein Bekannter mir erzählte, sind dabei sogar Hunde zum Einsatz gekommen, die man auf feuchte Unterwäsche abgerichtet hatte.

Hat meine Karte sämtlicher Stimmfärbungen ihre Grenzen? Gibt es auch Aufnahmen, die ich nicht durchführen würde? Ja, die Stimmen dieser Kinder, wenn sie schutzlos wären, wie jetzt, da sie sich allein und unbelauscht glauben. Ansonsten: alles, um der Vollständigkeit willen, die ganze hörbare Welt, da darf kein weißer Fleck bleiben. Bis auf den einen: Die Stimmen dieser Kinder werden auf meiner Karte nicht verzeichnet, wo sie dann offenlägen vor aller Welt, und, schlimmer noch, auch vor den Kindern selber. Solch eine Entblößung ist nicht zu verantworten, wenn man sich nicht am Umkippen der Kinderstimmen in das verkrampfte Sprechen schuldig machen will, das zwangsläufig die Folge wäre, da die fünf ihre eigenen Stimmen doch als ebenso fremd wahrnehmen müßten wie ich damals als Kind.

Hedda ist schon eingeschlafen neben mir im Bett, und auch die anderen rühren sich nicht mehr. Schade, ich bin noch gar nicht müde und hätte mich gerne mit meinen Geschwistern über Herrn Karnau und über Heide unterhalten. Ich kann nicht einschlafen, ich habe Durst, ich will mir in der Küche etwas zu trinken holen. Ganz leise, um die anderen nicht zu wecken, mit nackten Füßen aus dem Zimmer, ohne Licht zu machen. Kein Laut.

Im Zimmer von Herrn Karnau redet jemand, ich höre Stimmen durch die geschlossene Tür. Aber Herr Karnau ist doch allein, oder hat er am Abend noch Besuch bekommen, ohne daß wir Kinder es gemerkt haben? Ich horche: Vielleicht sitzt Herr Karnau auch nur am Radio. Das ist kein Deutsch, ich kann kein einziges Wort verstehen. Hört Herr Karnau Feindsender ab? Nein, das klingt anders, nicht laut und deutlich wie ein Radiosprecher. Ein Radiosprecher stockt auch nicht in der Rede und macht nicht immer wieder lange Pausen. Und hier wird zwischen den Sätzen geseufzt, das ist unheimlich, ich traue mich keinen Schritt weiter zur dunklen Küche.

Die Töne werden immer lauter, ist das nun doch Besuch, sitzt hinter der Tür jemand, der Schmerzen hat, sind das jetzt Schreie? Was haben diese schrecklichen Geräusche zu bedeuten? Ich will schnell wieder in mein Bett, aber ich kann mich nicht bewegen, ich muß weiter lauschen: Nein, das sind auf keinen Fall Wörter, da wird jemandem wehgetan, aber vielleicht ist es kein Mensch, sondern ein Tier, ich höre unterdrücktes Jaulen. Mein Herz klopft laut. Quält Herr Karnau seinen Hund? Aber das ist nicht Coco, das muß doch ein Mensch sein, jetzt röchelt er, als wenn er was verschluckt hat, schnappt nach Luft, dieses furchtbare Winseln, warum unternimmt Herr Karnau nichts und hilft diesem armen Mann endlich?

In den extremsten Äußerungen, im Schreien, Krächzen, Wimmern kann man mitunter die Eigenheiten einer Stimme viel besser erkennen als im gesprochenen Wort, selbst wenn diese Laute besonders tiefe Narben auf den Stimmbändern hinterlassen. Oder vielleicht gerade darum? Dort, wo weder der Sprecher noch der Hörer die Klarheit vermuten, diesen so seltenen, klaren Ton. Wo sich das Organ an Rauheiten abarbeitet, wo es mit Schwierigkeiten kämpft und sie zu überwinden sucht mit aller Kraft, im Hustenkrampf vielleicht, bis an den Punkt, da die Stimme aufzugeben droht, da jeder Laut erstirbt. Das sind die Regungen, in denen eines Menschen Stimmbild völlig ungezügelt zum Vorschein kommt.

Und Aufnahmen solcher Laute greifen an das Innerste der jeweiligen Schallquelle, viel tiefer greifen sie noch als abgehorchte, aufgezeichnete Herztöne, die zwar von Mensch zu Mensch verschiedene Rhythmen bilden, aber am Ende doch immer nur bestätigen, daß die Maschine unverändert läuft. Der Herzschlag ist einfach Beweis des Lebens, vegetativ gesteuert, und bei zahlreichen Lebewesen vorzufinden. Die Stimme aber, zu einem gewissen Teil dem Willen unterworfen, offenbart mit jedem Ton die Eigenheiten ihres Resonanzkörpers, des Menschen.

Die Tür geht plötzlich auf, und Herr Karnau steht vor mir, als wäre nichts passiert. Aus seinem Zimmer ist nichts mehr zu hören. Herr Karnau fragt: Kannst du noch nicht schlafen, Helga? Hast du etwa geweint?

Herr Karnau macht mir angst. Er führt mich in sein Zimmer. Nur die Schreibtischlampe brennt, sonst ist es dunkel. Bewegt sich dort etwas im Schatten, krümmt sich der Gast im Schmerz zusammen und hält die Hände vor den Bauch? Es ist nur Coco, der jetzt angelaufen kommt. Herr Karnau setzt mich auf sein Bett und hüllt mich in eine Wolldecke ein, dann nimmt er am Schreibtisch Platz, bei seinem Plattenspieler. Coco springt zu mir auf das Bett und schnuppert, er will auch unter die warme Decke. Ist hier denn wirklich niemand außer uns?

Um Himmels willen, was ist mit Helga geschehen? Völlig verstört war sie, als ich sie vor der Tür gefunden habe. Jetzt muß sie mich für ein Ungeheuer halten. Ich darf meine Aufnahmen nicht mehr abspielen, solange die Kinder bei mir sind. Das ist viel zu gefährlich. Und ich dachte, sie schliefen alle längst. Was hat die arme Helga wohl gedacht, als diese Leidenslaute aus meinem Zimmer ertönten? Hoffentlich geht es ihr bald wieder besser und sie vergißt recht schnell, was sie hat hören müssen.

Die nackten Kinderfüße in die Decke eingehüllt hockt sie zusammengekauert auf dem Bett und hat noch Angst. Vor mir? Vor diesem dunklen Raum? Noch vor der Stimme, die doch längst verklungen ist? Scheu sieht sie sich im Zimmer um, wieder ganz ein Kind, und jede Erwachsenengeste, die sie sich von der Mutter und der Kinderfrau im Umgang mit den Geschwistern abgeschaut hat, scheint zu einem anderen Menschen zu gehören, nicht zu dem kleinen Mädchen, das hier vor mir sitzt und die Sprache verloren hat.

Ich muß Helga nun schnell wieder in unser Wechselspiel vom Nachmittag verwickeln, mein Redefluß darf jetzt nicht stocken, damit das Kind auf andere Gedanken kommt. Auch die Musik beruhigt sie schon langsam, und der Anblick des Plattentellers im Halbdunkel, auf dem die schwarze Platte schimmert, da sie gleichmäßig ihre Runden zieht.

Coco legt seinen Kopf auf meinen Schoß. Herr Karnau fragt mich, ob ich Coco mag. Ja, aber was ist er denn für eine Rasse?

Das weiß ich nicht, das habe ich mich nie gefragt. Ich glaube, das könnte man auch nur sehr schwer herausbekommen.

Ist Coco nicht reinrassig?

Herr Karnau lacht: Ich fürchte nein.

Dann ist er ja ein Bastard.

Sagen wir lieber: eine Promenadenmischung, das klingt doch freundlicher.

Herr Karnau spielt für mich die Platte noch einmal ab. Er sagt: Ich habe das gerne, abends ohne Licht zu sitzen und Schallplatten zu hören. Auf viele Menschen wirkt die Verdunkelung bedrückend, wenn die Nacht wirklich tiefschwarz ist, aber ich finde es schön, wenn der Himmel über der Stadt nicht blaß ist wie sonst, sondern ganz dunkelblau, man kann ihn so viel besser sehen. Hast du dich vorhin gefürchtet im Dunkeln?

Ja, schon ein bißchen. Aber jetzt geht es wieder, nur da im Flur...

Das kann ich gut verstehen, ich habe als Kind auch in der Dunkelheit Angst gehabt, vor allem in geschlossenen Räumen, doch unter freiem Himmel ging es eigentlich. Wenn ich jetzt überlege, ist es heute noch genauso: In der Wohnung halte ich es ohne Licht nur eine gewisse Zeit aus, aber mir macht es Spaß, stundenlang durch die Nacht spazierenzugehen, sofern ich keinen Schattengestalten begegnen muß.

Herrn Karnaus Haare schimmern unter der Schreibtischlampe. Er läßt mich länger aufbleiben als meine Geschwister, die schon längst schlafen müssen, und wir beide unterhalten uns ganz allein. Aber was sind Schattengestalten? Menschen, die einen Schatten haben, sind es nicht, denn einen Schatten haben wir ja alle. Menschen, die sich nur im Schatten bewegen, oder Gestalten, die nicht aus Fleisch, sondern aus Schatten bestehen? Die Stimme von Herrn Karnau ist ganz ruhig, und sie wird immer leiser. Sind Schattengestalten Geister, die nachts umherwandeln? Oder der Kohlenklau, der durch das Dunkel schleicht? Kein Mensch, aber auch kein Tier, mit Klauen statt Händen, die einen Sack auf seiner Schulter halten. Ich habe keine Angst mehr, auch nicht vor dem schiefen Kohlenklaugesicht, das unter einer Mütze hervorschaut, auch nicht davor, daß ich Herrn Karnau nicht mehr höre, daß es jetzt ganz dunkel ist.

Bist du noch wach, Helga?

Ich mache den Mund nicht auf. Herr Karnau hebt mich hoch und trägt mich, eingewickelt in die Decke, ins Kinderzimmer hinüber. Vorsichtig legt er mich neben Hedda, die hat unsere Matratze im Schlafen angewärmt. Herr Karnau deckt mich zu. Nun ist er fort.

Was ist in meinen Hund gefahren? Warum legt Coco sich auf meinen Arm am frühen Morgen? Will er mich wecken? Jetzt auch noch ein Gewicht auf meinen Beinen. So groß ist Coco gar nicht. Ich blinzele: Es ist schon hell. Und da strahlt mich ein Kindergesicht an. Und noch eins.

Er hat die Augen aufgemacht.

Sie fangen an zu kichern. Die Kinder haben sich hereingeschlichen und sitzen bei mir auf dem Bett. Ein fünffaches Guten Morgen. Hellwach sind sie schon alle, sie schütteln ihre kleinen Köpfe wie ein Hund, wenn er geschlafen hat. Ihre Frisuren sind bereits völlig verwildert, obwohl sie erst zwei Nächte hier sind. Weder der Haushilfe noch mir ist es gelungen, die Zöpfe akkurat zu flechten. Ich lasse Holde unter meine Decke krabbeln, und sie beginnt gleich, mir das Haar zu kämmen, mit ihrem Puppenkamm: Damit du nicht mehr ganz so struppig bist.

Die Kinder lachen. Vor meinen Augen tanzt die Schlenkerpuppe, und Hedda singt mir ein Morgenlied vor, mit verstellter Puppenstimme. Doch schon nach wenigen Versen verhaspelt sie sich, oder die Puppe ist es, die sich verhaspelt, um dann unablässig nur die ersten beiden Zeilen zu wiederholen. Am Fußende turnt Helmut auf der Matratze herum. Coco gefällt das, er kommt auch noch zu uns heraufgesprungen.

Helmut läßt sich aufs Bett fallen, er knickt ganz langsam in den Knien ein und bleibt einen Moment still liegen. Jetzt steht er wieder auf, streckt seinen Arm aus, zielt auf Helga und schnalzt mit der Zunge, daß es knallt. Nun läßt sich Helga fallen, noch viel langsamer, und liegt dann völlig unbeweglich, so daß ihr Körper nur noch von den Schwingungen der Matratze erschüttert wird. Und Holde schaut gespannt, wie sich jetzt Hilde auf die gleiche Weise fallen läßt, nachdem Helga mit ihrem Zeigefinger auf sie gezielt und dieses Schußgeräusch von sich gegeben hat. Jetzt hat Helmut eine Idee: Wir nehmen nicht die Finger als Pistolen, wir nehmen unsere Kissen als Granaten und machen eine Kissenschlacht.

Hedda und Holde kommen wieder unter meiner Decke hervor und laufen den anderen hinterher, die ihre Kissen aus den Betten drüben holen. Nur Helga bleibt bei mir und meint: Man muß genau aufpassen, daß man das richtig macht, es ist gar nicht so einfach, auch richtig hinzufallen, wenn man erschossen wird.

Dann haben sie genug vom Sterben und wollen etwas anderes spielen. Helga flüstert ihren Geschwistern etwas ins Ohr und sagt zu mir: Sie müssen raten, was wir spielen.

Die Kinder stellen sich vor meinem Bett auf, in einer Reihe nebeneinander. Holde muß kichern. Doch Hilde zischelt: Psst, und zupft mit bösem Blick an Holdes Nachthemd. Gleich ist die still. Die Kinder stehen stumm. Dann fuchteln sie mit ihren Armen in der Luft herum und schauen mich so an, als wollten sie mir etwas mitteilen. Aber sie sagen nichts. Nach einer Weile werden sie ungeduldig, und Helga fragt mich: Na, wissen Sie es immer noch nicht?

Nein. Schwimmen? Vögel?

Quatsch.

Vielleicht Marktschreier? Oder Stummfilm?

Wir spielen doch Taubstummen-Aufmarsch.

Jetzt machen die fünf kehrt, und sie marschieren lautlos in den Flur hinaus.

III

Nun, da die Kinder wieder fort sind, ist es so still in der Wohnung. Es ist mir zu still, als wäre der Boden mit Teppichen ausgelegt, als wäre das Haus jetzt in Watte verpackt, so daß von den Wänden kein Lachen mehr widerhallt und kein Reden und Fragen der Kinder. Auch das Schnüffeln des Hundes klingt seltsam jetzt, als wäre es nicht wirklich da, nur dumpfe Erinnerung an lautere Tage. Und die Schallplatten hier, so laut die Töne auch aufgedreht werden, bieten keinen Ersatz, keine Klänge mehr, die mich beruhigen könnten. Ich streife unruhig durch die Zimmer, als ließen sich irgendwo noch Spuren der Kinderstimmen erblicken, die zurückblieben an der Tapete, den Möbeln. Doch nichts.

Die Stimmen der Kinder haben sich mir innerhalb der wenigen Stunden, die wir gemeinsam verbrachten, so genau eingeprägt, daß sie nun alle in meinem inneren Ohr aufrufbar sind. Jede einzelne hat ihr eigenes Bild, unverwechselbar. Selbst die hellen Stimmen der Kleinsten sind schon deutlich zu unterscheiden, obwohl sie doch noch wenig ausgeprägt scheinen und sich erst im Laufe der Jahre voll entwickeln. Nicht nur, daß das Wachsen des Körpers die Stimme mitwachsen läßt, auch die Körperbeweglichkeit spielt eine Rolle: Die Stimme wächst beim Herumtollen mit den Geschwistern. Sie wächst mit der Erprobung der eigenen Kräfte an anderen Kindern, wenn sie balgen und keuchen, und wenn sie weinen. Sie wächst damit, daß die einzelnen Gliedmaßen sich aufeinander einspielen, beim Gehen, beim Springen, beim Zusammenwirken von linker und rechter Hand. Und auch mit dem versunkenen Spiel auf dem Teppich, wenn ein Kind, fast ohne es selbst zu bemerken, vor sich hin murmelt und das Spiel kommentiert, ohne sich von den fremden Geräuschen im Umfeld stören zu lassen.

Heute sind die Stimmbänder noch geschmeidig, und die Kinder sprechen ganz unbefangen. Ihnen ist diese Freiheit, mit der sie Wörter und Laute bilden, wohl gar nicht bewußt. Vielleicht wünschen sie sich sogar, so sprechen zu können wie ein Erwachsener. Doch später wird, unweigerlich, die Natürlichkeit ihrer Stimmen nachlassen. Schon daß sie das Husten lernen, das höfliche Hüsteln und Räuspern Erwachsener hinter vorgehaltener Hand, anstatt sich so heftig wie möglich Erleichterung zu verschaffen, sobald es im Hals kratzt. Allein, daß ihre Stimmen kaum jemals wieder in ihrer ganzen Kraft zu hören sein werden: Der gemäßigte Tonfall in Zimmerlautstärke wird die ungebändigten Schreie, das Jubeln und Heulen ersetzen. Bald werden die Stimmen in Bahnen gelenkt: daß sie immerzu deutlich sprechen, daß sie nicht jeglichen fremden Tonfall, der den Kindern, und sei es nur flüchtig im Vorbeigehen, ans Ohr dringt, schon mit der nächsten eigenen Äußerung aufgreifen, nachahmen, und ihn für einen Satz, ein Gespräch, ein paar Tage dem üblichen Tonfall vorziehen, vielleicht sogar unbewußt. Und das ausdauernde Wiederholen von Wörtern und Sätzen, das ausdauernde Weinen und Wimmern werden auf immer verschwinden. Denn jede einzelne Stimme wird von den Menschen belauscht.

Vielleicht ahnen die Kinder dies schon insgeheim: Warum sonst waren sie so schüchtern, als sie zu mir kamen, warum sonst sprachen sie am Anfang so zurückhaltend? Kein Wort mehr als erforderlich, und überhaupt möglichst nur dann, wenn es sich nicht vermeiden ließ, auf eine Frage von mir zu antworten. Erst langsam faßten sie, eins nach dem anderen, Vertrauen und wagten, mich von sich aus anzusprechen. Das wirklich ausgelassene Plappern allerdings gab es nur, als sie allein im Zimmer spielten, bei geschlossener Tür, damit der Fremde davon nichts merkte. So hofften sie. Später einmal wird dieses zaghafte, das verstörte Sprechen für sie selbstverständlich sein, und sie werden gar nicht mehr wissen, daß ihre Stimmen jemals anders gewesen sind.

Und was sie an neuen Tonfällen lernen, wird die ursprüngliche Ungezwungenheit nicht ersetzen. Das höfliche, affektierte Lachen über einen Scherz, der nicht lustig ist oder sogar unangebracht, das mit einem Mal wieder verstummt. All die lautlichen Nettigkeiten, die Ohs und Ahs, welche verhindern, daß die Menschen einander zerfleischen bei der leisesten Unstimmigkeit im Gespräch. Und der frühere Spielraum wird eingeengt werden, und unter den vorgegebenen lautlichen Mustern wird sich die Stimme abnutzen, bis an das Lebensende eine Verkrampfung weit hinten, am Zungengrund. Die Stimme wird nur noch gestutzte Äußerungen hervorbringen, und Ausbrüche höchstens auf Abruf.

Irgendwann wird den Kindern aufgehen, daß sie nicht mehr frei über ihre Stimmen verfügen. Helmut wird dies spätestens an dem Punkt schmerzlich erfahren, wenn der Stimmbruch einsetzt: Plötzlich gehorcht der Kehlkopf nicht mehr, ein schmerzender Punkt, als nicht verheilende Wunde am Hals, die gezerrten, gestauchten Stimmbänder. Und es wird auch die Zunge schwach, da nur noch gebrochene Laute hervorkommen, deren Tonlage schwankt. Und Helmut wird erschrecken, da ihm die Stimme entgleitet. Und alles entgleitet.

Für alle Unannehmlichkeiten in dieser Phase wird allein das Wachstum verantwortlich gemacht: die Kopfschmerzen, das Gliederreißen und die unkoordinierten Bewegungen des Halbwüchsigen. Aber könnte es nicht viel eher so sein, daß eigentlich die Stimmveränderung dieses Gefühl verursacht, sich in der Welt nicht mehr zurechtzufinden? Daß ihr krasses Versagen sich auf den ganzen Körper auswirkt, da bekannt ist, daß bei der Stimmbildung, beim Sprechen zahlreiche weitere Muskeln beteiligt sind, die nichts direkt mit dem Sprechapparat zu tun haben? Kommt also der Stimme eine weitaus größere Bedeutung zu als angenommen, da sie sich in einem dumpfen Schmerz in allen Körperteilen niederschlägt in dieser Zeit, da sie eine ganz falsche Melodie hat? Wenn Stimmbruch Erwachsenwerden bedeutet, also die Geschlechtsreife, findet die Stimme erst ihre endgültige Ausprägung, wenn ein Mann das erste Mal mit einer Frau geschlafen hat?

Der Stimmbruch, welcher mir selbst nie widerfahren ist, soweit die Erinnerung stimmt. Und die Erinnerung muß richtig sein: sonst wäre die Stimme doch tiefer heute, wie die Stimmen anderer Männer. Aber mir scheint, sie habe sich eigentlich niemals verändert, sei niemals in tiefere Regionen gerutscht. Mein von Unbeweglichkeit geprägtes Organ bringt einen dem Alter völlig unangemessenen Ton hervor, auch hat meine Stimme die falsche Melodie, in kindlicher Höhe, dem Körper, den Bewegungen eines Erwachsenen zuwiderlaufend, doch ohne die kindliche Offenheit.

Und in das kindliche Sprechen mischen sich Stutzen, Schreien, Züchten.


Papa kommt keuchend die Treppe herauf. Helmut heult hier das ganze Haus zusammen. Jetzt ist Papa auch schon im Flur, er ruft nach mir, er schreit: Was ist da los, Helga, was hast du wieder angestellt mit deinem kleinen Bruder?

Der ist selber schuld, er hat mir meine Armbanduhr kaputtgemacht. Und Helmut steht mit glutrotem Gesicht und kreischt, als Papa da ist, er läuft auf Papa zu, der nimmt ihn gleich in den Arm und schaut mich böse an: Du weißt genau, daß du Helmut nicht schlagen darfst, er ist noch klein, er hat sich nichts Böses dabei gedacht.

Helmut schluchzt in Papas Arm und schaut unschuldig in den Raum. Helmut hat meine Uhr mit meinem roten Lederarmband einfach aufgeschraubt und alle Teile herausgeholt: Er bemerkt mich gar nicht, weil er gerade mit seiner ganzen Kraft im Uhrgehäuse herumstochert. Mit einem Schraubenzieher. So angestrengt und wild, daß seine Zunge zwischen den Zähnen eingeklemmt ist, und ihre Spitze pocht ganz rot. Als Helmut mich dann endlich sieht, erschrickt er. Meine schöne Uhr völlig kaputt. Der Zeiger ist auch schon verbogen, da kann man nichts mehr retten. Dafür bekommt er eine saftige Ohrfeige. Gleich fängt er an zu weinen und wischt aus Wut die ganzen Teile mit dem Arm vom Tisch. Dann läuft er zur Tür und weint noch etwas lauter, damit Papa ihn unten besser hören kann.

Hast du gehört Helga? Papa spricht streng mit mir.

Aber Helmut hat, er hat die ganze Uhr kaputt.

Sprich gefälligst deutlich, wenn du mit deinem Vater sprichst.

Helmut hat meine Uhr kaputtgemacht.

Hilde und Heide sind zur Tür gekommen und schauen, was hier für ein Lärm ist. Papa tobt bald: Halt bloß den Mund und geh jetzt auf dein Zimmer.

Aber Helmut hat sie auseinandergeschraubt, er hat die Ohrfeige verdient.

Nun wird es mir zu bunt, Helga, du bist rotzfrech.

Und Papa haut mir eine runter. Jetzt fange ich auch an

zu weinen, ich laufe zu meinem Zimmer und schreie: Ihr seid ja alle ungerecht.

Da kommt Papa hinter mir her. Nur schnell die Tür zu und gleich zweimal abgeschlossen. Papa klopft, Papa hämmert gegen meine Tür: Mach auf, Helga, mach sofort auf, du weißt, du sollst nicht abschließen.

Aber er kann ja doch nicht rein, da kann er lange schreien. Er kann mich kein zweites Mal schlagen, hier mit den Kissen auf den Ohren, hier in meinem eigenen Bett. Die Kissen werden schon naß vom Weinen. Helmut weint meistens ohne Tränen, weil er nicht traurig, sondern zornig ist, zornig, weil er nicht genug Kraft hat, um mich zu hauen. Wenn ich die Kissen nur fest auf die Ohren drücke, muß ich fast nichts mehr davon hören, wie Papa draußen weiter hämmert, ruft und wütet.

Helmut ist noch so klein, er weiß nicht, was er anstellt, er ist dazu noch viel zu klein, und Hilde ist zu klein, Holde, Hedda auch, und Heide sowieso. Alle sind noch so klein, sie dürfen sich alles erlauben. Bestrafen dürfen nur die Eltern, und nicht die Älteste, dafür ist sie auch noch zu klein. Aber schon groß genug, um diese Kletten zu ertragen, so groß, daß sie auf alle aufpaßt, wenn Mama ihre Kopfschmerzen hat und im Bett liegt, wenn alle leise sein müssen im Haus. Wenn Mama zur Erholung ist und Papa fort, wenn er in Lanke übernachtet, wenn er tagelang nicht nach Hause kommt. Trotzdem darf die Größte niemals mit den Kleinen schimpfen. Die Helga zeigt schon viel Verständnis, das sagt Papa, wenn er mich vor anderen loben will, sie kümmert sich so rührend um ihre Geschwister.

Draußen auf dem Flur ruft Papa noch: Und keine Filme heute, hörst du, Helga, keine Filme.

Dann schlägt er nicht mehr an die Tür. Helmut spielt

bestimmt weiter mit meiner Uhr, Papa hat es ihm ja erlaubt, der einzige Junge darf sowas. Wir anderen sind nur Mädchen. Die Heide hat es gut, nur um sie kümmert sich Mama richtig. Alle Erwachsenen bestaunen ihre blauen Augen. Aber die Augenfarbe wird sich schon noch ändern, am Anfang haben schließlich alle Kinder blaue Augen.

Holde und Hilde lachen im Spielzimmer. Spielen sie Puppenmutter? Und Helmut hämmert, schraubt an meiner Uhr herum. Oder er baut mit den Bauklötzen Autos und Häuser. So richtig schrauben kann er nämlich nicht, für den Metallbaukasten ist er zu blöd. Wenn Papa Mama unseren Streit erzählt, dann sagt er wieder: Dabei hatte Helmut ganz friedlich vor sich hin gespielt. Mama fragt nicht, ob das auch wirklich stimmt, sie schaut mich nur böse an und macht ihr Kopfschmerzengesicht. Da ist die Kinderfrau, sie sagt etwas zu den Geschwistern. Jetzt klopft sie hier: Helga, zieh dich ordentlich an und kämm dich auch, es gibt bald Abendessen.

Nun gibt es keinen Aufschub mehr, nun muß das Zimmer wieder aufgeschlossen werden. Hoffentlich ist Papa nicht da beim Essen. Ich kann ja an der Treppe erstmal horchen, ob er unten redet.


Es wird geschraubt, die Straßenschilder aus den Fassungen. Die Männer haben wunde Finger, und Schwielen bilden sich vom vielen, schnellen Schrauben. Es wird getöpfert. Und glasiert. Es wird geformt mit Händen auf den Töpferscheiben, und es wird gebrannt. Jetzt erhalten alle neue Krüge. Der Sommerwind durchstreicht die grünen Fluren. Es wird gestrichen. Der Grünstift durchstreift die Fluren und jätet Disteln auf dem Blumenbeet. Er markiert die Wiesen und die Felder. Gestrichen werden Wände, die Werbeschriften übertüncht. Der Grünstift beißt sich durch

Unkraut, reißt Büschel aus, läßt kein Blatt an den Bäumen, legt die Stämme um. Unglaublich, welche Flächen hier gerodet werden. Gedroschene Spelzen. Schattige Hänge, Lichtungen, herausgebrannte Ortskennzeichen, Scheunen, Höfe, Ackergrund. Ein einziges abgefackeltes weites Land. Und die geflämmten Zungen. Das Vorglühen, der Abgesang.

Die Aktion ist schon in vollem Gange. Der ganze Landstrich wird markiert mit grünem Stift. Es wird gelesen. Die Bibliotheken werden alle jetzt durchforstet. Und tiefe Wunden reißt der Grünstift, er frißt den fremden Wortschatz an. Die Straßennamen, ehemals französisch, werden jetzt ersetzt durch deutsche. Gekroppte Schriftzeichen. Der Grünstift unterstreicht, er korrigiert, merkt an am Rand von Dokumenten, notiert Vorschläge zur Eindeutschung. Hier wird fließend eingewortet, achtundsiebzig Wörter pro Minute. Normative Eingriffe. Umschulung der Einheimischen in Verwaltungspositionen. Grundvokabular. Gegeben werden Sprachkurse. Behebung von Unklarheiten in der Aussprache, das Pflichtprogramm.

Es wird gemeißelt. Die Denkmalsinschriften, die Grabsteine mit sicherem Hammerschlag. Die Totensprüche werden ausgekratzt. Selbst das fremdsprachige GEBOREN, das GESTORBEN. Und Waschanleitungen aus den Kragen aller Kleidungsstücke herausgerissen. Der Grünstift streicht die Anreden, die Abschiedsformeln, Höflichkeitsfloskeln.

Alle erhalten jetzt neue Namen. Im Zuge der Eindeutschung wird Welsches aus dem Mund und aus dem Paß radiert. Es wird geätzt. Beschriftungen auf Wasserhähnen verschwinden jetzt im ganzen Elsaß, wo sie nicht HEISS und KALT anzeigen. Mit dem Grünstift wird die Höhe der

Fremdwortsteuern festgelegt. Es wird ausgetrieben. Aus Silber- oder Blechbesteck, das spielt jetzt keine Rolle. Eingeprägte Worte, Sinnsprüche und Tischgebete werden jedem ausgetrieben. Mit aller Rücksichtslosigkeit wird dieser Vorgang durchgeführt.

Eine Porzellanwerkstatt wird ausgehoben, wo man noch immer, obwohl es streng verboten ist, französische Aufschriften in den weichen Ton der Küchengefäße ritzt. Farbtöpfe kippen um, die überraschten Arbeiter lassen die Pinsel fallen. Dann Aufstellen mit dem Gesicht zur Wand, Fesseln der Hände auf dem Rücken. Noch während die persönlichen Angaben der Schuldigen aufgenommen werden, geht sämtliches im Lager befindliche Geschirr zu Bruch. Zierteller, Blumenmuster und beschriftete Veduten. Die Scherben mit einzelnen Buchstaben in Schreibschrift könnten nun zu neuen, deutschen Wörtern verbunden werden. Der Grünstift aber greift bis an die Wurzel. Kräftige Füße zertreten, zermahlen die Scherben und die aufgepinselten Buchstaben. Krüge für Wasser, für Milch und Wein werden durchs Ladenfenster hinausgeworfen. Und eine ganze Palette mit Salzstreuern fliegt auf die Gasse, die Splitter spritzen bis hin zu der Gruppe Abgeführter, Schläfenschnitte.

Auf allen Stirnen Flammenschein, die Fackelträger stehen im Strahlenkranz, und auf ein Kommando legen sie die Lunten an. Jetzt lodern überall die Scheiterhaufen auf, Großbrand auf sämtlichen Plätzen, bald Nachtleuchten über der gesamten Stadt. Das Sprachgut wird nun abgefackelt. Knisternde Wörterbücher und Romane, Kochbücher, Heftchenliteratur, benzingetränkt. Jedes französische Buch, auch Übersetzungen, wo immer sie sich dingfest haben machen lassen in Straßburg und Umgebung. Abgabepflicht bestand für alle Haushalte. Verdächtigen ist man von vornherein zu Leibe gerückt mit Späh-trupps. Und noch den unscheinbarsten Parkbesucher, der in seine Lektüre versunken saß, hat man überprüft. Das zündelt. Abseits des prasselnden Papierhaufens sind Silhouetten von Gestalten zu erkennen, die braten aufge-spießte Kartoffeln. Der Schweiß wird aus der Stirn gestri-chen. Die Weinprobe im Feuerschein, es wird angestoßen. Ein Trinkspruch auf das Gelingen der Entwelschung. Die Gläser wandern an die Lippen, glitzern, im Hintergrund das Züngeln, und der Rauch, der in den hell erleuchteten Himmel steigt. Und nachher Stiefeltritte in die Glut, Nachtglast, eingeäscherte Reste. Verglüht.

Die Neuordnung des Unterrichts an allen Schulen geht ganz zwanglos vonstatten. Auf Exkursionen werden die Kinder animiert, das Straßenbild von lästigen Fremdwör-tern zu entrümpeln. Schärfung des Blicks, Schärfung des Sprachbewußtseins. Im Klassenzimmer werden Vor-schläge zur Eindeutschung der Schmuckwarensprache ge-sammelt, bisher französische Bastion. Rege mündliche Beteiligung der Schüler. Alle genannten Wörter sind nach Sachgruppen zu ordnen. Und wer den treffendsten Vor-schlag macht, darf vor zur Tafel, dort die französische Bezeichnung auswischen und sie durch eine deutsche auf dem freigewordenen Tafelplatz ersetzen. Hernach ist der gesamte neugewonnene Wortschatz in das Schönschreib-heft zu übertragen.

Der Grünstift schreibt jetzt leserlich die Vor- und Nach-namen von Widerständlern. Er füllt jetzt Formulare aus, mit Datum, mit: Betrifft die Überstellung nach Schirmeck. Der Name, die Adresse. Ein Stempel: Mit sofortiger Wir-kung. Unterschrift. Mit guten Ohren, horchend, Durch-zug der Entwelscher. Und ganze Rotten werden aufgegrif-fen und in das Sicherungslager überstellt, wo man bereits weit mehr als tausend resistente Fremdsprachler hat unterbringen können.

Die Klanglandschaften zu Hause sind ausgekostet. Ich habe einsehen müssen, daß es, um mein Kartenprojekt vorwärtszutreiben, notwendig wäre, auch Stimmen anderer Regionen aufzunehmen. Darum habe ich mich freiwillig gemeldet, hier in Straßburg Entwelschungsdienst zu leisten.

Immer heikler wurden die Situationen beim Belauschen der Menschen, es gab nicht nur verständnislose Blicke angesichts meiner Apparaturen, sondern auch regelrechte Angriffe gegen das Aufnahmegerät und meine Person. Am Ende wäre eine frische Schallfolie dann beinahe zerstört worden. Schon mehrmals war mir abends auf dem Heimweg aufgefallen, daß aus den offenen Erdgeschoßfenstern eines Altenheims das Schnarchen der Menschen in ruhigem Schlaf nach draußen drang. So deutlich, daß ich einmal, als es einen Moment aussetzte, schon fürchtete, der Schläfer sei soeben gestorben. Als ich mich eines Abends in eisiger Nachtluft unter das Fenster hockte, um die Geräusche aufzuzeichnen, gelang dann eine fast perfekte Aufnahme: Niemand war auf der Straße, und aus den Nebenzimmern ertönten die gleichmäßigen Luftzüge nur ganz leise, so daß der Schneidstichel das Schnarchen völlig ungetrübt ins Wachs gravierte. Doch plötzlich ging eine Frau in Schwesterntracht von hinten auf mich los. Sie hatte sich unbemerkt zwischen den Sträuchern herangeschlichen. Mit einem Gehstock schlug sie auf mich ein und rief nach der Polizei. Ich war so überrascht, daß ich mich kaum wehren konnte, doch mir gelang die Flucht, mit ein paar blauen Flecken.

Man arbeitet mit Amateuraufnahmen, die beweisen, daß an bestimmten Orten noch immer konspirative Versammlungen stattfinden, bei denen die Anwesenden Französisch sprechen. Meine Arbeitsbedingungen hier im Elsaß sind hervorragend. Aus der Unmenge an Aufzeichnungen, die gemacht werden, merke ich mir die interessantesten vor, um sie am Abend nach dem Dienst für den persönlichen Gebrauch umzukopieren. Gewissermaßen als Gegenleistung dafür muß ich unvorstellbare Anblicke über mich ergehen lassen: Verhöre, furchtbar, Prügelstrafe bis auf das Blut. Und Razzien, rücksichtslos: Ich stehe da mit meinen Apparaturen inmitten einer weinenden Kinderschar, deren Vater von den Entwelschern abgeholt wird. Nur aufgrund einer Stimmaufnahme, die ich durchgeführt habe. Und Mikrophone, Mitschnitte in Beichtstühlen, wo Menschen es noch wagen, mit dem Priester Französisch zu sprechen. Die ist dann gestürmt worden, die Kirche.

Sprachmerze: Ein Grundgedanke schon von Turnvater Jahn, der mir die Leibesübungen beschert hat, zu denen man mich vom Kindesalter bis in die späte Jugend unbarmherzig gezwungen hat. Der ganze Leib muß gestählt werden, und dazu gehört selbstverständlich auch die Zunge, Kampf gegen Wortmengerei, die deutsche Sprache muß die Fremdwörter ausschwitzen, ersetze REVOLVER durch MEUCHELPULVER, Vorschlag des Deutschen Sprachvereins, ersetze KOMPANIE durch BROTGEMEINSCHAFT, ersetze ZIGARETTENAUTOMAT durch STREIFEN-SELB.

Es wird gehorcht. Der Offizier spielt mir ein Tonband vor: Verzerrte Stimmen, kaum herauszuhören aus dem Rauschen der schwachen Aufnahme. Allerdings ist die Betonung deutlich zu erkennen, sie unterscheidet sich von jeder bekannten deutschen Satzmelodie. Jetzt drohen die Stimmen im Rauschen völlig unterzugehen. Der Offizier fängt an zu fluchen: Was wird denn da herumgestammelt? Kann dieser Mensch denn nicht deutlicher sprechen? Man versteht keinen einzigen Namen. Nur immer Silbenfetzen, Stotterlaute.

Die Stimme auf dem Band klingt ungewöhnlich. Und sie erinnert mich an meine eigene Sirenenstimme, ihr abstoßender Klang sagt dem Hörer mit jedem Laut: Ab in den Luftschutzkeller. So daß man sich die Ohren zuhalten möchte. Der Offizier wendet sich an mich: Die Fremdsprachler sind festzusetzen, doch diese Technik hier ist offensichtlich viel zu wenig ausgereift, um brauchbare Hinweise zu ermitteln. Schauen Sie, Karnau, daß Sie diesen Aufnahmeapparat umgehend dahin bringen, daß uns der Mitschnitt alle nötigen Angaben liefert, damit wir jene Elemente greifen können. Machen Sie, was Sie wollen, kopieren Sie das Band, schneiden es um, was immer Sie als Fachmann tun können, um die Qualität der Aufnahme zu verbessern. Wir brauchen dringend Namen, Alter, Wohnort, Ziele der Geheimtreffen.

Er schaut mich hilflos an, die Stirn legt sich in Falten. Ich gehe an das Tonbandgerät: Vielleicht, wenn man die Aufnahme langsamer abspielte? Ich drücke eine Taste, um alles noch einmal auf halber Bandgeschwindigkeit zu hören. Das Band spult zurück, doch nach erneutem Einschalten hören wir nichts mehr von den tiefen, den gedehnten, gequälten Stimmen. Wir hören gar nichts mehr. Wir warten einen Augenblick, der Offizier starrt auf das Band und gerät plötzlich außer sich: Karnau, Sie, Karnau, Sie Versager, was haben Sie getan? Die Aufnahme ist hin, Sie haben beim Zurückspulen alles gelöscht, Sie Idiot, die Löschtaste gedrückt. Wen hat man uns denn da geschickt? Beherrschen Sie etwa die Technik nicht?

Kein Laut, alles verglüht, verbrannte Kehlen. Das Band ist leer. Ich stehe stumm da, während der Offizier mich noch beschimpft. Und er hat recht: Das hätte mir nicht unterlaufen dürfen. Ich habe aber gar nicht mit einer Löschfunktion gerechnet, denn beim Plattenschneiden, an dessen Gegebenheiten ich gewöhnt bin, kann es ja gar nicht passieren, daß beim Zurückdrehen die Stimmen zurückgesaugt werden in die Stille. Da hört man alle Töne rückwärts, wie sie an ihren Ursprungsort zurückgelangen, in die Kehlen. Verzerrte Einatmung. Platten müssen schon eingeschmolzen werden, um die Stimmen unwiederbringlich zum Schweigen zu bringen.

Ein trostloser Abend. Unruhig sitze ich in meinem Quartier am offenen Fenster auf der Fensterbank und schnippe eine aufgerauchte Zigarette hinunter auf die Straße. Wird man mich nach Berlin zurückdelegieren, nachdem das Tonband durch einen Fehler meinerseits zerstört worden ist? Ein Pfuscher. Wird man jemanden aus der Firma herholen, der sich mit dem Magnetophonband besser auskennt? Hat dieser Patzer am Ende vielleicht sogar meine Entlassung zur Folge? Dabei hatte ich an einem freien Vormittag noch die Deutsche Universität besuchen wollen, wo derzeit eine große Schädelsammlung angelegt wird, ganz ähnlich der von Joseph Gall, welcher genau hier, in Straßburg, im Jahre 1777 als junger Mann sein Studium der Vergleichenden Anatomie aufnahm.

Am Nachmittag habe ich, ganz ohne Absicht und Berechnung, den Offizier wieder ein wenig beruhigt. Meine Fähigkeit, Stimmen zu unterscheiden, ist durch meine privaten Studien offensichtlich äußerst geschärft worden, denn als einige Männer auf dem Flur an meinem Zimmer vorbeiliefen, kam mir eine der Stimmen gleich bekannt vor: Das war jene Sirenenstimme, Nachtangriff, die sich am Vormittag in mein Ohr eingebrannt hatte. Und es entfuhr mir, ohne erst zu überlegen: Das ist der Mann vom Band, da draußen, das muß er sein, das ist doch ganz genau dieselbe Stimme wieder. Mir war gar nicht klar, was ich mit dieser Beobachtung angerichtet hatte: Sichtlich zufrieden rief der Offizier nach dem Wachpersonal und ließ den Mann verhaften. Und wenig später meinte er in jovialem Ton, ich sei wohl doch zu etwas nütze, da ich diesen einheimischen Entwelscher als Untergrund-Franzosen entlarvt habe. Ich bin hin und her gerissen: Nie hätte ich mich solch einer Denunziation für fähig gehalten. Doch andererseits: Vielleicht wird gerade sie den Ausschlag geben, wenn zu entscheiden ist, ob eine Meldung wegen meines Tonband-Fehlers nach Berlin ergeht.

Die Luft ist ungewöhnlich warm. Von weither, scheint es, trägt der leichte Wind jetzt Marschmusik heran. Schwankendes Tonbild, Widerhall aus fernen Gassen. Die Musik wird lauter. Auf einmal dröhnt es, da biegt eine Kapelle aus der Seitengasse ein, gefolgt von SA-Leuten im Gleichschritt, dahinter eine Trachtengruppe und Menschen ohne Uniform, die sich dem Zug auf seinem Weg angeschlossen haben. Der Lärm dringt durch die vielen offenen Fenster in die Zimmer ein, durch flatternde Gardinen. Schon schauen gegenüber aus den Fensterhöhlen neugierige Bewohner auf die Straße, die Ellbogen auf die Fensterbank gestemmt. Und manche winken. Das Fenster eines Zimmers ohne Licht wird wie von Geisterhand geschlossen, der Vorhang zugezogen. Das Fensterglas in meinem Rücken beginnt zu vibrieren. Blechbläser, Trommler, die aufgespannten Katzendärme schnarren. Das Tönen der Nacht. Nun ziehen sie unten am Haus vorbei, im Gegenwind schlägt die Standarte dem Fahnenträger ins Gesicht.

Jetzt intonieren sie ein Heimatlied, und lautstark stimmen auch die Anwohner mit in die erste Strophe ein. Und gleich erhitzte, rotwangige Gesichter. Zusammengedrängt im schmalen Küchenfenster eine singende Familie. Und in den offenen Mündern, deutlich zu erkennen: die Zungen, Zähne, sogar Speichelfäden. Und unten Atem-, Hautkontakte, Ellbogenarbeit, Gleichschrittfehler. Gepreßte Luft, im Fackellicht Schweißtropfen auf den Lidern. Dann sind sie schon vorbei, und die Musik verklingt, die Menschen kehren zurück in ihre Stuben. Stille. Nur ein vom Lärmen aus dem Schlaf geschreckter Vogel zwitschert aufgeregt über die Gasse. Auf dem nachtdunklen Straßenpflaster ein letzter, noch glühender Zigarettenstummel.

Als Überraschung werden wir mittags von der Schule abgeholt und in die Stadt gefahren. Müssen wir nicht nach Hause, fragt Hilde, um mit den anderen zu essen?

Papas Chauffeur schaut uns im Rückspiegel an: Nein, Ihr beide dürft den Nachmittag mit eurem Vater in der Stadt verbringen, bei diesem schönen Wetter hat er sich auf eine Stunde freigemacht für euch.

Ob Papa vielleicht nur Hilde sehen wollte, weil er noch böse auf mich ist? Und der Chauffeur nimmt mich nur mit, weil er sich nicht traut, mich allein nach Hause zu schicken? Hilde kramt in der Schultasche herum und sucht nach ihrer Bürste: Helga, freust du dich nicht? Wir gehen in die Stadt mit Papa, da bekommen wir bestimmt etwas von ihm geschenkt.

Nein, Papa ist anscheinend nicht mehr böse. Mich schaut er genauso nett an wie Hilde, als er unsere Kleider bewundert: Richtige kleine Damen seid Ihr, euch kann man regelrecht ausführen, so artig und erwachsen, wie Ihr aussieht. Was möchtet Ihr als erstes unternehmen? Gleich ins Café und hinterher einkaufen?

Wir wollen lieber erst in die Geschäfte. Die Sonne scheint, und im Vorbeigehen schauen uns die Menschen an, sie kennen Papa alle vom Sehen, von Photos, oder aus dem Radio. Manchen gibt Papa sogar die Hand und redet ein paar Worte. Wir wollen uns auch gut benehmen und sagen ihnen freundlich Guten Tag. Im Spielzeugladen dürfen wir uns so lange umschauen, wie wir möchten, und suchen uns für unsere Lieblingspuppen neue Kleider aus. Nein, Papa ist nun überhaupt nicht mehr böse wegen gestern.

Dann, als wir meinen, wir gehen in ein Café, führt Papa uns erst noch zu einem Uhrmacher. Will er für Mama eine neue Uhr kaufen? Er spricht mit der Verkäuferin: Bitte, wir suchen eine Armbanduhr für diese junge Dame.

Er schaut mich lächelnd an. Meint er jetzt Hilde oder mich? Die Verkäuferin hat schon verschiedene Uhren vor uns ausgebreitet. Die mit dem roten Armband gefällt mir gleich am besten. Denn Rot ist unsere Farbe, die Farbe von Papa und mir. Aber die Uhr ist sicher nicht für mich, sondern für irgendein anderes Kind gedacht. Papa nickt: Schau einmal, ob sie am Handgelenk auch gut aussieht, Helga.

Er nimmt die Uhr vorsichtig vom Samtkissen und bindet sie mir um das Handgelenk. Er will nur an meinem Arm ausprobieren, ob das Band auch genug Löcher hat. Solch eine schöne Uhr werde ich mir zu Weihnachten wünschen. Papa fragt: Möchtest du noch eine andere anprobieren?

Nein. Ich schüttele den Kopf. Papa faßt mich ans Kinn: Jetzt mach doch keinen Schmollmund, wenn man dir etwas schenken will. Du brauchst schließlich eine neue

Armbanduhr. Du bist ja schon ein großes Mädchen, selbst wenn du dich manchmal noch so bockig aufführst wie deine kleinen Geschwister.

Aber der Helmut war es schließlich selber -

In Papas Augen blitzt es gefährlich, so daß ich das letzte Wort automatisch herunterschlucke. Nicht, daß er mir die Uhr gleich wieder abnimmt. Wir gehen ins Café, es gibt für jeden einen Eisbecher, mich aber interessiert nur meine Uhr. Auch Hilde schaut neugierig: Das rote Armband glänzt, und die Uhr hat sogar schon einen Sekundenzeiger. Hilde freut sich mit mir, und Papa sagt: Mit dieser bist du aber vorsichtiger, damit dein kleiner Bruder sie nicht versehentlich in die Hände bekommt. Am besten läßt du sie nicht einfach herumliegen, sondern verpackst sie irgendwo, wo sie auch sicher ist.

Wie lächerlich naiv ich war, als ich entschied, die Stimmen der sechs Kinder auf meiner Karte nicht zu verzeichnen, indem ich mir verbot, die Kinder vor mein Mikrophon zu setzen: Um sie nur wenig später dann im Rundfunk sprechen zu hören, wo sie ihren Vater tatkräftig unterstützten, der zum Beginn der winterlichen Kleidersammlung eine Ansprache hielt. Naiv meine Bedenken, da sich die Kinder hier ganz unbefangen und selbstbewußt an die Zuhörer wandten. Und während ich die Sendung hörte, lauschten die Kinder ihr selber zu Hause, hörten die eigenen Worte, welche zuvor auf Platte geschnitten worden waren. Wie kindisch und verlogen: der weiße Fleck auf der Stimmfärbungskarte, wo diese Kinder doch im täglichen Umgang mit allen erdenklichen Geräten aufwachsen: Mit Telephonen, Fernschreibern, Filmprojektoren und Plattenspielern, die, immer auf dem neuesten Stand der Technik, zur festen Ausstattung des Elternhauses gehören, wie anderswo der Lehnstuhl und die Kuckucksuhr. Nicht unberechenbare Wesen, die plötzlich schrillen, rattern oder leuchten, sondern im Gegenteil vertrauenerweckende Gefährten, welche das ganze Haus bevölkern.

Und der Aufnahmeraum im Keller gilt ihnen einfach als ein weiteres Zimmer, wo sie die Tontechniker bei der Arbeit beobachten, wenn es der Vater einmal erlaubt, als besondere Belohnung für artiges Benehmen oder gute Schulnoten, so daß die Kinder sich mit bestimmten technischen Details möglicherweise besser auskennen als ich. Ebenso ist der private Filmsaal ein vertrauter Ort, wo sich die Kinder an manchen Abenden aus Anlaß eines Festes von den Eltern und den Gästen bewundern lassen, wenn ein Tonfilm geschaut wird, in dem die Mädchen selber zu sehen und zu hören sind, beim Spiel im Park, beim Streicheln eines Rehkitzes abgefilmt. Oder sogar in kleinen Rollenspielen, für die sie eifrig Dialoge und Bewegungen einstudiert haben, damit ihre darstellerischen Fähigkeiten denen ihres Lieblingsschauspielers in nichts nachstehen. Ein Schauspieler, an dem sich die Mädchen spielerisch messen, ein Freund, ein guter Freund, da er neben ihnen als Hauptakteur in diesen Privatfilmen auftritt, wo sie mit ihm gemeinsam seine Filmschlager nachsingen, die jedes deutsche Kind auswendig kennt.

So waren meine Bedenken, die sechs müßten beim Abhören der eigenen Stimmen ebenso bestürzt sein wie ich als ängstliches Kind, nur wieder ein vorgeschobener Grund, um meine Feigheit zu vertuschen: Zwar nimmt wohl jeder Mensch die eigene Stimme aus dem Lautsprecher anders wahr als in natura, doch bedeutet dies nicht zwingendermaßen, daß er sie ebenso abscheulich finden muß. Daß er dann hinterher beim Sprechen immerzu ins Stocken geraten muß, weil er die Stimme unweigerlich verdoppelt hört: den inneren Schädelklang und den aus den gravierten Rillen. Die Kinder sind im Gegenteil völlig vertraut mit diesem Phänomen, ohne es weiter zu beachten, es hindert sie gar nicht daran, weiterhin frei zu sprechen, wohingegen bei mir die Stimme immer unnatürlicher zu werden scheint, als näherte sich auch mein Schädelklang ganz langsam dem der konservierten Stimme an.

Zu feige war ich, mir einzugestehen, daß jener Bruch im Umgang mit der eigenen Stimme keineswegs ein zwangsläufiges Erlebnis jedes Kindes ist, daß der Abscheu nicht jeden Menschen befällt, sondern nur mich allein, und auch, daß vielleicht nur meine Stimme aus dem Lautsprecher dermaßen unnatürlich klingt. Und ich war auch zu feige, zuzugeben, daß die sechs Kinder mit ihren Stimmen leben können, ohne mit der Zeit unausweichlich zu Stimmkrüppeln zu werden. Sie haben einfach schöne Stimmen, daran wird auch das Abhören einer Aufnahme nichts ändern.

Und so erweisen sich meine Skrupel am Ende als bloßer Neid: Die schönen Stimmen der sechs Kinder wollte ich nicht auf Platte bannen, ich wollte ihnen nicht die Freude gönnen, bereitwillig in mein Mikrophon hineinzusprechen, aufgeregt und stolz, daß ein paar Worte aus ihrem Mund auf Platte geschnitten werden. So aufgeregt vielleicht, daß ihre Stimmen sich überschlagen beim Erzählen, von Lachen, Maulen unterbrochen, wenn die Geschwister einander halb im Spaß vom Mikrophon wegstoßen, weil jedes seine eigene Stimme nachher am deutlichsten von allen hören möchte. Niemandem wollte ich zugestehen, daß ihm der Klang dieser sechs kleinen Stimmen vertraut würde, ohne die Kinder von Angesicht zu Angesicht zu kennen, ohne zugleich seine eigene Stimme offenbaren zu müssen im Wechselspiel des kindlichen Gesprächs. Niemand sollte eine Gelegenheit erhalten, in ferner Zukunft, über den Tod der Kinder hinaus oder den Tod der Kinderstimmen, nachdem diese unabwendbar in Erwachsenenstimmen umgeschlagen sind, auch nur einen einzigen Laut von ihnen zu hören.

Oder hat meine Zurückhaltung, haben die Skrupel einen noch tieferen Ursprung? Zeugen sie von der Furcht, mit jedem Aufzeichnungsvorgang, mit jeder modulierten Rille könnte etwas von der Kinderstimme verlorengehen, als wäre Abhorchen nicht gleichbedeutend mit Mithören: Ist eine Stimmaufnahme, entgegen meiner Vorstellung, nicht allein dazu in der Lage, ans Innerste des Menschen zu greifen, sondern nimmt davon zwangsläufig auch etwas weg, so daß das Abgehorchte, nachdem es auf Platte geschnitten ist, fortan als Klang, als Tonfärbung allein noch auf dieser schwarzen Lackfolie existiert? Wird dem Menschen mit jedem konservierten Laut ein, wenn auch nur geringer, Bruchteil seiner Stimme gestohlen?

Darum auch meine instinktive Furcht als Kind, die eigene Stimme aufnehmen zu lassen, das Unbehagen hinterher beim Abhören, als wäre, ohne daß ich vorher auch nur eine Ahnung davon gehabt hätte, ein Teil aus meinem Inneren abgespalten worden, worüber nun ein anderer verfügte.

Angst um diese schäbige Stimme, so blechern sie auch klingt, so unbrauchbar sie auch sein mag, wenn es darum geht, mittels eines bestimmten Tonfalles eine Regung zu Gehör zu bringen, die sich mit unseren Worten nicht formulieren läßt? Kein Wort gibt es für diese geheime Angst, aber die Unbeholfenheit meiner Stimme, so wie sie ist, trifft vielleicht gerade einen Ton, der ausdrückt, was es heißt, das Stimmenstehlen mehr als alles andere auf dieser Welt zu fürchten.

So ist mein Plan, eine Karte der Stimmfärbungen anzulegen, dann dem unbewußten Impuls entsprungen, der Gefahr stets die Stirn zu bieten: Ich begebe mich in die Nähe des Aufnahmeapparats, um das Mikrophon keinen Moment aus den Augen zu lassen, damit nicht plötzlich hinterrücks ein Wort, ein Lachen oder Seufzen aus meinem Mund in Wachs geschnitten werden kann. Und ich bin es, der den Schneidstichel führt.

Mamas Friseuse macht das. Das ist schlimm, Haareschneiden ist schrecklich. Den Kleinen tut es weh, Hedda muß weinen und sie kreischt, sobald Mamas Friseuse ihr den Umhang hinten festmacht, und Hedda zappelt auf dem Stuhl und zieht den Kopf weg, wenn sie nur die Schere sieht. Mamas Friseuse verzweifelt fast dabei, mit einer Hand versucht sie, Heddas Kopf festzuhalten, damit die Schere ihr nicht ausrutscht und Hedda am Ende noch verletzt. Oder die Frisur danebengeht. Das wäre schlimm genug, dann müßte Hedda noch viel länger stillsitzen. Hinterher hat Hedda eine rote Stelle unterm Kinn, wo die Friseuse sie mit ihrer großen Hand viel zu fest festgehalten hat. Dann ist Hilde dran, weil Holde sich irgendwo im Haus versteckt hat, vielleicht ist sie auch in den Garten raus gelaufen. Holde ist eigentlich immer als zweite dran, aber nun will die Friseuse nicht länger warten, Hilde muß kommen, die Friseuse will das Haareschneiden möglichst schnell hinter sich bringen, sie ist schon ganz nervös, merkt, daß wir alle Angst haben.

Am Ende ruft die Friseuse mich herein. Auf dem Boden liegt abgeschnittenes Haar meiner Geschwister. Sie legt mir den Frisierumhang um, wäscht mein Haar und achtet darauf, daß kein brennender Schaum in meine Augen kommt. Sie holt den Kamm und ihre Scheren. Ich muß die Zähne zusammenbeißen, die Friseuse fängt hinten an zu

schneiden, da sieht man nichts, da spürt man nur das Zie-
pen an den Haaren. Da hört man nur, wie die Schere
zuschnappt. Die Haare fallen auf den Boden, hoffentlich
nicht zuviel, wir wollen uns doch weiter Zöpfe flechten
können. Ich darf nicht hinschauen, ich darf mich nicht
bewegen, sonst sticht sie mich. Mein Ohr, was schneidet
die Friseuse denn so lange um mein Ohr herum. Ich habe
das Gefühl, als wäre ich nur noch in meinem Ohr, ich
spüre den kleinsten Lufthauch, ich spüre, daß die Schere
kühl ist, ich spüre fast schon das Metall. Hoffentlich ist die
Friseuse bald fertig damit.

Nach dem Haareschneiden gibt es jedesmal für alle eine
Belohnung: Als wir auf der Terrasse Kuchen essen, setzt
sich Mama auf einen Moment zu uns. Auch Mamas Frisur
ist hergerichtet, das Haar riecht gut, die blonden Wellen
glänzen in der Sonne. Das kommt vom Haarspray. Haarspray dürfen wir Mädchen noch nicht benutzen. Wir sind
froh, daß wir das Haareschneiden hinter uns haben, und
die Friseuse ist auch schon wieder fort.

Alle zwei Tage kommt sie, um Mama die Haare zu machen, und jeden Samstag geht Mama zum Schneiden in den
Salon. Wann läßt Papa sich eigentlich frisieren? Er hat immer einen ordentlichen Schnitt, wenn wir ihn sehen und
wenn er vor Publikum spricht oder einen Empfang gibt.
Aber wann hat er Zeit für den Friseur? Kommt jemand zu
ihm ins Büro? Aber dort hat Papa immer zu tun, er läuft
von einem Raum zum anderen, er prüft, er kontrolliert
und läßt sich Pläne vortragen.

Beim Tagebuchdiktat? Nein, wenn Papa diktiert, geht er
im Zimmer auf und ab, er liest seine Notizen, er formuliert, zieht an der Zigarette und knüllt einen Zettel nach
dem anderen zusammen. Dabei darf ihn niemand stören.
Papa hat uns einmal erzählt, die Tagebücher sind eine ganz

wichtige Sache, da muß jedes einzelne Wort stimmen, denn sie sollen später als Buch erscheinen und ein Riesenerfolg werden. Was mit den Tagebüchern verdient wird, hat Papa gesagt, das ist für uns Kinder, davon sollen wir alle leben, alle sechs, wenn er mal nicht mehr ist. Das hat er alles schon für uns geregelt, sagt er, die Verträge sind längst abgeschlossen, daran kann kein Verleger mehr herumtricksen.

Am Kartentisch? Dann fallen abgeschnittene Haare auf die Lagekarte, und plötzlich ist die Front verschoben. Auch während der Rundfunkkonferenz geht es nicht, wie würde es denn wirken, wenn Papa mit zerzaustem Haar die schlechten Radiosendungen kritisiert? Dabei kann doch kein Friseur hinter ihm stehen und die Haare schneiden. Und wenn er tobt, Scheißkrieg, und alle Leute anschreit, Sie Armleuchter, Sie Zwerg, Sie, dann hält er doch den Kopf nicht still, da müßte der Friseur ja glatt verzweifeln. Und trotzdem hat er immer eine ordentliche Frisur. Vielleicht ist das Papas Geheimnis.

Wo bin ich hier, was ist das für ein hartes Bett, das knarrt, das ist nur eine schmale Pritsche hier, das ist gar nicht mein eigenes Bett, warum ist denn die Luft so seltsam ruhig, was herrscht hier für ein fahles Licht, wo ist die Dunkelheit, ist denn die Nacht schon um, und dieser stechende Geruch, wonach riecht es so penetrant, menschliche Ausdünstungen sind das, billige Putzmittel und scharfer Alkohol, Krankenhausgeruch schwängert die Luft in diesem fremden Zimmer, zwei Stühle, ein Tisch, ein Spind, und nein, die Luft ist doch nicht ruhig, da ist ein Grollen zu hören ab und zu, von weither kommt es, dumpf, da wird geschossen, ist das der Krieg, die Front, das Hinterland, was sind das jetzt für Stimmen aus der Ferne, was hat mich aufgeweckt? Da spricht doch jemand, nicht weit weg von mir, mit einer Stimme, die mir entfernt bekannt vorkommt: Nun schildern Sie die Situation.

Sagt Doktor Hellbrandt, der Oberarzt in diesem Krankenhaus, nein: Lazarett, Feldlazarett ist das. Eine Verwundung? Taste mein Knie ab, Brust und Arm: Nein, kein Verband und keine Schmerzen. Jetzt kommt auch das Gesicht zu dieser kalten, klaren Stimme: Doktor Hellbrandt, der mich gestern empfing. Inmitten der Verwundeten, von denen sich noch kein einziger gezeigt hat. Verwundete: Zu Hause wird erzählt, manche von ihnen seien völlig verstümmelt und schrien Tag und Nacht vor Schmerz. Gar nicht vergleichbar, heißt es, mit den Krüppeln, die ihre Tapferkeitsmedaillen durch die Stadt spazierentragen: die schwarzen Lederhände, Augenklappen, Krücken, die leeren Ärmel in der Jackentasche oder gebauschte Hosenbeine, gerafft bis zu den Hüften.

Noch einmal spricht jetzt Doktor Hellbrandt, er muß ganz nah sein, gleich im Nebenraum, in seinem Sprechzimmer, und nun setzt eine zweite Stimme ein, mit Stottern, zaghaft, wie um eine Antwort kämpfend. Kann jedes einzelne Wort verstehen, die Wände der Baracke sind wirklich hauchdünn, sogar das müde Atmen dringt ganz deutlich an mein Ohr: Wir also eigentlich ... Stellungen graben. An einem Schlammloch abgesessen, unpassierbar, weil Baumstämme querlagen.

Und wieder Stille. Wo ist das Magnettonbandgerät? Das muß doch aufgezeichnet werden, solch ein verstörtes, angegriffenes Organ bekommt man sonst doch nirgendwo zu hören, das ist doch eine wichtige Ergänzung auf der Karte. Springe aus dem Bett, bin gleich am Tisch, und automatisch werden die angelernten Handgriffe jetzt ausgeführt: zuerst Abwickeln des Netzkabels. Jetzt seufzt der drüben, tonlos fängt er dann wieder an: Plötzlich unter Feuer genommen, der vorgeschobene Alarmposten nicht wachsam, oder es hatte ihn schon längst erwischt.

Das Kabel verheddert sich. Was ist nur mit mir los, das ging doch schon mal blind. Im Blitzkrieg-Ton gibt mir die Stimme innen schon den nächsten Befehl, bevor der letzte ausgeführt ist: Einstöpseln der Mikrophonleitung. Wo ist der passende Eingang? Der Stecker darf nicht locker sein. Dann Einfädeln des Tonbands. Einfädeln jetzt, bis jenseits des Tonkopfs ausreichend Leerband zum Vorschein kommt. Sechs Zentimeter, peinlich genau. Zügig einfädeln und festmachen, an der Markierung fest, das Band darf nicht abrutschen. Aber es rutscht, sobald die Antriebsspule sich in Bewegung setzt, und von der vollen Abwickelspule flattert das leere Band. Verzweifele bald. Dabei hat jeder Handgriff doch schon einmal gesessen, beim raschen Aufbauen, beim Ausrichten der Mikrophone selbst im Dunkeln. Die Stimme innen überschlägt sich mit Befehlen, und die im Nebenzimmer redet schleppend weiter: Der Höllenlärm, das Aufjaulen, per Sprechfunk Meldung: Die Formation im geschlossenen Feuerkampf vernichtet. Gerade als die Flammen auf die Fahrerkabine übergriffen. Die zündelnden Tarnnetze. Dann lichterloh, der Fahrer mit den Händen, mit Fleischfackeln auf seine Jacke eingedroschen.

Jetzt ist das Band fixiert. Zuletzt Einschalten des Mikrophons. Aufnahme läuft. Das Band passiert den Tonkopf: Dann weggeschleudert, Druckwelle, im Straßengraben liegengeblieben, bedeckt von Erdreich, das herniederprasselte. Und Höllenlärm, der Druck auf meinen Ohren, Pfeifen. Oben noch fliehende Kameraden, das Haupthaar abgeflämmt. Da kam einer heruntergerollt, sein Körper stieß an meinen, sein toter Arm schlug mir ins Gesicht. Die

Augen zugemacht. Da klebte schon der Lehm. Dann Stille. Gar nichts mehr. Beim Aufwachen dann wieder Höllenlärm, vom Bettnachbarn, von der Bettwäsche, höllisches Knistern, höllisches Atmen, und das war mein eigenes, mein eigenes Atmen hier.

Mit einem düsteren Kehllaut bricht der Sprecher ab. Nun habe ich meine erste Frontstimme aufgenommen, durch diese dünne Wand. Und meine Hände zittern noch. Erst jetzt wird mir bewußt, daß zu der Stimme auch ein Mensch gehören muß. Das ist einer von Hellbrandts Patienten. Sicherlich ein besonders schwieriger Fall. Schleiche hinaus auf den Flur, will wenigstens einen kurzen Blick erhaschen von diesem Stimmträger. Die Tür zu Hellbrandts Zimmer ist nur angelehnt: Und da sitzt eine armselige Gestalt, die bloßen Füße stecken in ungeschnürten Stiefeln, dreckstarrend, die Knie zittern, die Hose von Lehmflecken übersät. Ein Bild der Verwahrlosung. Das schief geknöpfte Hemd, die bebenden Lippen in einem unrasierten Gesicht. Und Ränder unter den Augen, verfilztes Strähnenhaar, teils angesengt. Der Patient bemerkt mich nicht, die eine Hand liegt starr, in eine speckige Hosenfalte verkrampft, und mit der anderen nestelt er sich in der Leistengegend herum.

Was machen Sie denn noch im Schlafanzug? Haben wir Sie geweckt? Das tut mir leid.

Hellbrandt steht hinter mir und sagt: Den haben die Feldjäger ganz in der Nähe aufgegriffen letzte Nacht. Ein Simulant, ein Deserteur? Das wollen sie aus meinem Gutachten erfahren. Aber der kann so oder so nicht wieder an die Front, der Krieg hat ihm das Augenlicht genommen. Da ist es für den Moment nun auch nicht von Belang, ob diese Blindheit nur hysterischer Natur ist. Zumindest hat der Mann ein ordentliches Knalltrauma da draußen abbekommen, an der Front. Mit dem nächsten Transport geht er zurück in die Heimat.

Hellbrandt widmet sich wieder dem Patienten. In die Heimat zurück. Und plötzlich fällt mir ein: Das Tonbandmaterial, was wird geschehen, wenn mein Abteilungsleiter merkt, daß eine ganze Spule des kostbaren Magnettonbands veruntreut worden ist? Aber spielt das noch eine Rolle? Die wollen mich hier verheizen, Berlin will mich verheizen, das ist klar. Die neue Generation, hieß es, die neue Generation, aber damit waren die jungen Soldaten nicht gemeint, die verzerrten Jungengesichter unterm Stahlhelm, die hier im Stellungskrieg, bei Vorstoß, Rückzug oder auch ganz einfach im Trommelfeuer der eigenen Seite ihr kurzes Leben lassen. Gemeint war dieses tragbare Magnettonbandgerät der neuen Generation: Das Zauberwort lautet Vormagnetisierung. Das Band wird vormagnetisiert, so daß bei der Aufnahme das Rauschen fast völlig zum Verschwinden gebracht werden kann. Klangrevolution, heißt es, und: wesentlich breiteres Spektrum, sehr schwache Töne und extreme Lautstärke lassen sich damit erstmals in der Geschichte des Menschen konservieren.

So muß es abgelaufen sein. Der Vater der sechs Kinder hat geprüft. Wie jede neue technische Entwicklung hat er sich auch dieses tragbare Tonbandgerät vorführen lassen, und war begeistert: Ganz neue Erfindung, soll er gerufen haben. Und dann die Formulierung: Hier dämmert eine Riesenchance, so ungefähr drückt er sich aus, die Riesenchance, wenn diese Technik entlang der eigenen Linien in großem Ausmaß bald Verwendung findet. Ein findiger Stubenhocker, so einer wie mein Zimmergenosse im Betrieb, hat das gleich aufgegriffen und fix solch ein Programm entworfen, Erprobung an der Front. Der feindliche Funkverkehr soll aufgezeichnet werden, kristallklar jede Meldung, kristallklar heißt es, und dann gleich zum Entschlüsseln in die Etappe, denn die Entschlüsselungstechniker könne man der Frontgefahr nicht aussetzen, das leuchte doch jedem vernünftigen Menschen ein.

Wehrtechnische Verwendbarkeit, das wissen Sie selber, Karnau, ist jetzt das oberste Gebot, hat der Abteilungsleiter gesagt: Wir müssen uns gezielt in Dienst stellen. Welch riesige Forschungsvorhaben wird man uns fördern, wenn wir nur einen Nutzen für den Endsieg auszumachen wissen. Da müssen wir Erfahrungswerte schaffen, Tatsachen beibringen, Karnau, das sehen Sie doch ein. Wir müssen näher an den Feind heran, das muß man Ihnen doch nicht erst erzählen.

Was er nicht aussprach: Indem man mich zur Fronterprobung auserkoren hat, erfüllt dieses Programm eine doppelte Funktion, da man sich zugleich eines unliebsamen Mitarbeiters zu entledigen sucht. Man wartet nur darauf, daß es mir so ergeht wie allen anderen hier, im Kugelhagel untergehen, zerfetzt von einer Granate oder schlicht zermalmt unter Panzerketten. Die ganze Firma lacht ja über meinen Elsaß-Patzer, da sagt nur einer: Stichwort Straßburg, und schon hellen sich die Mienen auf, schon können sich die Kollegen nicht mehr halten: Der Karnau verbringt die Nacht mit seinen Pferdeschädeln und hört sich dazu Keuch- und Stöhnschallplatten an, und über Tag ist er davon noch so benommen, daß er wichtige Tonbandaufnahmen einfach löschen muß, ja, so ein Schädel ist die reine Wonne, gegen so einen Pferdeschädel müßtest du mal deine Alte eintauschen für eine Nacht, dann ginge es bei dir auch bald wieder ganz steil nach oben, wenn auch nicht mit der Karriere.

Jetzt gibt es also kein Zurück mehr. Die erste Feindberührung meines Lebens steht mir unabwendbar bevor.

Und in den Krankensälen hier liegen die Verwundeten, die alles das bereits gesehen haben, was auf mich zukommt. Die Front: Da wendet sich das innere Erlebnis ganz unvermittelt zu einem äußeren. Wenn ein Granatsplitter oder ein Bajonett die Bauchmuskeln durchtrennt und sich die Innereien in einem Schwall über Geschlecht, Schenkel und Füße ergießen.

Nach seiner morgendlichen Visite klopft Hellbrandt an meine Tür: Karnau, kommen Sie mal mit mir, Sie sollen etwas sehen, was Sie als Akustiker interessieren müßte.

Er führt mich in einen Raum, der vom großen Saal abgetrennt ist, hier stehen nur drei Betten: Das sind meine Lieblingspatienten, die machen nicht solch einen Krach wie die anderen, die rufen nicht ständig nach mir oder nach einer Schwester, diese Geschöpfe hier sind immer still. Sie zu behandeln ist geradezu Erholung, vor allem nach heftigen Gefechten, wenn die blutigen Menschenfetzen eingeliefert werden und das Gestöhne, das Gebrüll aus jeder Ecke widerhallt, wenn die Flure vollgestellt sind mit Faltbetten, weil wir woanders keinen Platz mehr finden. Dann heißt es Notoperieren, Notoperieren rund um die Uhr, Splitter herausholen, Wunden vernähen und so weiter, damit wenigstens die schwersten Fälle Ruhe geben. Zerschossene Gesichter haben so gut wie keine Überlebenschance, da kann man vielleicht den Unterkiefer abnehmen und ein paar Löcher stopfen, ansonsten heißt es nur: Ruhigstellen, bis zum nahen Ende. Doch wenn der eine Saal versorgt ist, geht das Gejammere im anderen schon wieder los. Nur hier herrscht immer Stille, beim Taubstummen-Bataillon.

Die Blicke aus den Betten sind auf mich gerichtet. Bringe verwirrt ein Guten Morgen heraus. Doch Hellbrandt sagt: Das können Sie sich sparen. Aber wenn Sie schon sprechen wollen, dann achten Sie darauf, daß ihre Lippenbewegungen stets deutlich zu erkennen sind.

Der Arzt nickt in die Runde, mit Nicken wird zurück gegrüßt. Aus seiner Kitteltasche holt er Zigaretten und drückt jedem Verwundeten eine zwischen die Lippen. Trockene, locker gestopfte Dinger, die innerhalb kürzester Zeit abbrennen, zumal die Taubstummen äußerst heftig an ihnen ziehen. Hellbrandt winkt mich näher: Das Taubstummen-Bataillon war meine eigene Idee, eine Sondereinheit, welche einwandfreie Operationen selbst unter überdurchschnittlicher Geräuschbelastung gewährleistet.

Hellbrandt hat sich zu einem Mann mit bandagiertem Kopf auf die Bettkante gesetzt und verständigt sich mit ihm in Zeichensprache, während er weiter mit mir spricht, ohne den Blick von seinem Patienten abzuwenden: Die meisten sind zudem Geheimnisträger, da auch bei Anwendung verschärfter Verhörmethoden nie die Gefahr besteht, daß sie im Affekt Informationen und geheime Ziele preisgeben, die dem Feind dienlich sein könnten.

Nun hebt der Mann im Nebenbett langsam die Hände und beginnt ebenfalls zu gestikulieren. Doktor Hellbrandts Blick wandert vom einen zum anderen: Moment, entschuldigen Sie, Karnau: wenn die ins Diskutieren kommen, erfordert das meine ganze Konzentration.

Murmelnd überträgt Hellbrandt die gestischen Äußerungen, eine verzögerte Übersetzung des Sichtbaren in Worte, die Ton- und Bildspur laufen nicht synchron: Noch Tage nach dem Einsatz dieses Beben in den Eingeweiden, fast ist es so, als steigerte es sich geradezu, bis zur Unerträglichkeit. Man könnte meinen, der Feind reagierte auf die Taubstummen schon mit ganz speziellen Waffen, die keine Geschosse mehr, sondern tödlichen Schall über das Schlachtfeld bringen.

Der Patient zieht an seiner Zigarette, so daß ein angefangener Satz in Zeichensprache Fragment bleibt. Der erste nutzt die Unterbrechung und winkt, um Hellbrandts Aufmerksamkeit auf sich zu lenken: Da braucht es keine speziellen Waffen, da reicht es schon, wenn man in einer Grube hockt, über die ein Panzer hinwegdröhnt. Bei allen unangenehmen Aufträgen wird unser Bataillon als erstes vorgeschoben, weil sich keiner von uns drücken kann.

Das also sind die Qualen eines Taubstummen in der hörbaren Welt, das sind die Angriffe der hörbaren Welt auf die Taubstummen. Angriffe auch auf uns Stimmhafte, nur daß wir sie gar nicht bemerken, weil wir so unaufmerksam sind, weil wir vor lauter Hören nicht mehr auf jeden einzelnen Laut achten: Einmal geht der Todesschrei eines Kameraden im Geschützdonner unter, ein anderes Mal wird der Lärm des Trommelfeuers zurückgedrängt, um den Befehl zum Vormarsch herauszufiltern. Erbarmungslos treffen die Geräusche jeden Menschen, und während Licht immer die Augen braucht, um wahrgenommen zu werden, während Geschmack stets auf der Zunge nur zu spüren ist, Geruch nur in der Nase, so sind Geräusche nicht auf Ohren angewiesen. Sie fressen sich an jeder beliebigen Stelle in den Körper hinein, es muß nicht einmal eine ungeschützte Stelle sein: Sie bringen einen Stahlhelm zum Vibrieren und versetzen den ganzen Schädel in tödliche Erschütterung.

Nun schaltet sich von gegenüber auch der Dritte in die Unterhaltung ein. In schneller Abfolge bildet er kaum entzifferbare Zeichen, Hellbrandt versteht offensichtlich kaum mehr etwas, er transkribiert nur noch Satzfetzen, während der Taubstumme die Hände immer heftiger bewegt. Vorsichtshalber nimmt Hellbrandt ihm den abgebrannten Zigarettenstummel aus dem Mund: Viel schlimmer noch als alles Dröhnen, die mangelnde Verständigung bei Nachtarbeit. Kein Funk, und tödliche Gefahr, man merkt nicht einmal feindliche Schüsse. Einmal ein Kamerad, der zündete die Leuchtrakete, weil er es nicht mehr aushielt in der Dunkelheit, weil ihn die Angst gepackt hatte, dort ganz allein zu sein. Sehe ihn noch vor mir, im Lichtschein dort, da sie ihn gleich erwischten, die rote Mundhöhle, aus der er lautlos schrie.

Hellbrandt versucht, ihm Einhalt zu gebieten, doch der Verwundete läßt sich nicht stoppen, heftig verzerrt er das Gesicht, die Augen unbeweglich, entsicherten Blicks, und Hellbrandt übersetzt nicht mehr, sondern hat jetzt genug damit zu tun, seinen Patienten zu beruhigen. Der preßt sich nun, obwohl er doch nichts hören kann, die Handballen an die Schläfen und stößt unter größter Anstrengung klägliche Laute aus. Er wackelt mit der Zunge, schließt die Augen, nimmt seine Umgebung nicht mehr wahr. Und er beginnt zu weinen. Hellbrandt ist über ihm und hält die zuckenden Handgelenke zusammen. Jetzt kollabiert der Patient. Mit einer undeutlichen Handbewegung sinkt er in die Kissen zurück und rührt sich nicht mehr. Besorgt macht Hellbrandt eine Spritze fertig. Verschossenes Blau, so liegt da ein Gesicht, vielleicht im Sterben.

Zwar spricht Hellbrandt von seinen Patienten mit einer Härte, die mir die Schauer über den Rücken jagt, doch jeder Mensch, der sieht, wie aufopfernd der Doktor sich um diese speziellen Verwundeten kümmert, muß schlagartig begreifen, daß Hellbrandts kalter Ton nur Vorwand ist, daß Hellbrandt hier an seinem Wirkungsort Ziele verfolgt, die anderer Natur sind, als man bei oberflächlicher Betrachtung denken mag. Seine Idee eines Taubstummen-Bataillons ist vordergründig ganz im Sinne des Endsiegs, doch eigentlich geht es Hellbrandt darum, gefährdete Leben zu retten. Logisch gedacht: Wenn es die Sprache ist, durch die der Mensch sich vom Tier unterscheidet, die Fähigkeit, die Stimme so zu nutzen, daß die geformten Tonfolgen komplexeste Bedeutungen vermitteln können, dann sind die Taubstummen im strengen Sinne keine Menschen, weil sie keine Stimmen haben. Das heißt folgerichtig: Nach geltendem Gesetz fallen sie unter die Kategorie lebensunwerten Lebens. Und das bedeutet mittlerweile sicheren Tod, wohingegen unter Hellbrandts schützender Hand für diese armen Kreaturen eine gewisse Überlebenschance bestehen bleibt.

Niemand wird das durchschauen. Von Hellbrandt kann man lernen, er ist nicht solch ein Opportunist wie mein Abteilungsleiter, der sich andient und dabei keinen Moment zögert, Menschenleben aufs Spiel zu setzen, wenn es nur hilft, die eigene Position zu halten. Hellbrandt, den könnte keine Kollegenschelte ins Wanken bringen, der kümmert sich nicht darum, was andere zu seiner Arbeit meinen, ob jemand ihn hinter seinem Rücken belächelt, dem ist es egal: Wenn sie ihn hier verheizen wollen, dann sollen sie es versuchen. Bis zuletzt wird er an der Front durchhalten, um seinen Taubstummen zu helfen. Von Hellbrandt kann man wirklich lernen. Wer zimperlich ist, läuft geradewegs ins Messer. Was kümmern mich die spöttelnden Kollegen, was kümmert mich die Meinung von Berlin? Hier heißt es eisern bleiben, hier in der äußersten Gefahr geht es nur mehr um die Stimmfärbungskarte, hier geht es darum, abgelegenes Gelände zu kartographieren.

Papa ist gerade nach Hause gekommen, ich höre, wie er sich unten an der Treppe mit Mama unterhält: Ganz wunderbar, das neue Sportcoupé.

Sprich etwas leiser, bitte, die Kinder schlafen schon.

Aber es ist ja noch ganz hell.

Du kannst sie doch nicht wieder wecken.

Die schlafen bestimmt längst noch nicht, die Mädchen liegen wach in ihren Betten und langweilen sich zu Tode.

Nein, geh jetzt nicht hinauf, das kann auch bis morgen warten.

Dieses Coupé werden sie bewundern, da kann man ihnen eine Probefahrt nicht verwehren.

Laß die Mädchen bitte schlafen.

Willst du ihnen denn gar nichts gönnen? Sie unternehmen ohnehin so selten etwas mit ihren Eltern, sie kennen uns ja kaum.

Sie müssen morgen früh in die Schule.

Die beiden sind so gut in der Schule, das werden sie schon verwinden.

Papa kommt in unser Zimmer gestürmt: Los, los, aufstehen Ihr beiden, zieht euch fix an, wir machen jetzt eine Spazierfahrt.

Hilde und ich haben gespannt gehorcht, wer von den beiden am Ende siegt. Wir wußten, daß Papa gewinnen würde. Wir springen aus dem Bett und ziehen uns an, so schnell wir können. Wir flitzen an Mama vorbei. Papa ist schon wieder unten, mit Spucke wischt er Fliegenblut von der Autoscheibe: Steigt ein, wir haben nicht so viel Zeit, wenn eure Mutter keine neue Sorgenfalte im Gesicht bekommen soll.

Schon fahren wir durch das Tor auf die Straße, und Mama kann uns nicht mehr sehen. Das ist ein schönes neues Auto, viel schöner als die anderen, die wir haben, mit heruntergeklapptem Verdeck. Papa zieht eine Mütze auf, er reicht uns Kopftücher und Schals nach hinten, die er sich unbemerkt aus unserer Schublade in die Tasche gestopft hat. Papa braucht seine Mütze, damit die Haare ihm nicht ins Gesicht flattern beim Fahren, und wir sollen uns keine Erkältung holen. Papa zeigt zum Rückspiegel: Seht einmal, hier, ein Spinnennetz, das war vorhin noch nicht da. Wir wollen doch mal schauen, ob wir so schnell fahren können, daß wir die Spinne im Fahrtwind abschütteln.

Der Wannsee liegt schon hinter uns, es ist ein warmer Abend, doch nun wird es im Auto kalt, als Papa immer schneller fährt. Das Spinnennetz bewegt sich. Kommt da die Spinne schon heraus, weil sie spürt, daß sie sich in Papas neuem Auto nicht unwidersprochen einnisten kann? Wir fahren in den Sonnenuntergang. Und Hilde jauchzt. Papa schaut sich den Sonnenuntergang nicht an, er blickt nur immer auf das Spinnennetz. Wie weit so eine Spinne reisen kann, wenn sie ihr Netz an einem Auto spannt. Da sind die Beine, am Rückspiegel, und jetzt kommt auch der große schwarze Leib aus dem Versteck hervor. Die häßlichen Spinnenbeinen klammern sich richtig an den Spiegel. Hoffentlich schafft sie es nicht, bis zu uns herein zu krabbeln. Hilde rüttelt Papa an der Schulter: Fahr schneller, Papa, fahr, wir wollen sie nicht mehr sehen.

Papa fährt noch schneller, damit sie endlich wegfliegt, der Wind braust laut um unsere Ohren. Papa ruft: Das werden wir ja sehen. Und wenn wir bis nach Magdeburg fahren müssen, um dieses Vieh hier los zu werden.

Der Spinnenkörper klebt an der Fahrertür, das Tier strengt sich furchtbar an, um den Halt nicht zu verlieren. Papa denkt an nichts anderes mehr als an diese Spinne. Seine schmalen Lippen werden ganz hart, sein Gesicht regt sich nicht, die Rillen zwischen seinen Zähnen sieht man im Spiegel, wie er verbissen zum Rückspiegel hinschaut, wie er das Bein durchdrückt, um noch mehr Gas zu geben, wie er ein Auto nach dem anderen überholt, immer nur weiter diese Straße, und weil er sich so sehr auf diesen Spinnenkampf versteift, sieht plötzlich seine Motorsportmütze albern aus, mit der Pelzkrempe, als wäre Papa an Sibirien gewöhnt oder als müßte der weiche Pelz seinen Kopf vor dem Zerbrechen schützen, wie eine Eiertasche.

Langsam tut mir die Spinne leid, sie strengt sich so verzweifelt an, um den Halt nicht zu verlieren, sie fällt ein Stück und haspelt dabei automatisch ein Seil ab, dann kommt sie unter Mühen wieder hochgekrabbelt und will hinter den Rückspiegel in Sicherheit. Ich mag nicht mehr hinschauen. Es wird schon dunkel, und wir fahren immer noch. Sind wir schon auf dem Rückweg, oder nähern wir uns tatsächlich Magdeburg? Da stupst mich Hilde an und zeigt nach vorne: Die Spinne ist verschwunden.

Als wir nach Hause kommen, hängen nur noch ein paar klebrige Fäden an der Tür, in denen sich kleine Insekten verfangen haben. Papa ist mit seiner Arbeit zufrieden, und auch damit, daß uns sein neuer Sportwagen gefällt.


Der Himmel zittert, der aufgerissene Straßenbelag bringt die Reifen zum Vibrieren, schaukelnd bewegt sich der Wagen über die Piste, er rumpelt hinweg über notdürftig aufgetragenen Schotter, quält sich durch matschigen Lehm, doch unaufhaltsam folgt er den ausgefahrenen Spuren auf der Versorgungslinie, tief hinein ins Feindesland. Mein Haar streift den Himmel, den schmutzigen Wagenhimmel, diesen vom Zigarettenqualm häßlich vergilbten Stoffbezug gleich über mir, sooft das Gefährt in ein Wasserloch abrutscht. Und die Luft drückt gegen die Scheiben bei jeder Detonation, auch die Erde bewegt sich, der graubraune Himmel zittert mit Pulverrauch, der verregnete

Nachtanbruch, und mein ganzer Körper wird von den Erschütterungen erfaßt. Meine Hände zittern so sehr, daß sie die Zigarette nicht halten können, die zwischen den Lippen klemmt, selbst die Glut zittert unter den Einschlägen. Aber den Fahrer schert der Geschützdonner nicht, er heftet den Blick auf die Fahrbahn, und alles, was er jetzt wahrnimmt, ist dieses zerfetzte Sichtfeld jenseits der mit Schlieren und Leopardenflecken verschmierten Windschutzscheibe.

Ein grelles Blitzen läßt plötzlich die Wagenspuren vor unseren Augen verschwinden. Der Fahrer tritt auf die Bremse: Eine Explosion, die uns beinahe in Stücke gerissen hätte? Nein, nur die Regentropfen, wie sie funkelnd die Scheibe hinunterrinnen im blendenden Scheinwerferlicht eines Krads, das uns entgegenkommt. Wir lassen die nachfolgende Fahrzeugkolonne passieren: Rotkreuzwimpel hängen an jedem Wagen. Sie scheint gar kein Ende nehmen zu wollen, die Reihe der klatschnassen Wimpel, so vollgesogen mit Regen, kein Sturm könnte sie mehr zum Flattern bringen.

Die Lichtkegel tasten den Fahrbahnrand ab, und mit jedem vorbeimanövrierenden Lastwagen scheint aus dem Dunkel ein Abschnitt des Grabens auf: Dort, zwischen Gerümpel und Pferdekadavern, gleich bei dem zerschossenen Panzerfahrzeug bewegt sich etwas am Boden. Da immer wieder derselbe Flecken beleuchtet wird, dauert es nicht lange, bis das Objekt erkannt ist: Dort krabbeln ganz junge, wohl noch blinde Welpen im Dreck herum. Und auch die Mutter taucht jetzt aus dem Dunkel auf, wie sie versucht, ihren Wurf zusammenzuhalten. Ruhig und bestimmt greift sie ein Kind nach dem anderen beim Genick und schleppt es zurück in die Deckung unter dem Panzerwagen, von wo die Kleinen wieder ausrücken, hin zu den toten Pferden. Da sitzen sie mit nassem Fell und fiepen, bis die Mutter kommt, um sie erneut einzusammeln. Ein unerwartetes Bild hier ganz nah der Front. Vielleicht ein Zeichen, daß genau an dieser Stelle die Grenze des Krieges verläuft, das letzte Friedenszeichen, bevor wir in das umkämpfte Gebiet eintreten, der letzte Punkt in der Etappe, die letzte Marke vor den Bombentrichtern: Da hat ein Meldegänger eine streunende Hündin geschwängert mitten im Kampfgeschehen.

Was ist das für ein Krieg? Hier schießen sie die Tauben aus dem Himmel. Die haben Photoapparate umgeschnallt, sagen die Männer hier im Unterstand, das sind nicht einfach irgendwelche Tiere, das sind feindliche Späher, machen Sie sich das endlich klar, die erkunden unsere Stellungen. Wenn sie lebend in ihren Schlag zurückgelangen, dann prasseln hier bald die Granaten auf uns nieder.

Kopfschüttelnd wendet sich der Soldat ab, er brutzelt sich da etwas zu essen, inmitten des Lehms und der Exkremente. Sie machen ihre abgebrühten Scherze: Sie gehen Welpen sammeln, Fleischvorrat für die Truppe. Der Krieg in den Gesichtern, so hocken sie in ihren Stellungen, die Ferngläser über den Grabenrand hinaus ins Dunkel gerichtet. Ich sitze da auf meinen Kisten, beim Funker, und der Boden bebt. Unter der Erde. Man hat mir einen viel zu großen Stahlhelm ausgehändigt, ich muß ihn immer wieder in den Nacken schieben, um überhaupt unter dem Rand hervorgucken zu können. Machen Sie doch den Sturmriemen fest, Sie Trottel.

Der Funker spricht mit mir, ohne die Kopfhörer von den Ohren zu nehmen. Im Dunkeln leuchtet Zigarettenglut auf. Ich schneide die abgehörten Funksprüche mit und mache regelmäßig Abhörtests: Ja, der nur schwach zu empfangende feindliche Funkverkehr ist auf Band halbwegs deutlich zu hören. Dreimal am Tag kommt ein Soldat vom Stab, um die bespielten Bänder abzuholen. So sieht mein Dienst aus, hier, als Zivilist.

Seit meiner Ankunft habe ich den Unterstand nicht mehr verlassen. Die Schüsse, das Gedränge draußen in den Gräben, wenn ein Angriff läuft und plötzlich alles zur Seite wogt, weil in der Nähe ein Geschoß einschlägt, und vor allem der ohrenbetäubende Lärm die ganze Zeit haben mir eine solche Angst eingejagt, daß ich mich nicht hinauswage. Mit aller Kraft habe ich versucht, diese Angst vor den anderen zu verbergen, doch mein Gesicht, die zugekniffenen Augen bei jeder Detonation, mein starrer Mund und meine Schweigsamkeit haben den Soldaten, von denen viele jünger sind als ich, meine Verfassung offenbart.

Der feindliche Sender ist seit einer Weile weggesackt, ich schleiche mich für einen Moment davon. Ich will diese unerträgliche Angst überwinden, ich will, wie ich es mir vorgenommen habe, mich nicht durch Angst davon abbringen lassen, meine eigene Arbeit fortzuführen. Auf eigene Gefahr, in einer Feuerpause, will ich Aufzeichnungen machen, wie sie noch keiner gehört hat: Ich will die Laute der Kämpfenden da draußen auf Schallplatte bannen.

Seitenwind, Regen. Positioniere die getarnten Apparaturen im Rücken von Aufwerfungen, in Trichtern und entlang des Grabens. Stecke Mikrophonsockel in die feuchte Erde, rolle Kabel ab, krauche, rolle mich ab bei Einschlägen in meiner Nähe. Zurück im Unterstand, mit Schlamm beschmiert: Einstöpseln der Mikrophonleitungen, Empfangskontrolle mittels Kopfhörer. Konstatiere Wackelkontakt in der linken Hörmuschel. Regele separaten Zugriff auf einzelne im Feld aufgestellte Mikrophone. Aufhorchen: Grollen der Geschütze, Fauchen draußen, in den Abendsturm hineingemischtes Stöhnen Verwundeter. Teste das Tonbandgerät, Abhören der Probeaufnahme. Warte ungeduldig auf das Ende des Leerbandes. Und plötzlich ist die erste Stimme da, verrauscht, verzogen, vernarbt. In ihrer Heftigkeit. Das überspannte Tonband reißt, die Stimme wird mitten in einer Äußerung aufgebrochen, der abgeschnittene Bandrest schlägt gegen den Tonkopf, die Armaturen, da die Spule durchdreht. Flatterndes Band, elektrisiertes Schwingen. Gewissermaßen Landvermesser, des Menschenmaterials. Nun Warten auf das Abflauen der Kampfhandlungen, die Nachtruhe.

Bald ermöglicht das Fehlen jeglicher Störgeräusche ein Abhorchen und Aufzeichnen auch solcher Schallquellen, die in absehbarer Zeit versiegen werden. Die ganze Nachtlandschaft steht auf in diesen Totengesängen. Jetzt ist das Schlachtfeld erfüllt von den Rufen Verwundeter, und wie im Kinderfieber ständiges Umschalten der Lauteingänge, ständiges Nachlegen von Tonbändern, Zugriff auf den Materialkoffer im Sitzen. Landkarte der Vokale. Junge Soldaten mit zerfressenen Gesichtern, sie werden konserviert jenseits der Feldpostgrüße an die Heimatfront, jenseits der Heldensprüche hinterher, die dem zerfetzten Leichnam eingehaucht werden, erst dann, zur Sicherheit erst dann, wenn er endgültig wehrlos ist, wenn er sie nicht mehr übertönen kann mit seinem markdurchdringenden Todesröcheln. Umschalten auf den Grabengang: Schwere Schritte und Regenguß. Plötzlich drängen sich Mitglieder der Truppe im Unterstand zusammen. Linkes Ohr: Stimmen der Umstehenden, von draußen, von jenseits der Kopfhörer, dumpf. Rechtes Ohr, Umschalten auf den Platz der letzten Kampfhandlungen: Schreie und Hagelschlag. Der Rest einer angegriffenen Soldatenstimme gerettet, das Ende dieser Stimme wird fixiert, eingesammelt für die Hinterbliebenen. Umschalten auf die dem Gegner am nächsten gelegene Position: Ein Pfeifen, kommt, jetzt Dröhnen, kommt näher, jetzt in Sekundenbruchteilen anschwellendes Splittergeräusch, auf höchster Lautstärke jetzt Abbruch der Übertragung, geplatzt, das Mikrophon verschüttet oder zerstört.

Ein Nachtgesang, der langsam schwächer wird: Doch auf dem Tonband flimmern unbeirrt die magnetisierten Teilchen und richten sich je nach Klanglage aus. Diese Geräusche zerreißen mir die Ohren, obwohl sie doch ganz leise sind. Muß weiterhören, muß bis zum Ende hier bei den Geräuschen bleiben. Auskabeln, Umschalten: Jeder einzelne der draußen gebliebenen Männer jetzt ganz deutlich zu unterscheiden, Gestoppeltes, gestaucht, gestorben, da bin ich vorhin noch entlang gestolpert. Die Männer, die da draußen liegenbleiben werden, sind hier in meinen Ohren. Ihre Leiber liegen dort rettungslos in der tödlichen Gefahrenzone, doch ihre Seufzer sind hier in Sicherheit auf meinem Tonband. Und dieses Tonband wird die Seufzer nicht mehr wieder hergeben, niemandem, keinem noch so übermächtigen Feind: Selbst wenn er die Leiber über Nacht langsam durchsieben und zerstückeln wird, daß man am Morgen bei einem erneuten Vorstoß die aufgeweichten Toten kaum mehr von dem durchwühlten Erdboden zu unterscheiden weiß: alles nur Grau in Grau und matschig.

Welche Erscheinungen, doch ihre Bedeutung bleibt im Dunkeln, das dunkelt sich zurück, kurz vor dem Ende tauchen die Stimmen wieder ab in die Natürlichkeit, und alle angelernte Kontrolle ist außer Kraft gesetzt, jetzt kommen sie wieder hervor, die ungeschlachten Laute, direkt vom Rückenmark her, jetzt ist es wieder ungeformtes, ungezüchtetes Ertönen. Parallelschaltung: Die Stoßseufzer in ganz verschiedenen Tonfärbungen, das Ächzen, Gurgeln, das Erbrechen in Dreck und Finsternis. Klangfarben, in denen sich Dunkelheit in mehreren Schichten abgelagert hat und die aus dem Dunkel ihrer Umgebung heraus entstanden sind. Jetzt kehren sie zurück an ihren Ursprung, die Sterbenden, da sie die Stimme nicht mehr halten können und sich die Schreie einen Weg bahnen nach draußen. Nur noch animalische Töne, sie werden jetzt nicht mehr geformt im Kehlkopf, und werden nicht gedämpft im Hals, sie erfüllen den gesamten Rachenraum. Und Lippen, Zunge, Zähne können diese ungewollten Laute auch nicht mehr im Zaum halten, aufhalten und zum Verstummen bringen noch im Mund. Welch ein Geschehen. Welch ein Panorama.

IV

Welch ein Panorama. Was für ein unermeßliches Echogebiet hier vor unseren Augen. Berauschend die durchfurchte Landschaft. Die Felsklüfte jenseits des Tales. Die schneebedeckten Gipfel der Gebirgskette. Und wie sie in die Augen stechen, das strahlende Sonnenlicht scheint wider von den Gletscherspalten, den Firnflecken hinunter bis zur Baumgrenze, der breiten Schneespur, die sich in die Bewaldung hineingefressen hat. Die dichten Tannen schlucken hier das Licht. Welche Höhen erreichen jene Gipfel wohl? Wer dieses Bergmassiv vermessen müßte, wo doch der Blick in die blendende Helligkeit noch aus dieser Entfernung die Augen schmerzt. Wie erst, wenn man die Lichtregionen abzuschreiten hätte. Man würde wohl erblinden. Man muß diesem Anblick instinktiv ausweichen, hinüber in die ebenen Schattenflächen, dort, wo sich eine Alm erstreckt, von Hell nach Dunkel übergehend, eingeklammert vom dicht bewaldeten Gelände auf der vorstehenden Kuppe und den Gipfeln im Hintergrund. Und welch ein Himmel, Schlachtengemäldewolken in Bewegung. Nun schau doch auch einmal, Helga.

Ja, sehr schön, die schönen Berge.

Mama liebt diese Landschaft, sie hat diesen Platz als Hintergrund ausgesucht für das Photo, das von uns gemacht werden soll. Ich kann nicht richtig hinschauen, obwohl ich es versuche, ich sehe mir jeden Felsen genau an, aber ich kann nicht frei atmen, und das lenkt mich immer wieder ab. Ist das die Bergluft, ist sie hier oben schon so dünn, daß man schneller atmen muß? Oder liegt es am engen Kragen, an diesem Halsband und dem neuen Kleid? Dieses Kleid ist mir viel zu unbequem, und diese Strümpfe erst, dazu die feinen Lackschuhe. Aber der Photograph ist nur hierher gekommen, weil er meint, es gebe so selten eine Gelegenheit, alle Kinder gemeinsam mit der Mutter abzulichten. Auch Mama findet, es ist wieder einmal Zeit für ein schönes Zeitungsbild. Wir stellen uns in einer Reihe auf, Mama nimmt Heide auf den Arm. Der Photograph sagt: Die Kleinen vorn, dahinter dann die Mutter in der Mitte.

Daß wir auch immer so lange stehen und freundlich in den Photoapparat lächeln müssen. Natürlich ist das schön, wenn wir in die Zeitung kommen, meine Klassenkameradinnen bewundern mich dann immer. Aber daß es so langweilig ist, zu warten, bis das Bild gemacht wird, das wissen sie ja nicht. Und wie brav wir am Tisch sitzen müssen, ohne zu reden, wenn wir mit Papa oder Mama zu anderen Leuten gehen. Da hat es meine Freundin Conni viel besser. Die geht zwar nicht mit ihren Eltern zu so vielen großen Feiern, aber sie kann nachmittags immer mit den anderen Mädchen aus der Klasse draußen spielen, bis zum Abendbrot. Deswegen hat sie auch viel mehr Freundinnen.

Conni wohnt in Nikolassee, das ist selbst mit dem Rad zu weit von uns. Bei Connis Eltern ist alles ganz anders als bei uns. Sie haben ein viel kleineres Haus. Aber dafür hat Conni auch keine Geschwister, mit denen sie alles teilen muß und die immer an ihr hängen wie die Kletten. Ich soll den Arm um Helmuts Schulter legen. Sind wir bald fertig? Der Photograph sagt: Da stimmt etwas nicht mit Helmuts Hose, da ist eine Falte links oben, die einen unschönen Schatten wirft. Könnten wir die vielleicht glattstreichen?

Die Kinderfrau tritt ins Bild und zupft an Helmuts Hose. Aber die wird nicht glatt. Hast du da etwas in der Tasche? Die ist ganz ausgebeult. Helmut guckt Mama ängstlich an und zieht einen Soldaten aus der Tasche, den er sich heimlich mitgenommen hat. Mama sagt streng: Fang bitte nicht noch an zu weinen, du willst doch nicht mit roten Augen auf dem Bild zu sehen sein.

Und endlich knipst der Photograph.

Den Ausblick, diese Alpenwelt muß man sich dazu denken, bei Helmuts Berghof: Auf dem Balkon stehen Staatsmännerfiguren und schauen auf das vorgestellte Panorama. Innen ist der Berghof wie eine Puppenstube für Jungen, dort wohnen die Figuren aus Elastolin und halten Konferenzen ab. Der Berghof ist Helmuts ganzer Stolz, und darum hat er sich auch so geärgert, als am Balkongeländer ein Stück von der Verzierung abgesplittert ist. Das war dieser Junge, mit dem Helmut spielen mußte, ohne daß er überhaupt Lust dazu hatte. Aber Mama hat es bestimmt: Wenn uns die Leute so freundlich in ihrem Gästehaus aufnehmen, dann müssen wir auch zu ihren Kindern artig sein, und das, obwohl dieser Junge nicht nett zu uns ist. In seiner HJ-Uniform spielt er sich auf wie der Chef, will uns immer kommandieren und kann dabei noch nicht mal richtig sprechen, verstehen kann man sein Bayrisch jedenfalls nicht, nur die paar Wörter, wenn er flucht: Hundsfott, Drecksack, wenn er plötzlich herumschreit, um uns einen Schrecken einzujagen. Dieser Reichsmarschallsohn ist genau wie sein dicker Vater mit dem roten Gesicht, er rülpst einfach und schnauft fürchterlich.

Abends reist Mama wieder ab, sie fährt nach Dresden zur Erholung. Wir hatten gedacht, sie macht mit uns zusammen Urlaub, dabei ist sie nur mitgekommen, um uns hier abzuliefern. Wir sind traurig, als Mama ihren Koffer packt. Sie sagt, sie wird uns anrufen. Und Papa auch, bestimmt. Jeden Abend. Können wir denn nicht mit nach Dresden gehen? Nein, das ist ein Sanatorium, nur für Erwachsene.

Das Überfliegen des Geländes: Hier, mit dem Finger einzelne Bereiche, eine einfache Feldkarte, nach üblichem Muster Einzeichnungen, Bleistiftkreuze markieren Panzerreiter, mein Finger schweift, tippt an, und diese Schlängellinien stellen Knüppeldämme dar, die meisten schon durchbrochen, mein Zeigefinger fährt eine punktierte Linie ab, um dieses Gebiet geht es im besonderen, von dieser Stellung hier, vom Rand her, Eintritt in die Gefahrenzone nach Einbruch der Dunkelheit, immer vom Rand her arbeiten, von unbekannter Position her, und dann geradewegs ins Ungewisse, nach vorheriger Befragung eines Geländekundigen, ein Schattenspezialist, es herrschte Lichtzwang, und den wandernden, den abtastenden Scheinwerferstrahlen galt es auszuweichen. Jetzt meine Handfläche, und die gespreizten Finger, ein Großteil der Karte wird erst von Schatten, dann von Haut bedeckt: Dieser gesamte Bereich wurde von mir mit versteckten Mikrophonen erfaßt und damit akustisch kartographiert.

Und somit sind die unbekannten Karteneinträge nun zu entziffern, die Häufungen von Dreiecken, die weit verstreuten Kreise, nicht immer ließ sich eine Aufnahme genau zuordnen: Fällt dies nun unter Keuchen oder Klagen, denn teilweise ist die Tonqualität der Aufzeichnungen durch Rückkopplungen stark beeinträchtigt, die sich unter der zum Teil unglaublichen, unvorhersehbaren Lautstärke ergaben. Beim Auswerten der Aufnahmen haben sich dennoch ganz deutlich gewisse Regelmäßigkeiten der Lautverteilung gezeigt. Zum Beispiel werden nur in den seltensten Fällen auf dem nächtlichen Schlachtfeld Konsonanten gebildet, und dann zudem in doch beträchtlichen zeitlichen Abständen. Die Aufmerksamkeit gilt also vordringlich der Vokalkunde. Hier ein Ballungsgebiet des A, die ganze Spanne zwischen Daumen und Ringfinger, Zuckungen, Sehnenspiel einen Moment. Und hier, hier auf der Karte hat der Schraffierungsgehilfe darüber hinaus provisorisch verdeutlicht, daß jene seltenen Laute vor allem in allernächster Nähe zur Feindeslinie gebildet werden, wo kaum mehr Worte sich in das Gejammer mischen, sei es, daß ein Verwundeter um Hilfe ruft oder die letzten verfügbaren Fragmente eines Gebets zusammenkratzt. Hier, weit hinaus über den Graben, wo Worte keinen Platz mehr haben. Einhämmern auf den Vokabelvorrat, da der Feind auf der Flanke zu einem Überraschungsangriff ansetzt, Zerstäuben von Worthülsen, im Schmerz und unter übermäßiger Geräuschbelastung durch die gegnerische Bombardierung. Dann, kurz vor dem endgültigen Erlöschen einer Schallquelle, gar keine Wörter mehr, an keiner Stelle des erfaßten Felds, was auch mit dem Nachlassen der Hörfähigkeit zusammenhängen mag, verminderte Eigenkontrolle: Wer sich nicht selber hören kann, der äußert sich auch nicht.

Bin zu einem Stimmstehler geworden, habe die Menschen an der Front stimmlos zurückgelassen und verfüge fortan nach eigenem Ermessen über ihre letzten Laute, zeichne auf, nehme von jeder beliebigen Stimme einen Teil fort und kann sie ohne Kenntnis des Sprechers einsetzen, auch über dessen Tod hinaus. Ein Stimmstehler: Kann Unwissenden Bänder vorspielen von Toten und sie als konservierte Stimmen Lebender ausgeben, habe hier auf Band, was einer Stimme abgenommen worden ist, kann bis in die Tiefe jedes Menschen greifen, ohne daß ihm dies bewußt ist, hole aus der Tiefe etwas hervor und ergreife davon Besitz, bis hin zum letzten, intimen Atemzug, da ein Sterbender sein Leben aushaucht.

Und wie das Kartenpergament knistert unter meinem Handballen, wie es sich wellt, da es den Handschweiß aufsaugt, das gibt ganz neue Konstellationen von Lauten hier in einer Ecke, klarer Vokal stößt hier auf Kehllaute, und dort, wo das geschwungene Häkchen eingezeichnet ist, da hat es einen jungen Sterbenden richtig herausgehauen aus der Lautbeherrschung. Am besten hört man sich diesen Mitschnitt sofort an, das ist ein unvorstellbares Gequietsche, so etwas hat man nie zuvor aus einem Menschenmund gehört, was heißt hier Menschenmund, das ist eigentlich schon gar keine Mundarbeit mehr, das ist der ganze Hals, nicht mehr nur innen, Luftröhre und Kehlkopf, da tönt sogar die Außenhaut mit, meint man, ja, da hat jede einzelne Bartstoppel ihren Anteil am Klang.

Wo ist das Band, hier eine Spule Chorgeröchel, hier, die Handschrift kaum lesbar, alles beschriftet noch im Feld, im Hagel, hier also Stille, ein ganzes Band mit Stille, hinterher, als sich dann nichts mehr rührte, lautlich, der Kartenköcher fällt vom Tisch, und dies hier muß der junge Mann sein, seine außergewöhnlichen schrillen Äußerungen, falls dies noch Äußerung genannt werden kann, einen Moment noch, vorsichtig einfädeln, und jetzt den schweren Schalter umlegen, die Finger zittern vor Erwartung, und horchen, gleich kommt es, kein Wort mehr, still, nur hören jetzt.

Nur diese Stimme jetzt, zurück- und vorgespult, hier eingesetzt, dann etwas weiter noch ein ganz spezieller Laut, nur diese fremde Stimme, allein von meinem Atmen überlagert, meinem heftigen Atmen jetzt, nichts sonst, da niemand außer mir im Raum ist, um gemeinsam mit mir zu hören, niemand, um diese Karte zu betrachten und meinen Erklärungen zu lauschen.

Endlich sind wir wieder zurück in Berlin. Papa holt uns am Bahnhof ab, er hat sich extra für uns freigemacht.

Hilde weint fast, als Papa sie in seine Arme schließt. Papa hat uns tatsächlich jeden Abend auf dem Obersalzberg angerufen, und wir haben ihm Briefe nach Berlin geschrieben. Einmal, als er einen Brief von uns gelesen hatte, schickte er uns ein großes Telegramm, mit Bild sogar. Und gleich, nachdem es angekommen war, rief Papa auch schon bei uns an. Er war viel zu gespannt, wie uns das Telegramm gefallen hatte, um noch bis zum Gespräch am Abend warten zu können. Zu Hildes Geburtstag kamen die Geschenke von ihm sogar mit dem Kurierflugzeug.

Mama ist immer noch in Dresden. Die Kleinen fahren vom Bahnhof mit unserer Kinderfrau nach Schwanenwerder, aber Hilde und mich nimmt Papa allein mit nach Lanke, wir dürfen ein paar Tage bei ihm sein. Wir haben eine Menge zu erzählen: Wie uns die Leute mit Blumen empfangen haben. Wir konnten nur ganz langsam fahren, so viele Leute standen da im Dorf, um Mama und uns zu begrüßen. Als wir endlich am Haus ankamen, war das offene Auto voller Blumen.

Hilde stöhnt: Heute haben wir den ganzen Tag im Zug gesessen. Langweilig war das.

Immer noch besser, als zu fliegen. Im Flugzeug wird mir immer schlecht.

In Lanke haben wir das ganze Haus für uns, und Ruhe vor den Kleinen. Die stören meistens, das gibt immer Ärger, nie lassen sie Hilde und mich in Ruhe spielen. Wir dürfen in Papas Bücherregal herumstöbern. Wir sollen uns was aussuchen, daraus liest Papa uns dann vor.

Hilde will Märchen, Brüder Grimm. Wir setzen uns zu dritt auf die Veranda. Es ist schon bald dunkel, und vom See her kommen die Mückenschwärme. Die stechen uns bestimmt, dann juckt es wieder die ganze Nacht.

Papa, was ist denn eigentlich Entwelschung?

Entwelschung? Wo hast du das denn aufgeschnappt?

Das haben die mal auf dem Obersalzberg gesagt, als sie sich unterhielten. Und Elsaß? Heißt es der Elsaß oder das Elsaß?

Hilde fragt: Elsaß, was ist denn damit los?

Naja, sagt Papa. Wie soll man das erklären. Das ist die Gegend hin zu Frankreich. Aber eigentlich ist das ein deutscher Landstrich. Plötzlich gehörte es zu Frankreich, obwohl es doch ganz deutsch ist. Und jetzt gehört es wieder zu unserem Land dazu.

Aber das ist doch nicht Entwelschung?

Nein, Entwelschung ist ... das ist überhaupt ein falsches Wort. Man hat einfach im Elsaß alles wieder umgestellt auf deutsche Verhältnisse, die Schulen, die Verwaltung und so weiter. Warum sollte im Elsaß etwas anders sein als im restlichen Reich? Da gab es aber auch Leute, denen das nicht gefiel, die wollten sich unbedingt gegen Deutschland sperren. Denen mußte man dann etwas Beine machen, mit Polizei und so. Die hat so manchen Verräter aus dem Dunkeln hervorgezogen, der lieber unentdeckt geblieben wäre.

Sind das dann Schattengestalten?

Ja, das kann man sagen.

Sind Schattengestalten Männer, die auch Kinder entführen?

Vielleicht, ja. Aber davor braucht Ihr keine Angst zu haben. Niemand würde es wagen, euch zu entführen. Kindesentführung wird mit dem Tod bestraft, das hat euer Papa schon vor Jahren durchgesetzt, gerade auch, damit Ihr, meine Liebsten, sicher seid.

Aber auf dem Weg von Zuhause nach Nikolassee, da wo der Wald ist, da ist es doch trotzdem gefährlich?

Nein, sicher nicht. Warum?

Na, wenn es dunkel wird, wenn man da abends noch langlaufen müßte, ganz allein?

Das müßt Ihr doch nicht. Ihr kommt ja längst im Hellen aus der Schule.

Aber zum Beispiel, wenn die Conni mich besuchen wollte, damit wir am See spielen können, mit unseren Booten. Und wenn sie dann zu spät nach Hause geht, weil wir vielleicht nicht rechtzeitig auf die Uhr geguckt haben?.

Du meinst die Conni, die aus deiner Klasse?

Ja, die ist doch meine Freundin.

Aber die Conni, Helga, die ist mit ihren Eltern zum neuen Schuljahr leider fortgezogen.

Aber sie wohnt doch in Nikolassee? Oder sind sie zu uns nach Schwanenwerder umgezogen?

Nein, das nicht. Die wohnen jetzt mit der Familie sehr weit weg. So weit, daß Conni auch nicht mehr in eure Schule geht.

So daß wir uns auch nicht mehr sehen können?

Nein, eher nicht.

Ach ... Warum hat sie mir davon denn gar nichts gesagt?

Ihr wart so lang weg, wie hätte sie es dir mitteilen sollen?

Papa zündet sich eine Zigarette an. Er schlägt das Märchenbuch auf. Jetzt haben wir bald gar keine Freundinnen mehr hier in Berlin. So viele sind schon weg, evakuiert, wegen der Luftangriffe. Papa sagt: Rutscht näher zu mir her, der Rauch vertreibt die Mücken. Und er fängt an zu lesen.

Es ist seit früher Jugend meine feste Überzeugung, daß selbst Tote noch hören können: Es ist bekannt, daß nach dem Eintritt des Todes bei einem Menschen zwar viele, aber doch noch nicht alle Funktionen, nicht alle Abläufe im Körper ein abruptes Ende haben. Der Leichnam wird noch eine gewisse Zeit von letzten, ungesteuerten Nervenregungen durchzuckt. Also warum sollten währenddessen nicht auch akustische Eindrücke aufgenommen werden, wenn auch mehr zufällig vielleicht. Da doch die Ohren noch völlig intakt sind. Die Augen werden einem Toten zugedrückt, die Ohren jedoch liegen frei, und während die Leiche langsam erkaltet, liegt sie zwar regungslos, doch auf der Lauer, und nimmt noch einzelne Geräusche ihrer Umgebung wahr. Möglicherweise nicht mehr ganz so klar wie in lebendigem Zustand, vielleicht in Abständen, vielleicht auch gestört von einem Rauschen, welches sich in seiner Heftigkeit stetig steigert, da der einsetzende Verfall des Leibes innen einen Lärm macht: Der versiegende Strom der Körpersäfte, das langsame Zerfressenwerden der Lungen, der einsetzende Verwesungsprozeß im Magen, wo die Säuren damit beginnen, den Körper selbst zu verdauen.

Und solch ein Toter kann dann alles Flüstern um sich noch ein wenig hören, da die Anwesenden, der Arzt, Verwandte, wer auch immer, schon alle Vorsicht fahrenlassen, weil sie den Verstorbenen längst im Jenseits wähnen. Sie wägen die Todesursache ab, sie beraten sich schon über Beerdigungsvorbereitungen, vielleicht sagen sie auch: Gut, daß er endlich tot ist. Und der Tote kann das noch hören, doch antworten, das kann er nicht mehr. Und dann, ganz plötzlich, brechen die Stimmen, bricht das Rauschen ab.

Dies ist der letzte Abschnitt meines Vortrags, der muß besonders oft geprobt werden, denn es ist meine Absicht, ihn frei zu sprechen auf der Konferenz in Dresden. Auch ist es gut, den Vortrag ohne Tonbeispiele ausklingen zu lassen, so daß die Zuhörer am Ende ganz unvermittelt in die Stille entlassen werden. Die Tonbeispiele: Das ist der schwierigste Punkt, denn sie müssen so präzise zusammengestellt werden, daß sie ihre Wirkung auf keinen Fall verfehlen können, sie sind schließlich, neben den Karten und der gewagten Schlußthese, der Höhepunkt des ganzen Vortrags. Was eignet sich für diesen Anlaß am besten, aus der unüberschaubaren Menge an Material?

Hier diese Tonbänder und Lackfolien sind alles, was mir noch geblieben ist. Nach meiner Rückkehr von der Front hat man mich bald entlassen. Den Ausschlag gaben einige hundert Meter Tonband, die verschwunden waren. Man glaubte mir nicht, daß sie im Aufruhr draußen in der Stellung verlorengegangen seien. So lautete die Begründung offiziell. Doch mein Abteilungsleiter ahnte offensichtlich, welche Geschichte hinter dem verschwundenen Bandmaterial tatsächlich steckte, zumindest deutete er es beim Abschied an: Ihm sei da einiges zu Ohren gekommen, das er gar nicht wirklich glauben könne. Unappetitlich war das Wort, das er in diesem Zusammenhang gebrauchte.

Haben Kollegen sich bei ihm abfällig über mich geäußert, nachdem einer von ihnen mich einmal abends im Schneideraum beim Auswerten der Sterbelaute überrascht hatte? Hat er gar, auf Umwegen, von den Klagen der Nachbarn gehört, die während einer meiner Reisen, alarmiert vom Verwesungsgeruch im Treppenhaus, die Polizei gerufen hatten, da sie erwarteten, in der Wohnung meine schon seit Tagen verfaulende Leiche zu finden, um dann in der Küche nur auf entstellte Schädel von Schweinekadavern zu stoßen, die dort versehentlich liegengeblieben waren, weil sich vor meiner überstürzten Abreise keine Zeit mehr zum Verfüttern gefunden hatte?

Wenige Tage später traf dann auch noch mein Einberufungsbescheid ein. Das war ein Schock: Nicht die Furcht vor dem Tod, mit der die Fronterfahrung mich auch schon als Zivilist konfrontiert hat, sondern vielmehr der Gedanke daran, unausweichlich in diese Welt der Männerkameradschaft hineingestoßen zu werden, mit Schweiß, mit derben Witzen, mit allen jenen Zügen, die mir schon als Kind den Hals zugeschnürt haben.

Mir blieb nur ein Besuch beim Vater der sechs Kinder, der sich meine aussichslose Lage schildern ließ, um dann seine Unterstützung zuzusagen, im Gegenzug für meine Betreuung der Kleinen. Und er hat Wort gehalten: Die Einladung nach Dresden ist zweifellos auf sein Einwirken zurückzuführen.


Mama schickt uns zu Papa ins Büro: Ein Überraschungsbesuch wird ihn garantiert freuen, sagt sie, Papa hat im Moment nicht so viel Arbeit wie sonst, er soll uns in den Zoo mitnehmen. Hilde, Helmut und mich. Aber vor Papas Büro müssen wir warten, er hat anscheinend doch zu tun. Vielleicht telephoniert er oder hat einen wichtigen Gast, mit dem er unter vier Augen spricht. Wir müssen uns auf das Besuchersofa setzen, es ist strengstens untersagt, unaufgefordert in Papas Büro zu gehen. Die Vorzimmerfrau meint, er hat eine Besprechung.

Dann dürfen wir endlich hinein: Papas Büro ist rot, alle Sitze und auch sein Schreibtisch sind aus rotem Leder. Papa sitzt da am Tisch und raucht: Na, meine Lieben, wie geht es euch? Schon fertig mit den Schulaufgaben?

Es ist niemand bei Papa, mit dem er sich besprochen hat. Vielleicht ist ja sein Gast durch die Tür in das Nebenzimmer gegangen, und dann von dort aus auf den Flur. Diese Tür ist auch nicht geschlossen, nur angelehnt. Helmut setzt sich auf Papas Schoß und spielt mit dem Füllfederhalter auf dem Schreibtisch. Papa drückt seine Zigarette aus und sagt: Die Überraschung ist euch voll gelungen. Wir fahren in den Zoo?

Schon zündet er sich eine neue Zigarette an. Er ist auch gar nicht so besonders glücklich, uns zu sehen, wie er tut. Das erkennt man an seinen Augen, wenn sich die Falten an der Nase runzeln. War das eine anstrengende Besprechung? Helmut kleckst mit dem Füller auf dem Tisch herum. Papa sagt: Komm Helmut, laß das lieber, das gibt doch nur eine Sauerei.

Ganz grüne Farbe, Papa.

Am Ende machst du dir das schöne Hemd damit schmutzig.

Schmutzig und grün.

Und schau mal, deine Hände. Jetzt sei ganz vorsichtig, wir gehen sie waschen.

Da plötzlich bewegt sich etwas, im anderen Zimmer: Durch den Türschlitz eine Frau, nur einen Augenblick, und sie bewegt sich hastig, so daß ihre Halskette im Sonnenlicht glitzert. Hilde fragt: Papa, können wir nach dem Zoo noch etwas bummeln?

Jetzt wird drüben die Tür zum Flur leise zugezogen. Was hat diese Frau hier gemacht? Hat Hilde sie denn auch bemerkt? Nein, sicher nicht, sie schaut Papa zu, der Helmuts Hände vorsichtig festhält, damit nicht noch mehr schmutzig wird. Papa sagt ein wenig gereizt: Kommt gleich mit uns raus, Ihr beiden. Wir waschen Helmut noch die Dreckfinger und gehen dann gleich aus dem Haus.

Papa? Wenn du hier im Büro Besuch hast...

Was denn, Helga?

Ach nichts.

Meinst du, weil Ihr jetzt warten mußtet?

Ja.

Habt Ihr euch draußen gelangweilt?

Ein bißchen schon.

Eine Kunststoffigur? Ein Knäuel elektrischer Leitungen? Im Halbdunkel ist das nicht auf Anhieb zu erkennen. Hoch oben die mattblaue Hallendecke, nur von versteckten Lichtquellen angestrahlt. Am anderen Ende des Raumes raschelt ein Vorhang, gestörter Faltenwurf, und die Bewegung pflanzt sich in Wellen zu beiden Seiten fort, die ganze Wand bebt, die Bespannung, rot, die rachenfarbene Gestaltung dieser Halle. Nun beginnt das Gebilde sich um die eigene Achse zu drehen, dort in der Mitte des Saales zucken Lichtreflexe, rote, dann blaue Linien in der Dunkelheit, verschlungene Leuchtröhren, in deren Mitte ein großer roter Fleck aufscheint und pulst. Erkenne jetzt deutlich die Konturen eines menschlichen Körpers mit erhobenen Armen, jedes Organ leuchtet in anderer Farbe auf. Dazu verliest eine Grammophonstimme in sachlichem Tonfall Erklärungen zur menschlichen Anatomie. Ansonsten Stille, matter Widerschein der Leuchtschnüre auf staunenden Gesichtern: Da steht eine ganze Schulklasse vor dem ›Gläsernen Menschen‹. Alles an diesem Menschen strahlt in hellem Licht, allein der Kehlkopf leuchtet, als einziger Bestandteil, nicht.

Hier also sind die Schauräume des Hygiene-Museums, wo aber ist der Vortragssaal? Verirre mich in dem weitläufigen Gebäude, laufe durch Kellerfluchten, hier hängen Rohrleitungen in Augenhöhe, Kondenswasser, hier ist es kühl. Trete in einen offenen Verschlag, wo Licht ist, Regale voll mit Schachteln, und hinten hockt jemand, der kann mir sicher weiterhelfen. Aber das ist kein Mensch, nur ein Torso aus Gips am Boden, lebensecht bemalt: Ton in Ton die rosafarbene, glatte Haut, das Rouge, der Lippenstift, das kurzgeschnittene Haar. Die junge Frau, die mich hier anlächelt, hat sogar Klappaugen, gekämmte Wimpern. Wegen der Augen, die so lebendig schauen, ist mir beim Eintreten erst gar nicht aufgefallen, daß Arme und Beine fehlen.

Vor den Regalen hängen Wagnerköpfe, heroische Halbreliefs in Gips gegossen, mit wallendem Haar. Verzerrte Züge, offene Münder, als riefen, sängen sie. Was ist dort in den Schachteln? Ziehe einen schwarzen Kasten vorsichtig aus dem Regal. Unter der Glasplatte ein ekliges Fleischgemenge, Kopf eines Säuglings, die Augen geschlossen, die Nase eine einzige, offene Wunde. Frisch präpariert? Realistisch nachgebildet? Der Kasten ist von Hand beschriftet: Lupus / Gesicht. Und: Angeborene Syphilis. Jetzt wird mir klar: Das sind Anschauungsstücke in Wachs, von lebenden Patienten abgepauste Krankheitsbilder, die Medizinstudenten vorgeführt werden. Hier ein verstaubter Pappkarton: Noch ein Gesicht, vermummt, und nur der Mund liegt frei, da quillt die Zunge hervor, mit Blasen übersät. Und hier ein gespaltener Kopf mit Längsschnitt durch die Sprechorgane, der offene Hals. In Lebensgröße. Man sieht den Kehlkopf aufgeschnitten, und zwischen den beiseite geklemmten Fleischlappen hängen die Stimmbänder gespannt.

Seltsam. Da forscht man einsam zu Hause an Schweine-, Pferdeköpfen, beschäftigt sich jahrelang im Verborgenen intensiv mit dem Sprechapparat, und plötzlich hat man hier an einem fremden Ort eine ähnliche Sammlung vor Augen. Wachswerke. Nur eben keine Tiere, sondern Menschen. Sind dann auch meine eigenen Überlegungen von anderen schon längst angestellt worden, ohne daß es mir bekannt geworden ist?

Vorbei an Handstudien, Schädelabgüssen, Gesichtsfragmenten, Aufwerfungen des Fleisches, Verwachsungen, Furchen, Blatternarben. Da reicht der Kellerraum noch weiter. Auf einer Stellfläche der Ganzkörperabguß eines Patienten, das Gesicht im Schrei erstarrt, während aus dem aufgeschnittenen Oberschenkel ein Knochenspan entnommen wird. Daneben eine andere Darstellung: das angeschwollene, eiternde Bein nach mehreren Tagen ohne ärztliche Behandlung. Ist jemand hier?

Nichts rührt sich. Im hinteren Bereich des Raumes eine Führerbüste, echte Skelette: Ein Kleinwüchsiger und das Knochengerüst eines Ungeborenen. Auch Gußformen liegen hier, unförmige Klumpen, zweigeteilt, mit einem Seil umspannt, und innen sicherlich die Aushöhlung, das Negativ eines vollplastischen Kopfes.

Sie kommen aber spät, Sie sind der letzte, sagt einer. Das muß Professor Sievers sein, der die Konferenz zum Thema Sprachhygiene leiten wird.


Im Zoo gehen wir immer zuerst zu den Flamingos, weil wir sehen wollen, ob sie noch rosa sind. Wir können uns nicht erklären, woher sie diese Farbe haben. Was war das für eine Frau, die Papa zu Besuch hatte? Das war doch keine Stenographin, nein, das muß eine Geliebte gewesen sein. Bestimmt hat Papa eine Geliebte und trifft sich heimlich mit ihr im Büro. Oder in Lanke, ja, darum übernachtet Papa so oft allein in Lanke. Das ist auch der Grund, warum wir schon lange kein neues Geschwisterkind mehr bekommen haben. Helmut kreischt: Was sind denn das für ekelige Würmer?

Wir gucken ins Gehege, da, wo er hinzeigt. Papa schaut auch: Ach, stellt euch nicht so an, das ist Futter für die Tauben.

Werden die etwa lebendig aufgefressen?

Papa lacht: Selbstverständlich, Hilde. Oder möchtest du diese Würmer retten und dann in einem eigenen Gehege ausstellen?

Mama will einfach keine Kinder mehr von Papa. Oder weiß sie gar nichts von dieser Frau? Will sie noch gerne Kinder, aber kann keine mehr bekommen? Ich habe heute keinen Spaß an den Tieren. Meine Geschwister wollen nach den Vögeln unbedingt zu den Raubtieren, sie drängeln mich, damit wir endlich zu den Käfigen kommen. Die Frau aus Papas Büro, hat die Kinder? Nur einen Augenblick war sie zu sehen, und ihre Kette schlenkerte, sie schlenkerte zwischen den Brüsten. Das waren Brüste wie bei Heides Amme, als Heide noch gestillt wurde. Die Amme knöpfte sich die Bluse auf und holte immer nur eine einzelne Brust hervor, die dann von Hildes Kopf fast ganz verdeckt wurde, aber manchmal konnte man doch was erkennen: Die spitze Brustwarze, ganz feucht und rot, wenn die Amme Heide am Ende von der Brust wegnahm und sich die Bluse nicht schnell genug zuknöpfte. Die Leoparden liegen im Schatten und dösen vor sich hin. Wie heiß der Pelz des schwarzen Panthers aussieht, wie der leuchtet.

Da führen Stufen in den Keller, Helmut traut sich als einziger von uns, die dunkle Treppe hinunterzugehen, aber der Weg führt anscheinend nicht weiter. Helmut rüttelt an der verschlossenen Tür: Nein, die ist zu, dahinter sind sicher keine Tiere.

Die Löwen werden jetzt gefüttert, ein Wärter wirft die roten Fleischbrocken durch die Gitter. Das Löwenmännchen darf zuerst fressen, das Weibchen bleibt in der Ecke liegen, läßt aber das Fleisch nicht aus den Augen. Ich weiß nicht mehr genau, ob ich die Brüste dieser Frau wirklich gesehen habe. Oder das Büschel schwarzer Haare zwischen ihren Beinen. Und helle Streifen waren auf der Haut, an den Schultern, wo sonst die Riemchen liegen. So hell wie ihre Perlenkette. Solch eine Kette trug einmal eine Opernsängerin, die manchmal zu uns zu Besuch kommt. Wie der Löwe das Fleisch schüttelt, es fliegt in Fetzen durchs Gehege, und Papa nimmt uns einen Schritt zurück.

Die Opernfrau, die war schon immer komisch. Wie lange sie Papa die Hand gegeben hat. Zu uns war sie überfreundlich und sprach gestelzt: Hallo, ihr lieben Mädchen. Ihr seid in Wirklichkeit ja noch viel hübscher als auf den Photos in der Zeitung. Die lächelte die ganze Zeit und lachte auch bei jedem Satz, den Papa sagte. Der Löwe zieht sich nach hinten zurück und nimmt das Fleisch zwischen die Tatzen. Wir haben nun genug gesehen.

Sievers selbst hält den Eröffnungsvortrag. Er hat Holz, statt Metall in der Stimme. Er redet etwas von Vokalverschiebungen, historisch gesehen. Höre schon bald nicht mehr auf das, was er da sagt, sondern achte ganz von allein nur mehr auf seinen Tonfall. Er dehnt das E auffällig, und er schluckt Luft, Laute, spricht schluckweise. Ist Sievers denn beim Halten seines Referats so aufgeregt, daß sich bei ihm unversehens ein Sprachfehler einschleicht? Wahrlich kein Sprechgenie, dieser Aspirant. Hoffentlich passiert mir das nicht heute abend. Bin, als Neuling hier in diesem Kreis, als letzter Redner an der Reihe. Jetzt unterstreicht Sievers den Vortrag noch mit wilden Gesten. Nein, das scheint wohl ein direkter Bestandteil seiner Rede zu sein, er spricht über das korrekte Rezitieren: Ein Goethe wird begleitet von rechtsdrehender Handbewegung, ein Schiller aber links herum. Welch eine alberne

Gymnastik. Und Sievers strengt sich an, das Versmaß überdeutlich mit dem Unterarm zu hämmern. Die anderen Zuhörer hängen jetzt an seinen Lippen, da er sich unter sichtlicher Anstrengung zu seinen Schlußworten aufbäumt, mit einem wie ein Peitschenhieb herausgeschleuderten Sonett von Weinheber, zackige Intonation, als wollte Sievers sich Luft verschaffen, oder vielmehr, um etwas von der vielen geschluckten Luft am Ende schallweise wieder loszuwerden.

Die alten Männer klatschen. Dann kommt ein Rassenkundler. Großflächige Feldforschungen in der Lüneburger Heide: Nordischer Typ, hier garantiert in Reinform vorzufinden. Damit muß man sich vorerst wohl begnügen. Aber wenn wir erst einmal ungehinderten Zugang zum Menschenmaterial Islands haben ... Man steht da in Verhandlungen. Der Redner hat seine Probleme mit dem Hochdeutschen, der Norden scheint da immer wieder durch. Ohrmessungen, Halsumfang. Er zeigt uns Bauernköpfe. Wie Zuchthausphotos, von der Seite. Das Haar zurückgebürstet, daß die Ohrwindungen auch völlig freiliegen. Ein Zentimetermaß im Bild.

Wie kann man es wagen, die tiefgreifenden Analysen Joseph Galls auf solch einen Stumpfsinn zu reduzieren? Wie kann man den Charakter mit einem Zentimetermaß erkunden? Warum hat man mich überhaupt zu diesem Treffen eingeladen, was hat mein Thema denn mit den Stammtischreden hier zu tun? Soll über meine Stimmaufnahmen sprechen, mit Tonbeispielen. Habe mir dafür die empfindlichen Magnettonbänder sicherheitshalber auf Platten umgeschnitten.

Baue den Plattenspieler auf dem Podium auf, neben dem Vortragsmanuskript. Stille, alle schauen zu mir her. Während der ersten Sätze flattert meine Stimme noch. Doch dann fängt sie sich bald. Beginne mit einem kurzen Überblick über die Aufnahmen und die Bedingungen ihres Entstehens. Fronteinsatz, Grabenkrieg, und das zerschossene Mikrophon im Feindesland. Die Anwesenden schauen mich entgeistert an. Ein Tonbeispiel. Gleichmäßig läuft der Plattenteller. Und aus dem kleinen Lautsprecher das Stöhnen, Krächzen.

Wir haben also im Laufe des Tages hier von Schädelmessungen gehört im Norddeutschen. Wir haben uns die Atemtechnik Rilkes angeeignet. Aber, meine Herren, während wir hier so friedlich sitzen, krepieren unten, Verzeihung, draußen an der Front unsere Soldaten.

Hätte mich beinahe versprochen und etwas über das Wachslager im Keller von mir gegeben. Die Langeweile und die Wut beim Hören der Vorredner haben mich nervös gemacht. Das nächste Tonbeispiel.

Sie können doch, wenn Sie von der Formung des deutschen Menschen sprechen, nicht mit diesem Unfug des Rasse-Materialismus ankommen, der immer nur auf Wasserstoff-Blond schaut.

Spüre, wie mir die Stimme durchgeht. Und mein Vortragsmanuskript wird von einer Schallplatte verdeckt. Habe die Platte eben nach der Vorführung an falscher Stelle abgelegt. Spreche jetzt frei und schnell: Wenn wir die Menschen in den Ostgebieten, in jener unermeßlich großen Landschaft, die, nach den ehrenwerten Berechnungen meines Vorredners, bald zu unserem Reich gehören werden, alle auf Linie bringen müssen, so kann sich diese Arbeit nicht darin erschöpfen, bestimmte Sprachregelungen durchzusetzen, die Ausmerzung undeutscher Wörter, so wie im Elsaß – meine Herren, kenne das, war selbst dabei –, das ist doch alles Firlefanz. Sprechübungen im Chor, Gemeinschaftsgesänge, das ändert nichts im Kern.

Ja, es hat schlichtweg gar keinen Sinn, bei Aufmärschen oder über den Volksempfänger den Menschen die neue Sprache einzuhämmern, bis sie uns verfallen sind. Wollen Sie die Leute denn etwa bis in alle Ewigkeit mit monotonen Sprechchören der SA beschallen? Und dazu spielt die alte Gaukapelle, wie in der Kampfzeit?

Ein Raunen geht durch den Zuhörerraum. Bemerke die feindseligen Blicke aus den Augenwinkeln. Ein eingeschworener Verein. Aber nun gibt es kein Zurück mehr, muß einfach weiterreden. Spreche jetzt auch mitten in die Tonbeispiele hinein, wechsele die Platten im Fluge: Hören Sie, hier, hier und hier, das wird doch jedes Kind begreifen. Zuallererst müssen wir das aufmerksame Hören lernen. Denn nicht allein die Sprache, auch die Stimme, sämtliche menschlichen Geräusche müssen, wenn man schon einmal damit anfängt, auf Linie gebracht werden. Wir müssen jeden einzelnen greifen, wir müssen in das Innere der Menschen vordringen, und dieses Innere äußert sich bekanntlich in der Stimme, die eine Verbindung von innen nach außen darstellt. Ja, wir müssen das Innere der Menschen abtasten, indem wir ihre Stimme auf das genaueste beobachten. Als guter Arzt, der den Patienten abhorcht und schon allein aufgrund der Herz- und Lungentöne die Krankheit des Atmenden diagnostizieren kann. Das Innere greifen, indem wir die Stimme angreifen. Sie zurichten, und in äußersten Fällen selbst nicht vor medizinischen Eingriffen zurückschrecken, vor Modifikationen des artikulatorischen Apparats.

Plötzlich kracht es ohrenbetäubend laut im Saal. Habe mit einer Armbewegung aus Versehen die Abtastnadel von der Schallplatte weggehauen. Betretenes Schweigen. Keiner der Zuhörer rührt sich. Muß erst einmal tief durchatmen. Habe den Faden verloren. Und mich völlig verausgabt. Sage schließlich nur noch knapp: Danke für Ihre Aufmerksamkeit.

Und trete einen Schritt vom Pult zurück. Weiß selber nicht mehr, wie das Ende meines Vortrags gelautet hat. Merke, wie mein ganzer Körper zittert. Verhaltener Applaus, dann gleich Abgang zum Abendessen. Sammle noch die Schallplatten zusammen. Als die meisten Konferenzteilnehmer schon den Saal verlassen haben, kommt ein Mann in SS-Uniform nach vorne: Das war phantastisch, Herr Karnau.

Er stellt sich vor: Sein Name ist Stumpfecker, er ist Begleitarzt des Reichsführers SS, ungefähr in meinem Alter. Und Stumpfecker spricht mit einer klaren, stählernen Stimme, ja, er spricht fast ausschließlich Satzzeichen: Kein Wunder, daß die alten Helden hier Ihren Forschungen gegenüber mißtrauisch sind, denn jemand, der mit derartiger Radikalität an seiner Sache arbeitet, ist kaum ein gern gesehener Gast bei solch einem verschlafenen Haufen. Nur ein Einwand: Haben Sie diese Geschichte mit dem Atlas wirklich durchdacht? Ist Ihre Lautsammlung denn nicht zu einzigartig, um ohne den Verlust wesentlicher Nuancen in Sichtbares übersetzt werden zu können? Nimmt diese Tätigkeit des Kartographierens auf Papier denn nicht viel zu viel von der wertvollen Energie in Anspruch, die besser darauf verwendet würde, Aufnahmen auch jenseits jeder graphischen Darstellungsmöglichkeit zu machen, jenseits aller kleinlichen Bestimmungen, jenseits der Vorstellungskraft solch kleinkarierter Herren wie den Konferenzteilnehmern, mit uneingeschränkter Freiheit, um dieses Archiv tatsächlich einmal dahin zu bringen, daß sich darin jede noch so schwache Schattierung der menschlichen Stimme findet?

Als das Licht ausgeschaltet ist, unterhalten wir uns noch im Dunkeln: Hilde, erinnerst du dich an diese Sängerin, die mal bei Mama und Papa war und diese schöne Kette hatte?

Hilde schüttelt den Kopf im Mondlicht. Meinst du eine Kette mit bunten Steinen, wie sie auch Mama hat?

Nein, eine mit Perlen, weiß und glänzend.

So eine hat doch Mama auch.

Schon, aber das war eine junge Frau, die sich mit Papa unterhielt und die uns Guten Abend sagte, bevor wir dann ins Bett mußten.

Keine Ahnung. Bei Papas und bei Mamas Feiern sind immer viele Leute, und fast alle Frauen haben eine Kette. Armreifen. Oder wenigstens Ohrringe. Das sieht schön aus, mit solchem Schmuck. Vielleicht dürfen wir uns auch einmal die Ohren durchstechen lassen, wenn wir älter sind.

Aber das tut bestimmt weh.

Dafür kann man dann schöne Ohrringe tragen.

Mama sagt, das gehört sich nicht. Ohrlöcher sind nur für Rotzmädchen.

Doch Hilde hört mich nicht mehr, sie ist schon eingeschlafen.


Professor Stumpfecker hat sie als einen klugen Mann beschrieben. Sie haben ihn kürzlich in Dresden kennengelernt, Sie erinnern sich?

Ja, sicher.

Nun, er wird gleich auch noch zu uns stoßen. Stumpfecker meinte, Sie hätten in Ihrem Vortrag recht interessante Gedanken geäußert, die einer praktischen Umsetzung wert wären. Um dies zu prüfen...

Entschuldigung, mir ist noch nicht ganz klar, warum

man mich hier in die Fabeckstraße bestellt hat, ins Lazarett der SS...

Nun, wenn Stumpfecker das hier in der Dienststelle korrekt referiert hat, so ging es Ihnen doch darum, daß man den Osten nicht im alten Sinne germanisieren könne, das heißt also, den dort lebenden Menschen deutsche Sprache und deutsche Gesetze beizubringen.

Das klingt, als...

Sagten Sie nicht, es sei dafür zu sorgen, daß im Osten nur Menschen wirklich deutschen, germanischen Blutes wohnen?

Worauf will der Mann hinaus? Hat man mich zur Musterung vorgeladen, ohne dies offen auszusprechen? Da tritt Stumpfecker in den Raum. Der Sturmbannführer wendet sich an ihn: Da scheint wohl etwas schiefgelaufen zu sein. Wir kommen hier nicht weiter. Vielleicht ist es besser, wenn Sie Herrn Karnau kurz erklären, was uns da vorschwebt.

Wo waren Sie stehengeblieben?

Beim germanischen Blut.

Ah ja. Karnau, Sie sprachen doch davon, daß sämtliche Sprachlernprogramme, daß die Entwelschung, daß alles Einhämmern von außen am Ende niemals wirklich tief greifen kann, stimmt das?

Ja, das ist richtig.

Und meinten Sie nicht, daß die deutsche Zunge gewissermaßen im Blut liege von Geburt an, ohne daß man sie hinterher erlernen kann durch bloße Aneignung von Grammatik, Vokabular, Ausspracheregeln? Daß die Sprache den menschlichen Körper also durchfließt als ein Bestandteil seines Blutes? So daß sie jede einzelne Zelle erreicht? Daß demnach Sprachveränderung folgerichtig beim Blut ansetzen müsse? Daß man in den Kreislauf eingreifen muß, um den Menschen da zu greifen, wo er zum Menschen wird, durch seine Sprache?

Mir scheint...

Karnau, mir klingt Ihr Schlußsatz noch scharf im Ohr: Das Innere greifen, indem wir die Stimme angreifen. Sie zurichten, und in äußersten Fällen selbst nicht vor medizinischen Eingriffen zurückschrecken, vor Modifikationen des artikulatorischen Apparats.

Nun, theoretisch...

Der Sturmbannführer schaltet sich jetzt wieder ein: Herr Karnau, Sie sind hier doch nicht zum Verhör geladen, im Gegenteil: Es geht um eine Sonderforschungsgruppe, zu deren Leiter man sie ernennen will.

Was soll erforscht werden?

Weiter in jener Richtung, die Sie angedeutet haben.

Stumpfecker wieder: Wir dachten an eine Mischung aus Theoretikern und Praktikern. Und Sie als Schallmensch schlagen hier die Brücke zwischen beiden Fraktionen. Von unserer Seite käme dann selbstverständlich noch meine Person hinzu.

Stumpfecker nickt mir freundlich zu: Karnau, das kommt jetzt alles für Sie überraschend. Schlafen Sie eine Nacht über diese Idee. Wir sehen uns morgen wieder.

Das alles klingt sehr zweifelhaft. Gibt es noch eine Möglichkeit, sich aus dieser Sache herauszuwinden? Muß mir unbedingt eine Ausrede einfallen lassen, warum man in der Sache leider nicht auf mich zählen könne. Auf dem Weg nach draußen ruft mir der Sturmbannführer noch etwas hinterher, ganz nebenbei, als wenn es nicht so wichtig wäre: Ach ja, Herr Karnau, Ihre Einberufung hat sich mit der Bildung dieser Forschungsgruppe dann selbstverständlich von allein erledigt. Sie sind jetzt ab sofort U. K.

Wir spielen Aktion, spontane Aktion, und nicht geregelten Appell. Wir haben einmal in der Stadt gesehen, wie das geht. Hilde schaut zu mir und sagt: Wir zwei geben die Befehle, Ihr Kleinen müßt uns gehorchen.

Sie holen ihre Zahnbürsten aus dem Badezimmer und müssen sie vorzeigen: Wir prüfen, ob sie auch in Ordnung sind. Dann müssen die Kleinen auf die Knie runter, sie müssen mit den Zahnbürsten den Boden im Spielzimmer sauber putzen, wir Aufseher stoßen sie, wir dürfen sogar ein bißchen treten. Die Kleinen dürfen uns nicht ins Gesicht sehen beim Schrubben, sie müssen den Blick senken und dürfen auch einander nicht anschauen, jeder hat seine Ecke auf dem Teppich anzustarren. Wir Großen stehen mit breiten Beinen vor ihnen und stemmen die Hände in die Hüften: Los, bürsten, macht schon.

Aber es ist viel schwieriger, einen Teppich zu putzen als das Straßenpflaster. Die Fäden kommen aus dem Boden und verhaken sich fest in den Bürsten, die schon bald voller Flusen sind. Hilde stellt ihren Fuß auf Helmuts Schulter: Wird's bald, schneller, sauberer.

Wir brüllen uns die Köpfe rot, Hilde will unbedingt lauter schreien als ich, aber wir merken beide, daß wir langsam heiser werden, bald haben wir eine richtige Wut auf unsere Geschwister. Die trauen sich nicht mehr zu mucken, die schrubben ohne Pause und rutschen auf den Knien durch das Zimmer, immer schneller, je lauter wir sie anschreien.

Doch plötzlich brüllt jemand noch lauter als wir Mädchen. Mama steht vor uns, die Kinderfrau hat sie heraufgeholt: Ihr seid wohl völlig übergeschnappt, was macht Ihr da, hört sofort auf damit, sonst setzt es was, und Abmarsch, ab, was fällt euch ein, wenn das die Gäste hören, Ihr wollt unser Ansehen wohl noch völlig ruinieren.

Wir schleichen uns hinunter in den Garten. Da sind schon Sommerfestgäste, aber wir mögen niemanden begrüßen, wir verziehen uns gleich zum Wasser. Wir reden nicht, Hilde wirft Steinchen über den See. Wenn jemand uns gehört hat beim Spielen, macht das wirklich keinen guten Eindruck. Nein, niemand darf erfahren, was wir mit den Kleinen angestellt haben, es gibt gewisse Dinge, die man zwar sehen, aber nicht hören darf, nicht aussprechen, sich nicht darüber unterhalten. Die Sängerin dürfte nie von mir erfahren, daß ich sie in Papas Büro gesehen habe, mit keinem Wimpernzucken darf ich das andeuten, falls sie auch zum Sommerfest kommt und ich ihr die Hand geben muß. Und niemand auf der Welt darf überhaupt nur ahnen, daß Papa beinahe gestorben wäre.

Das will Papa selbst vor uns verheimlichen, und er glaubt fest daran, daß ihm das auch gelungen ist, daß ich niemals etwas von dem mitbekomme, was nicht für meine Ohren bestimmt ist, ja, er kam nicht einmal auf die Idee, daß ich davon etwas gehört haben könnte, als wir darüber sprachen, ob der Weg von Nikolassee hierher nach Schwanenwerder gefährlich sei. Dabei hat er doch seine Angst nicht überspielen können, als jemand versucht hatte, die kleine Brücke zur Halbinsel in die Luft zu sprengen, gerade als Papa darüberfuhr. Den Übergang, wo es besonders stark nach Fisch und Algen riecht, wenn es warm ist. Und noch lange, nachdem der Mann längst gefaßt und das Todesurteil vollstreckt war, durfte niemand in Papas Gegenwart das Wort FISCHER sagen, weil sich der Attentäter als Fischer verkleidet hatte.

Da kommen die Kleinen durch die Büsche zu uns. Zum Glück sind wenigstens nicht sie sauer auf uns. Und vielleicht hat auch niemand von den Gästen unser Gebrüll gehört, die meisten interessieren sich sowieso nicht für

Kinder. Mama schaut uns nicht an, heute bekommen wir bestimmt keinen Kuchen. Aber dahinten steht Herr Karnau, auf der Terrasse, kneift die Augen zusammen und sieht sich um, er wirkt unglücklich, vielleicht, weil niemand sich mit ihm unterhält. Jetzt schaut er in unsere Richtung.

Das Überfliegen des Geländes: Gegen die rauhe, unebenmäßige Einfassung sticht der glatte, kleinporige Bereich hervor, und Schattenflächen wechseln mit Regionen, die im grellen Sonnenlicht liegen, ein langgezogener Bogen, die weichgezeichnete Rundung der Schulter, von der Achsel ausgehende Fältchen, zwischen Brustansatz und Arm aufgefächerte Schattenspuren. Vereinzelt Muttermale, feine Härchen über die gesamte Front verteilt, ein Schönheitskratzer, ein pigmentloser Strich am linken oberen Rand läßt die sonstige Makellosigkeit noch deutlicher erscheinen. Die dunkelgrauen Streifen oberhalb der Schulter: Dort ist die Halsmuskulatur zu erkennen bei zurückgebeugtem Kinn. Das Zentrum, von dem die Blickbewegungen ausgehen, wird eingefaßt von einer Perlenkette, und hier, am Hals, hakt sich der Blick fest: Der Kehlkopf hüpft. Mit jedem Laut verändert sich die Zeichnung des Halses im Halblicht, Halbschatten unter dem Kinn. Die Kette liegt im Décolleté, bei jedem Atemzug hebt und senkt sie sich mit dem Brustkorb. Das Sehnenspiel unter der feinen Haut, sobald die Sopranistin spricht. Sie spricht mit klarer, ausgeprägter Stimme, die über das ganze Gartengelände hinweg zu vernehmen ist. Die Nasenspitze wippt bei jeder Mundbewegung. Jetzt, zwischen zwei Worten, kratzt sich die junge Frau am Hals, berührt beinahe den Kehlkopf, diesen hochgefährdeten, dem Angriff dargebotenen Knorpel. Stimmritze, flatternd, schmaler Durchlaß für gepreßte Luft. Die Sängerin im leichten Sommerkleid spricht weiter, und sie scheint dabei von ihrem Kehlkopf nichts zu wissen, den sie sonst trainiert, aufs unerbittlichste. Momentan ist er nur ein Werkzeug, das keiner Aufmerksamkeit bedarf, da es von ganz allein die klare Stimme hervorbringt.

Ganz in Weiß, im Leinenanzug, mit feinen weißen Lederschuhen und sogar Handschuhen in derselben Farbe an den Fingern, kommt der Vater der sechs Kinder, die Sängerin im Blick, heran: der schmale Mund im hageren Gesicht, die strengen Züge, und außerordentlich deutlich die festen Wangenmuskeln, gestählt durch unzählige Ansprachen, die hervortretende Halsschlagader, heftig pochend, und dort, der vorgeschobene Adamsapfel. Er hat mir schon im Vorfeld, bevor die Kleinen überhaupt von meinem Wunsch erfahren konnten, verboten, die Stimmen seiner Kinder aufzuzeichnen. Nicht aufgrund irgendwelcher Zweifel im Hinblick auf die mögliche Verformung ihrer Stimmen durch das Bewußtsein einer Aufnahme, nicht, weil er es als eine Indiskretion angesehen hätte, wenn die sechs mir frei in das Mikrophon sprächen, anstatt wie sonst stets einen genau vorbereiteten Text, er hat also nicht mit einer Begründung abgelehnt, die mich sogleich überzeugt hätte, da sie mir selber zuvor in den Sinn gekommen war, sondern er wies mein Anliegen von sich unter Berufung auf den Urheberanspruch: Das Recht auf Verwertung der Stimmen meiner Kinder liegt nicht bei Ihnen, Karnau, sondern es liegt ganz allein bei der Familie, also mir.

Ob er sich wohl jemals Gedanken darüber gemacht hat, daß er, der große Redner vor den Massen, von solch unbedeutend wirkenden Helfern wie mir in höchstem Maße abhängig ist? Begreift er, daß die Akustiker einen entscheidenden Beitrag zu seinem Siegeszug geleistet haben? Daß ohne Mikrophone, ohne die riesigen Lautsprecher ihm niemals sein Erfolg beschieden worden wäre? Hat er nicht schon oft über die akustischen Zustände in der Frühzeit der Bewegung ausführlich geklagt? Als die anfangs noch sehr schlechten Lautsprecher bei einer Rede im Sportpalast zu pfeifen begannen und er daraufhin ganz ohne Lautsprecher hat weiterreden müssen, fast eine Stunde lang, bis er beinahe umgefallen wäre und seine Stimme völlig weg war. Oder als niemand ihn verstehen konnte, weil der Lautsprecher hinter dem Podium stand, so daß jedes einzelne Wort zweimal zu hören war: Einmal von ihm gesprochen und dann, als Echo, wiederholt vom Lautsprecher. Bis man schließlich dazu überging, die Übertragung auf bis zu hundert Lautsprecher zu verteilen, welche das Publikum von allen Seiten in den Klammergriff nehmen. Ob er es für einen bloßen Zufall hält, daß sein Sieg zusammenfällt mit der entscheidenden Verbesserung der akustischen Verhältnisse bei Großveranstaltungen?

Die Fetzen einer Unterhaltung: Kautschuk, sagt einer, und: Abgeschnitten von den Plantagen in Südamerika. Vielleicht geht es um Gummi-Autarkie, vielleicht auch um jene Figuren aus Knetmasse, mit denen die sechs Kinder im Garten spielen. Alles ist formbar: Menschen, Tiere, Häuser, wenn man nur geschickt mit den Fingern umzugehen weiß. Die Kinder drücken ihre Fingerkuppen vorsichtig in das weiche Material, sie bringen Köpfe, Arme, Beine hervor und lassen sie mit einem festen Druck zwischen den Handflächen wieder verschwinden, sie kerben, stechen Augen, Nasenlöcher, Münder in die Klumpen, um gleich darauf die Züge des Gesichts wieder wegzustreichen mit dem Daumen. Das ist nicht anders, als wenn eine Schallaufzeichnung gemacht wird, wenn sich der Stichel in das Wachs gräbt, und je unerbittlicher er seine Spur zieht, desto präziser wird das Resultat, desto deutlicher sind die Stimmen später zu vernehmen.

Entkerntes Obst wird den Gästen des Sommerfests in großen Schalen dargeboten. Die Sängerin, am Arm des Vaters, schlendert jetzt zum Wasser hinunter, wo zwischen den Bäumen die Kinder spielen. Sie laufen den Hang auf und ab, sie blinzeln in der Sonne, und jetzt können sie nicht mehr, sie lassen sich erschöpft ins Gras fallen. Und ihre leichten Hemden, weißen Kleider leuchten. Sie spielen Hund, sind so sehr vertieft ins Schnüffeln, Graben, nach geworfenen Steinen Jagen, daß der Vater Helga am Kragen greifen muß, damit sie aufsteht und ihr Kleid zurechtstreicht, um nun der Sängerin ganz artig Guten Tag zu sagen. Und auch die anderen werden aus dem Spiel gerissen, eins nach dem anderen gibt die rechte Hand. Aber das genügt der Sängerin noch nicht, sie nimmt, während der Vater zusieht, die kleine Hedda in den Arm, sie drückt sie an sich, Hedda zieht den Kopf zurück und schaut zur Seite weg, man sieht ganz deutlich, daß sie sich unwohl fühlt, aber der Vater greift nicht ein, er steht nur da und lächelt. So sehen die frühen Übungen der Formung aus, so wird der unbefangene Kinderkörper dem Zugriff der Erwachsenen ausgesetzt, und er erstarrt. Übungen, die so lange wiederholt werden, bis der gesamte Leib von allein in dieser Starre verbleibt: Das langsame Absinken vom Kind zum Erwachsenen, von einem Tier, das sich frei in der Luft bewegt, zu einem, das am Boden klebt.

V

Am Boden kleben zwei nackte Männerfüße auf den kalten Fliesen, reglos, ohne die Position zu ändern, nicht einmal die Verlagerung des Körpergewichts vom einen aufs andere Bein, kein Zehenzucken, nichts: Sei es, daß der unweigerlich austretende, die Form der Sohlen auf den Fliesen nachzeichnende Schweiß den Fuß am Boden haften läßt, oder, daß eine Positionsveränderung hieße, die angewärmte Stelle auf den Kacheln zu verlassen und einen andern kalten Flecken erst wieder langsam mit Körperwärme durchdringen zu müssen. Die Füße ruhen unbeweglich und decken einen kleinen Bereich des gleichmäßigen Musters aus weißen und schwarzen Bodenfliesen ab, die derart blank gebohnert sind, daß um die Füße herum die Fersen, sogar noch die sehnigen Fesseln widergespiegelt werden, als Bildpunkt, der aus dem Karomuster aufscheint und das Raster der rechtwinklig aufeinander treffenden Linien unterbricht, die Flucht der Fugen, welche sich durch den ganzen Raum zieht, her bis zu mir, wo der Boden jedoch stumpf ist, nichts reflektiert wird: Nicht meine Hose, nicht die Strümpfe, noch nicht einmal ein schwacher Widerschein der schwarzen Lederschuhe.

Der blanke Fliesenboden entzieht den Füßen Körperwärme, und in einer Gegenbewegung dringt die Kälte durch die Sohlen, hinauf in die Beine, weiter in die Partien, welche von Unterhose, Unterhemd verborgen werden, bis in die nackten Schultern, in die Arme, die sich, den Füßen gleich, nicht rühren, am Rumpf herabhängen, und nur die Gänsehaut verrät, daß dieser Leib noch von Leben durchdrungen ist, da er nackt in der Mitte des Raumes steht, dem Blick seines bekleideten Gegenübers ausgesetzt.

Doch schon die Bildung von Gänsehaut bedeutet eine Übertretung, das Anschwellen der Poren, die Noppen sind bereits zu viel an Offenbarung dem Beobachter gegenüber, und die Starre des Gesichts soll jene unkontrollierbare Veränderung der Haut überspielen, der ausdruckslose Blick, die hängenden Lippen wollen mich ablenken vom Schauer, der die freiliegenden Körperpartien überzieht, sie wollen ablenken von den nackten Füßen, vom krummen Rücken, den eingezogenen Schultern und dem Bauchansatz, der Abzeichnung vorn an der baumwollenen Unterhose: Doch es gelingt ihnen nicht.

Es gelingt nicht einmal, jene schwache Spur zu verbergen, die sich dem Blick des Beobachters entzieht: Wie auf dem Rücken des vorgeführten Leibes der Angstschweiß im Stoff des Unterhemds ganz langsam das Rückgrat nachzeichnet.

Und beide wissen wir das. Beide wissen wir, daß der gemusterte Leib nichts verbergen kann, obwohl die Ohren sich Taubheit auferlegt haben, der Mund Stummheit: Denn diese Augen schauen noch tief aus den inneren Schichten. Aus dem Blick spricht die allmählich reifende Erkenntnis, die eigene Stimme über Jahre hinweg ohne die geringste Beachtung eingesetzt zu haben, die unzähligen verkrüppelten Laute, alle die ungeschliffenen, achtlos geformten Äußerungen sind mit einem Mal, als Höllenlärm, vor dem inneren Ohr gegenwärtig.

So stehen wir einander gegenüber, so steht die Figur vor mir, ausgeliefert wie bei der Musterung, jenem Moment, da ein Mann zum ersten Mal im Leben seinen nackten Erwachsenenkörper der ungehinderten Visitation ausgesetzt sieht. Nur einen kurzen Augenblick verharren wir so in Stille, dann ist es an mir, die Taubheit, die Stummheit meines Gegenübers zu brechen. Und da nun Laute der

Figur den kalten Raum erfüllen, da mein Gegenüber nun gezwungen ist, auf meine Fragen zu antworten, steht es noch nackter vor mir, steht jetzt erst wirklich nackt, obwohl die Baumwolle bestimmte Partien schirmt, sich an das schlaffe Glied, die Hoden schmiegt. Ist die Figur bereits so weit, daß sie die Tränen zurückhalten muß? Ist in den Augenwinkeln dort schon ein schwacher Schimmer von Feuchtigkeit bemerkbar, der das Licht des sonnigen Vormittags reflektiert? Der Vorgeführte ist nicht darüber informiert, daß es sich hier um eine Tonfallkontrolle handelt, und doch spürt er deutlich, daß sein Gegenüber während des Gesprächs unnachsichtig jede noch so schwache Schattierung der Stimmfärbung registriert. Zeigt sich vorn an der Unterhose ein dunkler Punkt, da sich mein nacktes Gegenüber nicht zügeln kann und einen Tropfen Harn absondert?

Doch die Figur spürt, daß es belanglos ist, ob sich tatsächlich nun ein Tropfen löst, der den Stoff sichtbar benetzt, oder ob es ihr gelingt, diese minimale Urinabsonderung über die gesamte Sitzung hinweg zu unterbinden, sie spürt mit jeder Muskelfaser, daß selbst die Anspannung der Muskeln registriert wird.

Und da: Ein Zucken der Oberlippe. Ein Zucken, das in keinem Zusammenhang mit der Wortbildung steht, das sich selbständig macht und fortan beibehalten wird bei jedem Laut, ein Zucken, das ein Umkippen andeutet, das Aufbrechen der Fassung naht, mein Gegenüber wird sich nicht mehr lange halten können, das wird auch in der Stimme deutlich. Die schwankt, läßt den ganzen Körper schwanken, bald werden sich die nackten Füße rühren müssen, bald wird der Mann im Unterhemd nach Halt suchen, mein Gegenüber kann sich nicht mehr konzentrieren, verzweifelt wird nach Antworten gesucht auf die einfachsten Fragen: Die eigene Stimme klingt dieser Figur nun derart scharf im Ohr, daß jeder Anlauf fehlschlägt, auch nur ein einziges Wort zu formulieren. Wie sich die Lippen stülpen, da kommt kein Konsonant mehr klar zu Gehör. Wie jetzt der Hals bockt, wie er von unbeherrschten Muskelschüben entstellt wird, da klingt nur noch das häßliche Organ, jenseits aller Wortbedeutung ist nur das Krächzen zu vernehmen, das abgewürgte Kehlkopfgurgeln, da erstickt schon der erste, falsch angesetzte Laut die folgenden. Während die Fragen laut und deutlich wiederholt werden, ganz ohne Hast, wie um dem Gegenüber nachsichtig einen weiteren Versuch zuzubilligen, obwohl wir beide doch genau wissen, daß es längst keine Rettung mehr gibt, daß die Figur mit jedem neuen Ansatz einzig der Stille näherkommen kann, daß sie mit jeder Mundbewegung, mit jeder Stimmbandstellung, jedem Zungenschlag unweigerlich dem Verstummen entgegentreibt.

Jetzt gilt es, das Schwanken der Figur mit Fingerspitzengefühl auszutarieren: Soll sie noch einen Augenblick die Hoffnung behalten, sich wieder fangen zu können? Soll sie schon kippen, jetzt? Die Augen flehen nicht, auch deutet die Körperhaltung nichts dergleichen an, aber die Stimme bittet unmißverständlich darum, ihr weitere Fragen zu erlassen. Einen Moment, noch ein Ansatz zu einer Frage meinerseits, nur ruhig einatmen, den Frageton annehmen, die Bildung eines Wortes erst umspielen: Da wird fast unmerklich ein Klagelaut ganz tief aus diesem nackten Leib gepreßt. Ohne daß die Figur es hat ahnen können, ist das der anvisierte Zielpunkt: Die Formulierung jedes weiteren Wortes erübrigt sich.

Genau jenen letzten, ganz schwachen Laut galt es hervorzukitzeln, um ihn aufzeichnen zu können. Und nun, da nichts mehr folgt, da wieder Stille herrscht, sackt mein

Gegenüber in sich zusammen. Ob wohl sein Zäpfchen schon beschädigt ist? Sein Gaumen wund? Sind seine Stimmbänder bereits nach einer Sitzung folgenschwer in Mitleidenschaft gezogen? Die Figur wird nun Hellbrandt überstellt, der ihre gegenwärtige Verfassung überprüfen wird. Erst hinterher fällt mir der stechende Geruch im Zimmer auf: Urinfüße, der hat mit nackten Füßen eine halbe Ewigkeit in einer Pfütze eigenen Safts gestanden, atemlos. Es wird gesäubert.

Mein Papa spricht. Vor so vielen Leuten. Wie dicht sie beieinander stehen, sie können nicht mehr vorwärts oder rückwärts, sie können ihre Arme nicht mehr bewegen und ihre Bäuche scheuern aneinander. Zum ersten Mal dürfen wir dabeisein und mithören. Und wie die Luft riecht von den vielen Menschen. Hoffentlich lassen die uns bis zu unseren Plätzen durch, die Stühle sind längst schon alle besetzt. Wenn wir stehen müssen, können wir Mädchen gar nichts sehen und werden von den vielen Erwachsenen am Ende noch erdrückt. Mama schiebt einen Mann beiseite, der uns im Weg steht, und zeigt auf unsere Plätze: Für Mama, Hilde und für mich, von Papa für uns reserviert. Die Leute winken, als wir uns hinsetzen, und wir winken zurück. Jetzt fangen sie an zu jubeln, und Mama stupst mich an: Siehst du, da kommt Papa.

Wo?

Nicht hinter uns, schau doch nach vorne.

Da steht Papa am Rednerpult und blickt in die Menge. Er sieht in unsere Richtung. Ob er uns jetzt erkannt hat, ob er genau weiß, wo wir hier sitzen? Papa hat müde Augen, aber die Schatten darunter erkennt man nicht, weil er so stark beleuchtet ist. Er ißt fast nichts mehr, nur noch Grießbrei und Milch, und er raucht ohne Pause. Jetzt aber fangen die Augen an zu glühen, Papa konzentriert sich, er will die ganze Euphorie der letzten Tage bündeln. Die Menschen spüren das, es wird ganz still. Papa beginnt zu reden.

Er spricht von den vielen Millionen Menschen, die alle im Moment seine Zuhörer sind, er sagt etwas über die Ätherwellen, und: Alle sind jetzt mit uns verbunden. Vielleicht hören sogar die Toten ihn, die letzten Stalingradkämpfer, die schon vor Wochen ihren Schlußbericht gefunkt haben. Die Leute rufen Bravo, sie rufen Heil, und wenn sie klatschen, ist das ein ungeheurer Lärm. Papa will uns ein ungeschminktes Bild der Lage entwerfen. Er ruft: Der Ansturm der Steppe. Die Zuhörer hängen an seinen Lippen, Papa sagt: Kindisch, diese Erklärung ist kindisch. Wenn Papa kindisch sagt, sagt er das nie mit einem Lächeln, für uns ein Zeichen, mit ihm ist nicht zu scherzen.

Papa ruft: Sie verdient überhaupt keine Wiederholung, nein, Widerlegung meint er. Er achtet sehr auf seine Aussprache, damit man jedes Wort verstehen kann. Papa sagt: Friedensfühler, Papa sagt: Roboter, und noch einmal: Aufruhr der Steppe. Wie die Lautsprecher scheppern. Papa schreit jetzt richtig, um sich gegen den Krach durchzusetzen. Die Menge ist so aufgebracht, daß er immer wieder lange Pausen machen muß. Jetzt lachen die Zuhörer sogar. Und da ruft einer im Publikum: Lumpenluder. Wer war das? Wo? Das kam ganz aus unserer Nähe. Aber es ist zu spät, wir sehen niemanden mit offenem Mund. Papa meint: Das Totalste ist gerade total genug.

Es wird geputzt, vergeblich: Geschminktes Zahnfleisch, die feinen Blutschlieren umspielen jeden Zahn. Gebiß vollständig? Zahnstand normal? Übliche Klemme, Klammern des Gebisses, damit der Zahnschmelz nicht zermahlen wird. Der leichte Unterbiß. Um einen entlegenen, bisher unbekannten Bereich auszukundschaften, braucht es mehrere Mikrophone: Vier werden aus jeder Himmelsrichtung auf die Versuchsperson ausgerichtet. Ein weiteres wird in nächster Nähe zur Schallquelle versteckt angebracht. Es dient zum Auffangen von Sonderfrequenzen. Während der Aufnahme wird es fortwährend austariert, um bestimme Effekte der Stimmführung auf Band präzise hervorzuheben.

Der schwache, keineswegs gefährliche Stromstoß läßt den Kehlkopf zusammenzucken. Jagt jetzt die Stimme hoch? In oberste Regionen? Nein, kippt vorher. Das Murmeln mit Normalstimme, das Wiederholen von Knacklauten: Sehr schöne Schatten, dann, langsam, erst kaum erkennbar, zeigt sich ein rötlich schwarzer Schimmer, dann mattes Blauviolett, das sich verdichtet zu einer leuchtend blauen Stimmfärbung. Schattet der Himmel bereits ab? Sinkt der Kehlkopf unter gleichzeitiger Entspannung, wird die Stimme tiefer und rauher und zeigt eine immer deutlicher werdende Neigung zum Vibrieren. Noch immer Tendenz Brustatmung. Gebißverschiebungen sind zu beobachten, Abschürfungen des Gaumens durch ungesteuerte Zungenkontraktionen: Je heftiger die Bewegungen, desto vehementer der Speichelfluß. Die Versuchsperson versucht auszuspucken, aber der Speichelfaden rinnt am Kinn herunter, vermischt mit Blut, soweit im Halblicht zu erkennen ist. Ein Stotterer im Stummfilm. Das Blut nimmt hier und dort einen Lichtstrahl auf, leitet ihn dünn, diffus und flackernd weiter und webt ein Muster in die Nacht hinein.

Sensoren in den Ohrwindungen befestigt: Sie registrieren genauestens, wie intensiv die Versuchsperson während der Behandlung die eigene Stimme wahrnimmt. Als sie nach mehreren Durchgängen ermattet in sich zusammensinkt und die Kontakte vom punktweise wunden Hals entfernt worden sind, wird auf dem glatten Boden ein glänzender Fleck bemerkt: Blut oder Urin?

Schattenflächen wechseln mit Regionen, die im grellen Scheinwerferlicht liegen: Gegen die rauhe, unebenmäßige Einfassung sticht der glatte, kleinporige Bereich hervor, dort ist die Halsmuskulatur zu erkennen bei zurückgebeugtem Kinn. Bildet sich Gänsehaut? Nein, nur Gestoppeltes, am Rand, da ist nicht sauber ausrasiert. Wie eine Wunde wirkt die rosa Haut inmitten der Umgebung aus gekräuseltem schwarzem Haar, diesem widerspenstigen Hundefell, das der Rasierapparat nicht überall bis auf die Poren hat entfernen können. Die freigelegte Kehle unbeweglich, dem Lichtstrahl ausgesetzt, so blendend hell die ausgeleuchtete Stelle, daß sie fast weiß wirkt. Quietschendes Gummi beim Anlegen der Handschuhe. Noch einmal wird die Fixierung des Kopfes kontrolliert, damit das Kinn nicht plötzlich absacken kann. Beginn der Öffnung. Die offene Hautdecke, die Maserung der Muskulatur, das austretende Blut gerinnt um Kinn und Schultern, verklebt den Pelz. Haben Sie endlich den Durchbruch? Die Klemme wird in den Hals geschoben. Besser ausleuchten, nichts zu erkennen. Im Anschlag die Luftröhre: Ein schwacher, gleichmäßiger Lufthauch weht um die Finger des Chirurgen. Jetzt durch die enge Öffnung mit dem Skalpell vor bis zum Kehlkopf.

Kann man das, was man den anderen Stimmen wegnimmt, der eigenen Stimme hinzufügen, als Prägung, als Volumen, so wie ein Kannibale überzeugt ist, er stärke seinen Leib, indem er das Fleisch anderer Menschen genießt? Kann man sich die junge, ungetrübte Stimme eines

Kindes verschaffen, indem man einem Kind die Stimme nimmt? Niemand weiß ·das.

Stumpfecker legt Mundschutz, Kittel und Handschuhe ab und zündet sich eine Zigarette an. Der Rauch steigt zur Backsteindecke auf und bildet im Licht Schwaden, die vergilbten Schautafeln an den Wänden, die zu beiden Seiten des Operationstisches herabhängenden Gurte, am Boden der rotbraun verkrustete Kittel, und der Blick zur nun geöffneten Tür, durch die der Patient in den dunklen Gang hinausgeschoben wird, der kühle Luftzug herein und das Dröhnen der Klimaanlage, welches sich erst jetzt bemerkbar macht, da niemand spricht und nur Stumpfecker ab und zu an seiner Zigarette zieht, Lichtreflexe, wenn der Punkt der Zigarettenglut auf dem chirurgischen Besteck aufblitzt.

Papas Augen blitzen, und er hat einen roten Kopf. Die Rede dauert lange, draußen ist es bestimmt schon längst dunkel. Mama, können wir etwas zu trinken haben?

Sie schüttelt nur den Kopf, schaut nicht mal her. Mama, gibt es hier nichts zu trinken? Können wir, wenn Papas Rede aus ist, was zu trinken haben?

Jetzt guckt sie endlich, böse, und zischelt nur: Sei nicht so ungeduldig.

Papa spricht über die Modesalons. Das interessiert Mama, sie starrt auf Papa vorne und hört genau zu. Aber er meint, daß alle Modesalons geschlossen werden sollen. Mama schüttelt den Kopf, als wenn sie Papa sagen wollte: Das geht doch nicht. Nein, sie hat sich nur eine Locke aus der Stirn gestrichen. Die Leute lachen wieder. Papa hat von albernen Arbeiten gesprochen, die im Krieg erledigt werden, obwohl sie mit dem Krieg nichts zu tun haben. Papa sagt: Lächerlich, Papa sagt: Wenn sich beispielsweise in Berlin eine Reihe von Stellen wochenlang mit der Frage beschäftigt, ob man das Wort Akkumulator nicht durch das Wort Sammler ersetzen solle.

Auch Mama lacht. Ihr früherer Mann besaß ein Akkumulatorenwerk. Papa sagt, daß Personen, die sich im Kriege mit solchen Kindereien beschäftigen, nicht ganz ausgelastet sind und zweckmäßigerweise in eine Munitionsfabrik oder an die Front geschickt werden sollten.

In unserem Sprachbuch gibt es ein Kapitel, wo die ausländischen Wörter durch deutsche ersetzt werden müssen. Aber das kann doch nicht bedeuten, daß unsere Lehrerin an die Front geschickt wird. Sie unterrichtet nun auch Helmut, der schon Schreiben und Lesen lernt. Früher konnte außer mir keiner lesen. Wenn meine Geschwister etwas vorgelesen haben wollten, mußten sie alle zu mir kommen.

Papa sagt, es ist auch reizend, wenn junge Männer und Frauen morgens um neun Uhr durch den Tiergarten reiten. Oder hat Papa gemeint: Aufreizend? Manches von dem, was er sagt, kann man gar nicht verstehen, weil es so laut ist und die Leute Sieg Heil brüllen. Papa sieht aus, als könnte er sich nicht entscheiden, ob er die Störungen begrüßen oder lästig finden soll. Er erzählt von einer Frau mit fünf Kindern, die sie versorgen muß. Fast wie bei uns. Und jetzt sagt er: Fröhliche Reitgesellschaft.

Einmal hat er uns ein Pony geschenkt, Hilde und mir. Wir durften damit ausreiten, oder wir setzten unsere Geschwister in den Ponywagen, den Papa uns dazu geschenkt hatte, und machten Ausflüge mit ihnen. Mama reitet auch, aber auf einem Pferd. Papa selber kann nicht reiten, vielleicht wegen der Schiene, die an seinem Bein festgeschnallt ist, damit er gerade gehen kann. Er trägt auch niemals kurze Hosen. Papa hat keine Ahnung, daß wir von dieser Schiene wissen. Einmal haben wir sie gesehen, als er sich seine Strümpfe hochzog und dabei auch das Hosenbein ein wenig hochrutschte.

Papa redet über die Kur, wo Leute sich herumräkeln. Das Publikum tut ganz empört. Papa sagt, daß sich die Leute in der Kur Gerüchte zutratschen. Die Zuhörer rufen Pfui. Mama muß auch oft in die Kur, einmal ist sie vor unseren Augen in Ohnmacht gefallen, und wir bekamen alle große Angst. Papa ruft in die Menge: Wir wollen nichts mehr hören von einem überspannten, umständlichen Fragebogen-Unwesen für jeden Unsinn! Wir wollen uns nicht in tausend Kleinigkeiten verzetteln.

Eine Freundin von Hilde, die keinen Privatunterricht bekommt, hat einmal erzählt, welchen Unsinn sie auswendig lernen mußte: Wie groß beim Arier der Kopf ist, um ihn mit anderen Rassen zu vergleichen, da wurde alles ausgemessen, sogar die Ohren, jede Einzelheit. Vielleicht hat Papa uns auch darum aus der Schule rausgenommen. Wir lernen lieber Englisch, wie Mama, die viele Sprachen spricht. Sie braucht nie einen Übersetzer, anders als Papa, der sich mit ausländischen Gästen nicht allein unterhalten kann.

Das war noch keine Welt, bevor man Stimmen überprüfen konnte. Bis zu Edisons Erfindung des Phonographen hat die Welt der Töne ausschließlich in flüchtiger Gegenwärtigkeit zur Erscheinung kommen können, daneben hat es nur die leisere, verschwommenere Wiederholung vor dem inneren Ohr gegeben, oder, noch weniger verläßlich, die Gegenüberstellung unwirklicher Klänge in der Vorstellung. Und dann, 1877, mit einem Mal die Eröffnung einer ungeahnten Sphäre der Akustik: Nachdem die ersten Worte in die Tonwalze geritzt worden waren, konnte der

Sprecher sie zeitversetzt verfolgen, ohne die Laute noch einmal zu bilden: Der erste Mensch, der sich selbst zuhören konnte.

Das stille Atmen und die Lautbildung zugleich, aus einem einzigen Leib, damit nahm die Verschattung ihren Lauf. Seitdem läßt sich jede Schattierung heranziehen zum Vergleich mit einer beliebigen anderen, sei sie noch so gering dagegen abgestuft, sei sie noch so unmerklich verschieden: Es ist nicht möglich, die Tatsache zu verbergen, daß keine zwei Stimmen menschlicher Geschöpfe einander gleichen. Nicht eine einzige Stimme auf dieser Welt läßt sich mit einer anderen entschuldigen.

Das Aufbrechen der Stimmen nach innen, in die Lichtlosigkeit, die Finsternis hinein: Schwärze: Black Marie, so taufte Edison einen seiner ersten Phonographen. Und wie im Negativ, verschattet, schwarz, von hellen Linien nur andeutungsweise durchzogen, erscheint die Lederhaut im Blick. Nachtwache, hellwach, dem akustischen Dämmern entgegen. Aus diesem Dunkel treten die Tonfärbungen in ihrem Zusammenspiel erst nur undeutlich hervor, lassen sich nicht in ihrer Gesamtheit wahrnehmen, sondern sind so beschaffen, daß man von Zeit zu Zeit den einen und dann wieder den anderen Teil tiefgründig aufleuchten sieht.

Alle Schattierungen und Färbungen der menschlichen Stimme gilt es in dieser Düsternis zu erkennen, jede noch so unwesentlich erscheinende Eigenheit der Lautbildung gilt es den Schallquellen zu entlocken, bevor die Klangfarbe dann wieder in die Unhörbarkeit abtaucht, in die mit Kratzern, Unreinheiten, Flecken durchsetzte Lautlosigkeit. Das tiefe Schwarz, gespannt zwischen zwei Flügelenden, und aus der Haut, mattglänzend wie Leder, treten die Adern hervor. Mit seinen Krallen klammert sich der

Flughund an ein Holz und hängt kopfüber, die Hunde-
schnauze schnuppert, leckt an einem roten Fleck inmitten
des schwarzen Fells. Gebleckte Zähne schimmern im
Nachtlicht, nervös zucken die Ohren, sie werden ausgerichtet auf Geräuschquellen, die Muskeln angespannt.
Das Tier gibt einen schrillen Laut von sich, der das
Trommelfell vibrieren, beinahe platzen läßt: Die Flughunde, welche im Gestänge über der Gasse lauern, hören
Menschenschritte und warnen einander vor der Erscheinung, die unten auf dem Pflaster ihre Schlafstätte passiert.


Papa will, daß alle Frauen ihr Personal entlassen. Meint
Papa jetzt auch unsere Hausmädchen, die Köchin und die
Kinderfrau? Sogar Mamas Sekretärin? Sollen die alle entlassen werden? Die Zuhörer finden Papas Idee witzig.
Mama sitzt neben mir und rührt sich nicht. Oder zittert
ihre Hand? Holt sie nur etwas aus ihrer Tasche? Panzer-
fabrik, sagt Papa, er sagt: Gaul. Nein, Gaulei-, Gauleiter
meint er, sich selber. Papa brüllt: Es muß wie ein Strom
durch das deutsche Volk gehen. Sein Hals ist jetzt von
dicken Adern durchzogen, als würde er bald platzen.
Dann zügelt er sich wieder und erzählt vom alten Fritz:
Eigentlich eine traurige Gestalt, er besaß keine Zähne,
hatte Gicht, und tausend Schmerzen haben ihn gepeinigt.
Ein todkranker, ein schwacher Feldherr.
    Papa erwähnt den Führer, und alle klatschen, rufen,
stehen von den Stühlen auf. Das nimmt kein Ende mehr,
und als es wieder ruhiger wird, liegt das wohl nur daran,
daß die Menschen nicht mehr können, sogar Papa ist völlig
entkräftet, muß eine Atempause machen.
    Papa will zum Schluß kommen. Es wird auch Zeit, daß
wir wieder nach Hause können. Unsere Geschwister wer-

den uns gar nicht glauben, was wir hier erlebt haben. Aber Papa spricht immer noch weiter. Es ist so stickig hier, wir brauchten jetzt frische Luft. Es gibt auch keine Fenster. Papa sagt: Vor mir sitzen reihenweise deutsche Verwundete von der Ostfront, Bein- und Armamputierte mit zerschossenen Gliedern, Kriegsblinde, Männer in der Blüte ihrer Jahre.

Die wollen wir sehen. Auch Hilde beugt sich vor und schaut zwischen den vielen Köpfen vor uns hindurch: Sind da die Amputierten in der ersten Reihe? Haben die wirklich keine Arme? Und wie haben die Blinden ihren Weg hierher gefunden? Aber wir erkennen nichts, noch nicht einmal die Krücken stehen da, von denen Papa gesprochen hat. Er ruft: Die Jugend ist hier vertreten und das Greisenalter. Kein Stand, kein Beruf und kein Lebensjahr blieb bei der Einladung unberücksichtigt.

Sind hier auch Babys? Die können es bei diesem Lärm und dieser schlechten Luft doch gar nicht aushalten. Mama, sind denn auch Babys hier?

Aber Mama versteht Hilde nicht, Papa hat gerade einen Witz gemacht, und alle lachen, kreischen laut. Jetzt wird gerufen: Nein, niemals. Wieder Gebrüll: Sieg Heil Sieg Heil Sieg Heil. Das reicht jetzt, mir gefällt das nicht, wir wollen nach Hause, hier kann niemand mehr atmen. Jetzt rufen sie: Nein, Pfui. Und wie die Leute schwitzen, das feuchte Haar klebt ihnen am Kopf, und jedes Hemd zeigt einen nassen Fleck unter der Achsel, wenn sie den Arm ausstrecken. Papa ruft: viertens. Und wie sie aus den Mündern stinken, der heiße Atem brennt an meinem Hinterkopf mit jedem: Ja. Ja. Ja.


Im Gitterbett, der Sprache abgewandt. Das Klackern bunt bemalter Holzfiguren hallt von der hohen Decke wider.

Die stillgelegten Patienten wie im Kinderfieber: Sie tasten einfache Reliefs mit Fingern und Handfläche ab, eine Übung, die ursprünglich dazu gedacht war, das sprachliche Umsetzungsvermögen taktiler Eindrücke zu untersuchen. Die Holzfiguren hat man ihnen nach Abbruch der Versuchsreihe überlassen: Es kommen ohnehin lediglich noch Lautfolgen wie Trak Trak Trak oder Krik Krak zustande, wobei sich nicht ermitteln läßt, ob das sprachliche Umsetzungsvermögen oder die Sprechmuskulatur einer Beeinträchtigung unterliegt. Als wären sie kupiert, wie Welpen besonderer Rassen, deren Schwanz gestümmelt wird gleich nach der Geburt. So wie man manchem Säugling mit wenigen präzisen Schnitten die Zunge, welche ein Erbanlagenfehler übermäßig groß hat wuchern lassen schon im Mutterleib, verkürzt, ohne einen Gedanken daran zu verschwenden, ob ein Abschnitt des Geschmackssinns verlorengehen könnte. Kupiert, weil diese Zunge sonst vom Kleinkind, noch ungeübt im Umgang mit dem eigenen Mund, abgebissen zu werden drohte.

Sievers schüttelt den Kopf. Man sucht mit solcher Unnachgiebigkeit nach einem tierischen Ursprung der Sprache, als wartete man nur darauf, am Ende alle Theorien in sich zusammenbrechen zu sehen, um dann wieder an einen göttlichen, unerforschlichen Ursprung glauben zu können. Zwei Möglichkeiten: Die unverständlich flatternde Zunge, die, unsichtbar gelenkt, die Stimme weithin hörbar verbreitet in der Luft, ein Schwirren, als befände sich ein schwereloser Körper im Flug – Hunde am Boden, deren Pfoten an der Erde kleben, wie unter übermäßiger Gravitation leidend, die Sprache, von Instinkten geweckt, entsprungen aus der Unzulänglichkeit fleischlicher Zusammensetzung.

Doch was genau ist mit diesen Zungen geschehen? Ein

zwanghafter Rückzug in das Stadium vor der Sprache? Wolfskinder nennt man jene menschlichen Geschöpfe, die nicht von ihren Eltern, sondern in der Wildnis von einem Rudel Wölfe aufgezogen werden: Das sind Kinder, die keine Sprache kennen, die nie lernen, die Stimme wie ein Mensch zu handhaben, tiernah.

Die Ohren hier: sehnige Horcher, durchzuckt von Muskelregungen, lauschend, ständig in Bewegung, oder an einem anderen Kopf zwei harte Schalltrichter, faltenlos, von unzähligen pulsierenden Äderchen durchzogen. Und große Lappen, im Alter weich und schlabbrig geworden, und dort ganz kleine, fein gearbeitete Organe. Die Sonnenstrahlen erreichen eine andere Reihe von Gläsern mit Präparaten: Stumpfeckers eingelegte Menschenkehlköpfe. Befallen von Geschwüren, durch Verwachsungen entstellt. Der Sprechapparat eines Kindes, das ohne Stimmbänder geboren wurde: trotzdem voll ausgebildet die Knorpel und Sehnen, welche die Bänder hätten halten sollen. Stumpfecker, Meister der Entkernung. Ein Sonnenstrahl durchleuchtet nun ein Glas, das weiter hinten steht: Schillernde Ausflockungen treiben im Formalin, in trüber, vergorener Lösung. Vermutlich ein Fixierungsfehler. Was sich in jenem Glas befindet, ist nicht mehr zu erkennen.


Jetzt ist Papa bei: fünftens. Jetzt sechstens. Wie viele Fragen will Papa noch stellen? Und immer wieder schreien die Zuhörer aus vollem Hals ihr Ja als Antwort. Das Kreischen soll endlich aufhören, es ist so furchtbar laut, mir platzen bald die Trommelfelle.

Und siebtens. Achtens. Neuntens. Der Boden bebt vom Füßetrampeln, Arme fuchteln in der Luft. Zuhörer stellen sich auf die Stühle, so daß wir Kinder nichts mehr sehen können. Papa, sei bitte bald mit deiner Rede fertig, kein Mensch kann das noch lange ertragen. Der Hals schnürt sich. Das Blut pocht in den Schläfen. Wir können jetzt auch nicht hier raus. Nicht auf die Straße. An die frische Luft. Zu viele Leute, die den Weg versperren. Tatsächlich sagt Papa jetzt: zehntens und zuletzt.

Zum Glück. Bald können wir weg. Und endlich wieder Luft. Papa sagt: Kinder, wir alle, Kinder. Spricht er zum Schluß jetzt ein paar Worte über uns? Hilde schaut mich an, doch Papa meint: Kinder unseres Volkes. Etwas muß abgeschnitten werden, mit heißem Herzen und mit kühlem Kopf. Aber mein Kopf ist heiß. Schrecklich heiß. Alles glüht. Ganz tief Luft holen. Aber das geht nicht, es ist keine Luft mehr da. Nur noch Gestank und Schweiß. Wie Papa jetzt noch brüllen kann bei dieser Luft: Nun Volk.

Ja, Luft, die haben alle Luft hier weggenommen.

Steh auf.

Aufstehen. Raus.

Und Sturm.

Atmen.

Brich los.

Daß die Menschen jetzt noch Luft genug haben, um das Deutschlandlied zu singen. Jemand berührt meine Hand. Die ist ganz feucht. Mama faßt mich am Arm und sagt: Helga, es ist zu Ende. Wir fahren nach Hause, Papa will auch bald nachkommen.

Hilde ist schon von ihrem Platz aufgestanden. Wir gehen hinaus, die Luft, die frische Luft nun wieder. Wir sind ganz taub. Wir hören kaum, wie Mama sagt: Jetzt hat Papa zwei ganze Stunden lang nicht eine einzige Zigarette geraucht. Hilde sieht so erschöpft aus, als hätte sie das auch kaum ertragen können, als hätten Papa und die Zuhörer sie auch erschreckt, und sie sagt leise, als könnte sie gar nicht begreifen, was sie da erlebt hat: Hast du gesehen, Helga, am Ende war Papas Hemd ganz durchnäßt.

Die Versuchspersonen werden wachgeschlagen. Leuchten Sie in den Raum. Nur noch die Silhouetten der Figuren. Mittlerweile leben sie permanent unter Nachtbedingungen. Seltsam: Nun ist der Tastsinn soweit reduziert, daß sie im abgedunkelten Raum die eigene Stimme aktivieren müßten, um sich zu orientieren, sie müßten auf Stimmfühlung gehen mit den anderen Patienten und die Raumverhältnisse durch Widerhall erkunden. Aber sie unternehmen nichts dergleichen. Das sind keine Lippen zum Formen von Lauten mehr, das sind nur noch Lippen zum Zerbeißen. Wie das Geräusch der Stille selbst: Die stumme Zunge ruht auf der Unterlippe. Die Rötung der Haut, verursacht allein durch den Atem, den Abdruck wilder Luft. Sie unterliegen Tag und Nacht der Aufnahme, das spüren sie, obwohl sie keines der Mikrophone je gesehen haben. Sie können sich nicht mehr auf den Beinen halten, und niemand sieht sich mehr imstande, diese dreckigen Bündel anzufassen und zur Toilette zu führen. Jetzt müssen sie sich im Sitzen entleeren, und den durchtränkten Gitterbettmatratzen entströmt bei jeder Lageveränderung ein derartiger Gestank, daß man die Fenster nicht mehr schließen kann, so friert in manchen Nächten der Urin in den Matratzen fest. Sie führen ein Tierleben, sie sind uns endgültig entglitten.

In der Stille der Nacht, dem akustischen Dämmern entgegen: Doch ist dies nicht mehr das Rascheln irgendeines Tieres am Straßenrand, kein welkes Laub, das sind gegerbte Rachen. Es kostet den Menschen ungeheure Kraft und Zeit, die eigene Stimme zumindest in einem gewissen

Umfang zu beherrschen, aber wie leicht geht das mühsam Angelernte wieder verloren, wie wenig Anstrengung braucht es, alles wieder zu löschen, ohne daß nur die kleinste Spur zurückbliebe. Wie ein Hund jegliche Erziehung zur Disziplin hinter sich läßt, sobald er eine Erinnerung an die Welt vor der Existenz des Menschen wittert.

Das Rasseln aus versteppter Kehle. Ganz junge Leiber sind das, die jungen Blauköpfe, welche an ihrer eigenen Stimme zu ersticken scheinen. Sie dörren aus, von innen, da sich ein endloser Fluß aus allen Körperöffnungen ergießt: nicht nur Urin, auch Speichel, Rotz, ständige Tränennetzung. Worauf ist dieser immense Flüssigkeitsverlust zurückzuführen? Der Mensch ist offensichtlich seiner eigenen Stimme nicht gewachsen, sobald er sich ihr vollkommen nackt ausgesetzt sieht: Die nackte, ungezügelte Stimme hören zu müssen, kann kein Mensch über längere Zeit ertragen.

Da pißt schon wieder einer, da spritzt ein feiner Strahl gleich vor mir auf den dunklen Boden. Hinter den Gitterstäben leuchtet eine Lache. Am Anfang hat man gar nichts sehen können, langsam aber gewöhnen sich meine Augen an die Dunkelheit: Oben hängen die Flughunde, im Schlaf haben sie die Flughaut fest um den Körper geschlungen. Jetzt ist einer aufgewacht: Fängt an, sich das Fell zu lecken, man kann sogar die kleine Zunge erkennen, die über den pechschwarzen Bauch fährt. Da flattert plötzlich ein anderer Flughund im Käfig herum, dabei hat keiner gesehen, wie er vom Schlafplatz weggeflogen ist. Ganz schwaches Licht, damit die Flughunde glauben, es sei schon Nacht. Weitere Tiere lösen sich von der Decke, ein ganzer Schwarm ist in der Luft, und oben falten alle, die noch kopfüber hängen, schon ihre Flügel auf.

Vor mir sitzt jetzt ein Flughund auf dem Boden. Er liegt vielmehr, auf dem Bauch, und seine Flügel hat er ausgestreckt. Er schnuppert da im Sand herum, der Kopf schwenkt vom einen Flügel zum anderen. Der Flughund krabbelt ein Stück weiter, aber er benutzt dafür nicht seine kurzen Hinterbeine, sondern nur seine Flügel. Das sieht aus wie bei einem Mann, der keine Beine hat und auf ein Brett mit Rollen geschnallt ist. Der Flughund reckt den Kopf, er horcht, die Ohren wackeln. Er schaut mich an mit seinen schwarzen Knopfaugen. Weit offen sind sie, in die Dunkelheit gerichtet.

Siehst du, Hilde, und du hast mir nicht glauben wollen, daß es tatsächlich diese Tiere gibt, diese Flughunde, daß wirklich ein Freund von Herrn Karnau welche davon hat.

Das stimmt doch gar nicht, du hast mir das nicht geglaubt, als mir Herr Karnau das erzählt hat.

Du lügst.

Was sagst du da?

Psst, macht Herr Moreau: Seid ein bißchen leiser, Kinder, Ihr sollt die Tiere nicht erschrecken.

Herr Moreau ist strenger als Herr Karnau. Als wir zu Mama ins Sanatorium gekommen sind, hat sie uns nicht verraten, daß wir mit Herrn Karnau die Flughunde anschauen dürfen. Eigentlich sollten wir schon am Nachmittag wieder nach Hause. Nur ein kurzer Besuch, denn Mama geht es immer noch nicht richtig gut, sie ist diesmal viel länger in Dresden als sonst.

Herr Karnau hat einmal erzählt, daß er nachts bei Verdunkelung keine Angst hat, daß er das sogar schön findet, wenn es so dunkel ist über der ganzen Stadt und man den Himmel besser sehen kann, tiefschwarz. Aber dies ist ein Schwarz, das uns erdrückt. Und die Flughunde hier sind es, die alles Licht aufsaugen, die alle Luft verschwinden lassen. Als wenn die Luft fehlt, als wenn das Schwarz die Luft aus dem Hals herausdrückt, als wenn sich alles zusammenzieht und niemand mehr atmen kann. Dann singen die Leute, damit der Luftstrom nicht versiegt, damit die Luft auch bestimmt weiter ein- und ausgeatmet wird, die Töne zeigen nur an, daß man nicht um das Atmen fürchten muß, daß man gewiß sein kann: Da ist noch Luft, obwohl schon alles schwarz ist.

Hermann, erinnerst du dich noch daran, wie du als Kind die Zigarettenbilder von mir bekommen hast? An einem besonders konntest du dich nicht sattsehen, aus dem Album TIERWELT, oder aus FERNE LÄNDER: Das war der Schlafbaum einer Flughundkolonie auf Madagaskar. Und nun beobachten wir hier wirkliche Flughunde mit eigenen Augen, nach so langer Zeit, das ist jedesmal wieder ein seltsames Gefühl, als belebte sich jene alte Tuschezeichnung, als träten, wenn sie aufwachen, die Tiere aus dem gemalten Bild hervor.

Moreau flüstert nah an meinem Ohr, ohne den Blick von den Flughunden abzuwenden, die er vor vier Jahren von einer Reise nach Madagaskar mitgebracht hat. Ursprünglich war er ein Bekannter meiner Eltern, aber mir schien es als Kind, als besuchte er im Grunde vor allem mich: Jedesmal kam er mit neuen spannenden Geschichten, von Golems, Vampiren und anderen Nachtgeschöpfen. Vor allem eine Erzählung ist mir bis heute im Gedächtnis haften geblieben: von einem Arzt, der auf einer abgeschiedenen Insel lebt, inmitten von Kreaturen auf der Stufe zwischen Tier und Mensch. Moreaus reiche Kenntnis der Tierwelt bot Anlaß zu unzähligen Fragen, und später war er es, der mich das Unterscheiden und

Imitieren von Tierstimmen lehrte. Mir ist er immer wie ein alter Mann vorgekommen, obwohl er damals doch kaum mein jetziges Alter gehabt haben kann.

Wir sitzen im Salon von Herrn Moreau, wir Kinder sind allein. Helmut schaut sich im Zimmer um, die Bilder an den Wänden, die Photos auf der Kommode. Helmut zieht die oberste Schublade heraus, obwohl das bestimmt verboten ist. Wir haben nichts zu tun, auch keine Lust zum Spielen. Auf einmal ruft Helmut: Schaut mal, was hier ist, seht euch das an.

Er hat die große Schranktür aufgemacht und schwenkt vor unseren Augen eine Tafel Schokolade in der Luft: Hier ist noch mehr davon, guckt mal, und hier, Pralinen. Habt Ihr in eurem Leben schon mal so viele Tafeln Schokolade gesehen?

Nein, niemals. Und das ist richtige Schokolade, eckige Tafeln, nicht diese in den runden Dosen, die Papa manchmal ißt, obwohl sie bitter schmeckt. Süßigkeiten haben wir schon lange nicht mehr bekommen, wir sind jetzt richtige Kriegerkinder, und die Kriegskost, die wir zu Hause bekommen, schmeckt noch weniger gut als das Essen früher. Dabei haben damals schon die Leute gesagt, bei uns werde immer nur dürftiges Essen serviert, und manche Gäste aßen sich zu Hause satt, bevor sie zur Einladung kamen. Helmut fragt: Meint Ihr, wir können eine davon essen? Es bleibt ja immer noch genug für Herrn Moreau übrig.

Die anderen schauen mich an: Ach bitte, Helga, nur eine einzige Tafel.

Helmut darf sie öffnen, wir sehen gierig zu. Wie schön das Silberpapier knistert. Vollmilchschokolade. Schon strecken alle ihre Hände danach aus, aber Helmut hält die

Tafel fest: Hört auf damit, die Schokolade bricht ja durch. Helga soll die Tafel teilen, damit jeder gleich viel erhält.

Er reicht sie mir herüber: acht Riegel hat die Tafel. Wir sind sechs. Für jeden einen ganzen Riegel, und dann noch zwei durch sechs: Hier, und hier, für dich. Den Rest können wir aufteilen, wenn jeder seinen Riegel aufgegessen hat.

Keiner sagt was, alle knabbern an ihrer Schokolade und schauen in die Gegend. Hilde lutscht ihren Riegel wie einen Lutscher. Man kann aber auch ganz kleine Teile abbeißen, wenn man sich Mühe gibt. Dann hält die Schokolade länger. Zu Hause gibt es dünne Suppe. Wenn Papa zum Essen zu Hause ist, dann sitzt er da und schlürft seine Suppe, ohne zu merken, wie dünn sie ist, und wenn wir mit ihm reden wollen, wenn wir ihn etwas fragen, dann schaut er nicht vom Teller auf, dann nickt er nur und schlürft besonders laut, anstatt ein Wort zu sagen. Er beachtet nicht, was er da ißt, so kommt er auch nicht auf die Idee, die Köchin etwas Besseres für uns kochen zu lassen. Dann wieder starrt er uns entgeistert an und wundert sich, wie blaß wir sind. Von den zwei übrigen Riegeln will Helmut einen größeren Anteil als die anderen, er hat die Schokolade schließlich auch gefunden. Schnell stopft er sich einen ganzen Riegel in den Mund. Aber das ist ungerecht.

Helmut schluckt. Jetzt bleibt uns nichts anderes, als eine zweite Tafel Schokolade aus dem Schrank zu holen. Herr Moreau hat so viel Schokolade, daß ihm nicht auffallen wird, wenn zwei Tafeln im Schrank fehlen. Wir müssen nur nachher das Papier irgendwie verschwinden lassen. Jetzt teilen wir die Ration gleich zu Anfang auf, dann gibt es keinen Ärger. Helmut nimmt ein Stück, legt es auf die Zunge und spricht mit offenem Mund, aber der angeschmolzene Brocken Schokolade fällt heraus. Es ist gar nicht so einfach, zu sprechen, wenn man etwas auf der Zunge hat: Auch Hilde fällt ein Stück auf den Boden, und Heide spuckt die Schokolade aus, ohne daß sie überhaupt erst versucht hat, etwas zu sagen. Wir machen die nächste Tafel auf. Holde läßt sich ein Stückchen Schokolade von oben in den Mund fallen. Sie verschluckt sich beinahe, so muß sie dabei lachen. Jetzt könnten wir auch mal diese Pralinen probieren.

Sind die mit Schnaps? Dann schmecken sie nämlich nicht.

Wir reißen die Folie auf: Das ist Nougat, der ist so weich, der schmilzt im Mund ohne Kauen. Hilde setzt sich auf einen Sessel, und Helmut hält ihr ein Stück hin. Sie macht den Mund auf. Aber gerade als sie nach dem Stück schnappen will, zieht Helmut es ihr weg und ißt es selber. Beim nächsten Stück ist Hilde schneller, sie beißt Helmut fast auf die Finger. Aber es hat nicht wehgetan. Helmut geht mit der Pralinenschachtel herum und legt jedem Nougat in den Mund.

Was ist denn hier los?

Herr Moreau sieht das verschmierte Sofa, die braunen Stoffbezüge und die Flecken auf dem Teppich. Auf dem Boden liegt das zerrissene Schokoladenpapier. Wir sagen nichts. Das Nougatstück in Helmuts Hand beginnt zu schmilzen.


Als Hörer kann man sich, mit ein wenig Überwindung, an die abscheulichsten Geräusche gewöhnen, nach einiger Zeit erträgt man das klägliche Wimmern, welches anfangs noch einen stechenden Kopfschmerz verursacht hat, völlig unbeschadet, ja, selbst die furchtbaren Schreie, welche die Luft Tag und Nacht erfüllen, erscheinen bald nur noch als schwaches Hintergrundgeräusch, welches sich schon durch ein Flüstern übertönen läßt. Und das, nachdem man sich in den ersten Tagen kaum in der Lage gesehen hat, die eigene Stimme über diesen Lärm zu erheben, nachdem man jeden Satz mehrmals anfangen mußte, bis es endlich gelang, ihn klar und deutlich zu Gehör zu bringen.

Bei einer Schallquelle jedoch, die solche selber hervorgebrachten Geräusche wahrnimmt, stellen sich seltsamerweise bald die ersten Anzeichen des körperlichen Verfalls ein. Sobald es sich um eigene abscheuliche Laute handelt, sieht man sich diesem Höllenlärm nicht mehr gewachsen, auf Dauer wirkt er lebensbedrohlich. Man geht, wie die Versuchspersonen, ganz langsam zugrunde. Wie kann es kommen, daß das menschliche Gehör eine derart markante Trennung vornimmt zwischen fremder und eigener Stimme? Wie kann es kommen, daß das Personal in diesem akustischen Umfeld bei durchschnittlich guter Gesundheit ist, die Versuchspersonen aber mit Schüttelfrost und Kreislaufkomplikationen auf die eigenen Stimmfärbungen reagieren? Daß innerhalb der Gruppe Körperkontakt vermieden wird, während sie sich mit abgebissenen Nägeln die eigene Kopfhaut wundkratzen, daß das taktile Selbstbewußtsein der Patienten stark gemindert scheint und sich bald nicht einmal mehr medikamentös motivierte Sprechakte auslösen lassen?

Moreau antwortet: Vielleicht zerfrißt der Ultraschall ihr Inneres, vielleicht wirken diese Frequenzen, die sie zwar produzieren, aber nicht hören können, ganz massiv auf den Körper, so daß die Eingeweide vibrieren und die Versuchspersonen eine unerträgliche Übelkeit verspüren. Sie sehen sich einem nicht zu ortenden körperlichen Dröhnen ausgesetzt, unter welchem die Trommelfelle und Gedärme zu platzen drohen, der Blutdruck wird manipuliert, die

Hirnströme durch Schallwellen abgesenkt. Ohne daß die Versuchspersonen davon wissen, schwingen in ihren Stimmen Ultraschallfrequenzen mit, die an den inneren Kern des Menschen rühren, jenen Kern, dem diese Töne entspringen, als Nebeneffekt jener Stimmfärbungen, die den Versuchspersonen entlockt werden. Im Grunde handelt es sich hier um einen von außen auferlegten Selbsttötungsvorgang, bis zum Ende des Gewebes.

Du meinst, wir haben diese Möglichkeit bisher nicht in Betracht gezogen, weil Ultraschall von Natur aus gar nicht hörbar ist?

Nicht von Natur aus: Wir Menschen können ihn nicht hören, aber bestimmte Tierarten nehmen ihn doch wahr. Denk nur an dieses seltsame, manchen Menschen unheimliche Aussehen eines Fledermauskopfes: die gekrauste Nase und die riesigen, bis zu dreihundertsechzig Grad drehbaren Ohren. Beides dient der gesteigerten Empfangsfähigkeit.

Moment, Moment, heißt das, daß Fledertiere aufgrund ihrer guten Ohren an einer Welt teilhaben, die uns Menschen verschlossen bleibt?

Auf Fledermäuse trifft das sicherlich zu, auf Flughunde aber zum Beispiel, nach den gegenwärtigen Erkenntnissen, wohl nicht. Die Welt der Geräusche ist sehr viel größer, als wir uns vorstellen können.

Du kannst doch nicht allen Ernstes behaupten, wir wären dieser unbekannten Welt ausgeliefert, benachteiligt gegenüber anderen Arten, als wären wir alle taub, während diese Tiere das gesamte Reich der Laute wahrzunehmen imstande sind.

Es gibt da selbstverständlich Abstufungen. Schon ein Hund oder eine Katze haben ja ein wesentlich breiteres Spektrum der Schallwahrnehmung als der Mensch. Aber

das Hörvermögen von Fledermäusen liegt noch weit darüber.

Und der Mensch kann diese Töne zwar nicht hören,
produziert aber ständig solche Geräusche, ohne davon
überhaupt zu wissen?

Das ist gut möglich. In der menschlichen Stimme
schwingen Frequenzen mit, die für uns keine Rolle
spielen, da wir sie nicht mit dem Ohr wahrnehmen.

Bist du dir überhaupt im klaren darüber, was du da
sagst, welche Tragweite das für die Erfassung der hörbaren
Welt hat?

Aber die Vorstellung von Ultraschall müßte dir, als
Akustiker, doch bekannt sein.

Ganz ohne Zweifel, ja, als theoretischer Faktor, doch
dieses Phänomen hat in meiner Vorstellung niemals die
Form wirklicher Töne angenommen. Wenn es heißt, ein
Hund höre besser als ein Mensch, so erschien mir die Bedeutung immer in dem Sinne: der Hund hört genauer,
schon aus der Ferne die Schritte seines Herrn und dessen
Stimme, aber doch nicht solche Schattierungen der Men-
schenstimme, die ein Mensch niemals hören kann.

Und mit einem Mal zerfällt die Stimmgebungskarte unter meinen Händen, die eingetragenen Linien leiten fehl,
haben immer nur fehlgeleitet, plötzlich ist die gesamte
Karte wieder weiß und leer, verschwinden alle Zeichnun-
gen, der stille Aufmarsch der Taubstummen (das unruhige
Fuchteln ihrer Arme in der dunstigen Luft, das Auftreten
der Füße im durchweichten Gras), der Scharführer und
der Kasernenhofton (unter herbstlichen akustischen Bedingungen, Nieselregen, Lichtverhältnisse: noch nicht
ganz Tag), die fallenden, gefallenen Soldaten (in erster
Hitze, Frühsommer und nachts), die verstörten Figuren in
Unterhosen (in Kachelkälte, ausgeleuchtete Mundhöh-

len), aus ist es mit dem Schreien, dem aufgeregten Hecheln und dem schrillen Pfeifen, aus mit dem Gellen von Befehlen, dem Röcheln des hoffnungslosen Krüppels und dem Wimmern eines Feiglings, aus ist es mit dem schauderhaften Keuchen der Paare in den Betten, mit den zerfressenen Stalingradstimmen, alles verschwindet aus meinem inneren Ohr, alles wird zurückgesaugt in die Stille angesichts jener nie hörbaren Töne in der Welt, die nur die Tiere kennen.

VI

Stille. Tatsächlich einen Moment lang Stille. Ich schaue durch den Vorhangspalt nach draußen: Nur dunkle Nacht. Als wären alle Soldaten plötzlich im selben Augenblick zu müde zum Kämpfen und machten eine Pause. So still ist es, daß vielleicht sogar die Nachttiere nicht das leiseste Geräusch hören. Und der Himmel ist auch für einen Moment völlig schwarz, kein roter Schimmer über der Stadt, keine Lichtspuren. Keine Nachtschatten. Die Flakscheinwerfer sind alle ausgeschaltet. Anscheinend fallen auch keine Bomben jetzt, der Himmel ist so schwarz, wie Herr Karnau ihn sich immer gewünscht hat. Keine Himmelszeichnungen hellen die Finsternis auf, keine Tableaus verschlungener Algen, kein einziger dieser gezackten Christbäume, welche die Nacht taghell machen.

Auch hier im Zimmer ist es fast dunkel, nur die Lampe auf Mamas Schminktisch leuchtet. Heide spricht leise mit Mama und schaut ihr beim Schminken zu. Mamas Schlafzimmer ist nun der einzige Ort im Haus, wohin wir uns zurückziehen können. Woher Mama nur diese Ruhe hat. Wenn sie sich schminkt, überkommt sie immer diese bewundernswerte Ruhe, das hat sich nie geändert, das war im Frieden so und auch in den ganzen Kriegsjahren ist es so geblieben. Früher, wenn Papa Empfänge gab, durften wir manchmal noch bei Mama sein, bevor wir dann ins Bett mußten. Sie schminkte sich schnell ab, um dann das Abend-Make-up aufzulegen, sie brauchte dafür nur ein paar Minuten, wenn Papa unten schon mit den Gästen wartete, und trotzdem schien es immer, als ließe sie sich endlos Zeit. Das Schlafzimmer ist Mamas Reich, und Papa hat es nie gewagt, sie hier zu stören. Nur wir Kinder durften herein, wenn sie sich fertig machte.

Und heute besteht Mama noch immer darauf, daß man ihr beim Schminken Ruhe läßt, obwohl sich alles in der letzten Zeit verändert hat. Heide zupft Mama am Ärmel: Warum sind hier bei uns jetzt so viele Leute? Wie lange bleiben die noch hier? Wir kennen die doch gar nicht.

Heide, das sind Flüchtlinge. Und weil sie sonst nirgendwo unterkommen können, lassen wir sie hier wohnen. Es dauert nicht mehr lange.

Die sehen anders aus als wir, manche sind ganz dreckig, waschen die sich denn nicht?

Mama hat uns immer eingeschärft, daß es ganz wichtig ist, sich immer ordentlich zu waschen und zu kämmen. Das ist ähnlich wie mit dem Schminken: Man tritt den anderen dann immer mit einem gewissen Schutz gegenüber. Mama sagt, je älter man wird, desto deutlicher spürt man das. Darum darf ich seit einiger Zeit nun auch allein im Bad sein, ich darf sogar die Tür abschließen, damit meine Geschwister mich nicht stören können. Sonst kamen sie immer hereingelaufen, wenn ich in der Badewanne saß und wollten auch hinein, sie merkten gar nicht, daß ich meine Ruhe wollte, sie begriffen es nicht, so oft ich ihnen das auch sagte. Die Kleinen brachten ihr aufgeschwemmtes Holzboot, das eigentlich nur für den See gedacht ist, und wollten es unbedingt schwimmen lassen, obwohl noch Entengrütze dranklebte. Und wenn ich ihnen verbot, ins Wasser zu steigen, dann turnten sie vor dem Spiegel herum. Es gab jedesmal Streit, bevor sie sich endlich verzogen.

Mama trägt Rouge auf: Die waschen sich genauso gründlich wie Ihr, Heide. Aber sie sehen eben mitgenommen aus, weil sie aus ihren Häusern fliehen mußten, als der Krieg sie dort erreichte. Und alles, was sie besaßen, haben sie verloren, darum können sie nicht zweimal täglich ein neues Kleid anziehen, wie wir das tun. Im Moment sind sie einfach froh, daß sie hier bei uns sicher sind, weil der Krieg hierher nicht kommt. Und jetzt laß Mama mal einen Moment in Ruhe.

Mama zieht den Lidstrich an ihrem linken Auge. Dabei konzentriert sie sich ganz auf diesen schmalen Streifen Haut, damit der Stift nicht in den Augapfel abrutscht. Wahrscheinlich ahnt sie nicht, warum Heide ihr so viele Fragen zu den Flüchtlingen stellt. Sie war nämlich nicht dabei, als einer der Gäste im Haus Heide so erschreckt hat, ohne es zu wollen: ein älterer Mann, der Heide mochte und ihr ein Zauberkunststück vorführte. Er zeigte ein buntes Taschentuch vor und ließ es dann flink zwischen seinen Händen verschwinden. Heide wollte diesen Trick durchschauen, sie lachte und zeigte auf den Ärmel des Mannes, aber dort war es nicht versteckt, der Mann zog sich das Tuch aus dem Mund und ließ es wieder über seine Hände gleiten. Heide sah nur dieses Taschentuch und bemerkte dabei nicht, daß der Mann an jeder Hand nur noch zwei Finger hatte. Er sah tatsächlich etwas schmuddelig aus und machte unabsichtlich Geräusche: mit jedem Atemzug ein Rasseln aus seinen Lungen. Als Heide die Fingerstümpfe endlich auffielen, lief sie gleich schreiend aus dem Zimmer.

Mama hat sich gepudert und schaut in den Spiegel. Sie lächelt uns entgegen. Aber sie hat noch Schmerzen im Gesicht, das sieht man ihr an. Am Mund, wo ihre Lippen ein bißchen schief hängen beim Sprechen. Immer dieser Nerv auf der rechten Seite, obwohl sie operiert wurde vor ein paar Monaten. Manchmal liegt sie den ganzen Tag mit kalten Wickeln im Bett und kann sich nicht rühren. Das wird wohl niemals wieder gut.

Heide schleppt jetzt überallhin diese Schlenkerpuppe,

die Hedda hatte, als sie noch klein war. Wie oft hat Mama die schon wegwerfen wollen und gesagt: Die ist ja ganz zerlumpt und dreckig, du hast doch deine eigenen schönen, neuen Puppen. Aber Heide gibt die Schlenkerpuppe nicht her. Sie nuckelt an dem Puppenohr herum und läuft aus dem Schlafzimmer fort.

Mama?

Ja, Helga?

Der Krieg, ist der jetzt wirklich bald zu Ende?

Ja, dieses Jahr noch, ganz bestimmt.

Bleiben wir so lange hier in Schwanenwerder? Oder müssen wir noch einmal umziehen?

Mama zuckt mit den Achseln: Es liegt nicht an uns, das zu entscheiden. Wenn es woanders sicherer ist als hier, gehen wir natürlich dorthin.

Die Fahrt von Lanke hierher war schlimm. Wir brachen mitten in der Nacht auf, die Wagen kamen kaum vorwärts, weil die Flüchtlingstrecks uns aufhielten, die zerlumpten Leute machten uns zwar Platz und schoben ihre Karren an die Seite, aber wir mußten trotzdem langsam fahren, und im Dunkeln konnten wir sehen, was da alles mitgeschleppt wurde: Koffer und Teppiche, Lampen und sogar große Schränke. Ich glaube, an einer Stelle habe ich ein totes Pferd am Straßenrand erkannt.

Mama sprüht sich zum Schluß Parfüm hinter die Ohren und unter das Kinn. Sie gibt mir auch etwas auf die Handgelenke. Sie prüft noch einmal ihre Frisur und steht dann auf: Komm, Helga, wir gehen hinunter zu den andern.

Alle haben sich im Wohnzimmer versammelt, denn heute wird Papa eine Rundfunkansprache halten, und das hat er schon lange nicht mehr getan. Da sitzen sie in ihren Mänteln, Mama gibt mir eine Wolldecke, diese Februarkälte ist kaum auszuhalten. Das Radio wird angeschaltet, und alle schweigen. Da kommt die Ansage, und dann beginnt Papa zu sprechen. Wir befinden uns in einer Krise, aber es besteht Aussicht auf Besserung. Unsere Feinde jubilieren zu früh, wie schon so oft, als sie meinten, sie hätten uns das Rückgrat zerbrochen. Die Soldateska, die den Frauen ihre erschlagenen Säuglinge vor die Füße legte, hat uns einen Anschauungsunterricht erteilt, aber Papa, der jetzt für seine Person spricht, glaubt unerschütterlich daran, daß wir den Sieg davontragen werden. Falls nicht, hat die Welt keine tiefere Daseinsberechtigung mehr, ja, das Leben in ihr wäre schlimmer als die Hölle, und Papa hielte es nicht mehr für wert, gelebt zu werden, weder für sich noch für seine Kinder. Er würde dieses Leben mit Freuden von sich werfen.

Mama, wie ernst meint Papa das? Würde er sich dann töten wollen? Und seine Kinder? Das sind doch wir.

Aber Mama antwortet nicht, sie starrt nur auf den Lautsprecher. Auch von den anderen sagt keiner etwas, keiner sieht mir ins Gesicht, sie halten den Kopf gesenkt, um sich zu konzentrieren, sie haben die Augen geschlossen, oder sie schauen an mir vorbei zum Radio. Weder für sich noch seine Kinder: Oder spricht da gar nicht Papa, ist das wieder nur ein Stimmenimitator vom Feindsender, der sich in das Programm hineingeschaltet hat, und der Papa so etwas sagen läßt? Doch Mama hört mich nicht, sie hört nur diese Stimme.

Man hört nichts mehr, nichts, die Laute sind nicht mehr zu unterscheiden, alles geht unter in dem Dröhnen, diesem ohrenbetäubenden Dröhnen, welches die Luft erfaßt hat und den Körper, daß der Leib stottert. Ist das mein Ende, ist das jenes Rauschen, welches alle Töne in einem Höllenlärm zusammenfallen läßt? Ist dies der Absturz in den

Tod? Nein, die Maschine fängt sich wieder, und das Motorenstottern weicht dem Pfeifen des Flugwinds, da wir nun in Spiralen runtergehen, auf das Ziel zuhalten, Flammenmeer, und ständig droht Beschuß aus den Ruinen unten, denn niemand weiß genau, wie weit der Feind schon vorgedrungen ist. Im Anflug eine Piste zwischen den zerbombten Häusern, das kann doch nicht der Kurfürstendamm sein, aber er muß es sein, es gibt keine andere Landebahn mehr in der Stadt, sämtliche Bäume der Allee abgeholzt, die Straßenbahngleise nicht mehr zu erkennen, da hat man wohl zusätzlich Schutt aufgetragen und festgewalzt. Wir kommen der provisorischen Piste immer näher, und mit ungeheurer Geschwindigkeit tritt jetzt im Blickfeld ein Detail nach dem anderen hervor: Ein ausgebrannter Straßenbahnwaggon, ein Fahrzeugwrack quer auf dem Gehsteig, Schotter, zersplissene Holztüren, Badewannen als Panzersperren, ein Versehrter, beinlos, der sich mit Hilfe seiner Arme weiterschleppt, und dort ein Flüchtlingstreck, der Rest einer Familie, ein Kinderwagen vollgestopft mit Hausrat, jetzt erkennt man sogar die eingefallenen Wangen, Haut, rot, ganz trocken, und die Kindernase läuft. Das Bild geht in einer Staubwolke unter, mit einem Ruck setzt die Maschine auf, schlottern jetzt meine Arme, oder werden sie von den Erschütterungen des Flugzeugs erfaßt?

Da stürzt auch schon ein bewaffneter Trupp aus einem leergebombten Ladenlokal, um die Maschine zu entladen, kaum daß sie zum Stillstand gebracht ist. Die Lebensmittelkisten werden unter vorgehaltener Waffe aus dem Laderaum geholt. Die ganze Stadt ist rationiert, alle sind auf Rapskuchen gesetzt, auf Rüben und Melasse, die Bevölkerung soll Wurzeln sammeln, Eicheln, Pilze, Klee, wo sie auf der verbrannten Erde, zwischen den Trümmern überhaupt noch etwas Lebendiges finden kann, auch Anleitungen zum Froschfang hat man am Ende ausgegeben, alle greifbaren Warmblüter, so heißt es, seien unverzüglich zu verschlingen. Im Zoo, heißt es, herrschen katastrophale Zustände: Vorgestern, am Freitag, dem 20. April, hat er zum ersten Mal in seiner Geschichte schließen müssen, seitdem gibt es keinen Strom mehr, die Wasserpumpen stehen still, in den Bassins nur trübe Brühe, so daß die Haut der Delphine schon erste Risse zeigt.

Wie aber sieht die Lage der Flughunde aus? In welcher Verfassung befinden sich die Nachkommen jener von Moreau aus Madagaskar eingeführten Tiere, die er dem Zoo gespendet hat? Sie sind die letzten Überlebenden, nachdem die Zucht in Dresden ausgelöscht worden ist, mitsamt ihrem Züchter, der unter den Trümmern des Hauses bei seinen Tieren begraben liegt, seit am Vormittag des 14. Februar eine Bombe das Dach durchschlagen hat.

Erst wenige Tage vorher hatten wir uns voneinander verabschiedet. Mir wird das Bild immer im Gedächtnis haften bleiben: Im abgedunkelten Flughundzimmer die Gestalt des hageren, unter den Entbehrungen zittrig gewordenen Mannes, wie er seinen schwachen Tieren geduldig Blutwurststücke hinhält, die sie nicht einmal mehr beachten, ein letzter Versuch, die Flughunde am Leben zu halten, Blutwurst in Dosen, aus wer weiß welchen geheimen Beständen, Blutwurst in Dosen, da nichts anderes greifbar ist, von Moreau dargeboten in stiller Verzweiflung, weil doch schon beim Aufspüren dieser Dosen klar gewesen ist, daß die an frisches Obst gewöhnten Flughunde nichts von der Blutwurst fressen würden, keine Kämpfe um Futter mehr, kein Geschrei, wenn ein Tier das andere mit wildem Flügelschlag von einem Pfirsich, einem Apfel verjagt, um seine Zähne in das Fruchtfleisch zu

schlagen. Er gibt nicht auf, er dringt nachts in die Haupt-
post ein und sucht nach Lebensmittelpaketen, die nicht
mehr zugestellt werden können, aber auch deren Inhalt
nehmen die Tiere nicht an, möglich, daß sich bereits un-
sichtbarer Schimmel gebildet hat, dessen Geruch sie ab-
schreckt.

Seit dem Erhalt der Todesnachricht steht für mich fest,
daß bei meinem nächsten Besuch in Berlin als erstes nach
den Flughunden zu schauen sei, unter welchen Bedingungen auch immer, ungeachtet der damit verbundenen Gefahren. Und nun hat man mich in dieses Trümmerfeld
zurückbeordert. Rauchschwaden über der Stadt in öst-
licher Richtung, Einschläge ganz in der Nähe lassen die
Luft erzittern, und nicht weit entfernt sind Schüsse zu
hören, Bäume liegen entwurzelt auf dem Trottoir, das Ele-
fantentor ist zerschossen, am Boden ein verbogenes Schild
DIE TOTENKOPFÄFFCHEN DÜRFEN INS FREIE, die
Beete sind zerfurcht, verkohlte Baumstümpfe säumen den
Weg, wo eine verletzte Deutsche Schautaube mit abge-
spreiztem Flügel versucht, sich in Richtung der verwahrlosten Rabatten zu schleppen.

Entenkadaver treiben auf dem Teich. Auf einer Park-
bank sitzen zwei verwundete Soldaten regungslos aneinander gelehnt, längst kampfesmüde, und auf dem Schoß
des einen liegt die Maschinenpistole noch schußbereit. Sie
starren mit leerem Blick in den Himmel, doch jetzt rührt
der eine sich, sein Oberkörper fällt zur Seite, die Waffe
rutscht, dann sinkt der schwere Leib mit schlaffen Armen
und zieht den anderen mit zu Boden.

Mit brennendem Feuerzeug in den Nachtkeller hinunter, flackernde Lichtreflexe, offensichtlich haben sich
hier die Mitarbeiter des Zoos während der Angriffe ver-
schanzt. Ein Flughund flattert mir entgegen, an meinem

Kopf vorbei und durch die Dunkelheit in Richtung Ausgang, wo er, vom hellen Frühlingslicht irritiert, in unsauberen Flugbahnen herumtrudelt und bald aus dem Blickfeld verschwindet. Anscheinend ist das Gehege geöffnet worden, und während sich die schwache Feuerzeugflamme dem Käfig nähert, kommt mir ein furchtbarer Verdacht. Beim nächsten Schritt ein leises Knacken. Gehe in die Hocke: Da liegt ein kleiner, freigelegter Brustkorb mit sauber abgenagter Wirbelsäule. Leuchte den Boden aus, senge beim Suchen Pelzfetzen an, knisterndes Oberhaar. Und hier: ein losgelöster Flügel. Flughaut. Schwarzer, ungenießbarer Rest. Nicht weit davon ein geschälter Kopf, mit aufgesperrten Augen. Und Dunkelheit. Das Feuerzeug ist leer.

Hat irgendwer noch eine Werwolf-Nachricht?

Papa sagt das mit einem Lächeln, aber man sieht, daß er sich dabei quält. Der Werwolf ist jetzt Papas große Sache. Schon ist er wieder aus dem Zimmer und fragt jemanden auf dem Flur. Den ganzen Tag macht er jetzt Meldungen für seinen Werwolfsender. Er muß den Werwolf füttern, sagt er, und will von jedem Erwachsenen eine gute Idee hören. Papa geht Heldentaten sammeln. Wenn Mama etwas einfällt oder dem Sekretär oder sogar dem Fräulein im Vorzimmer, dann muß er sich das gleich notieren. Das Fräulein im Vorzimmer hat er früher nie gefragt, wenn er Ideen brauchte.

Der Werwolf, ja, der Werwolf ist jetzt unsere große Hoffnung. Zerfressen, alles muß zerfressen werden, sagt Papa. Und Papa meint die Kabel, er meint die Landkarten und Straßenschilder: Alles muß verschwinden, damit der Feind sich hier nicht mehr zurechtfindet in unserem Land.

Da hat der Werwolf viel zu beißen, sagt Papa: Da kann der Werwolf wildern ganz nach seinem Geschmack. Der Werwolf legt sich erst zur Ruhe, wenn dem Feind die Ohren abgebissen sind.

Was meint Papa damit? Der Werwolf ist halb Tier, halb Mensch in einem Schauermärchen.

Nein, sagt Papa, der Werwolf ist ein Partisan. Der Werwolf-Rundfunk sendet irgendwo aus dem Gebiet, in das der Feind eingedrungen ist.

Erzähl den Kindern keine Geschichten, sagt Mama, der Sender sitzt nicht weit außerhalb von Berlin. Das sind doch nur Erfindungen.

Sagen wir: poetische Freiheiten. Dies alles sind Nachrichten, wie sie sein sollten. Papa ist von Mama enttäuscht: Begreifst du nicht, daß unsere Meldungen zur Wahrheit werden müssen? Begreifst du nicht, daß wir sie über den Äther senden, damit der Werwolf irgendwo da draußen sie rigoros zur Wahrheit macht? Der Werwolf setzt jede einzelne unserer Nachrichten in die Tat um, wenn sie nur im treffenden Ton gesprochen wird, mit Zuversicht und Feuer, wenn sie zugkräftig formuliert ist, in diesem besonders kurzen Stil, meiner eigenen Erfindung für diese spezielle Lage.

Mama zuckt mit den Schultern. Papa sagt: Außerdem soll jeder deutsche Junge Angst haben, er sei der letzte, der dem Werwolf beitritt.

Helmut schaut zu Boden. Hat Papa ihn streng angesehen? Mama sagt: Kinder, Ihr geht jetzt besser in euer Zimmer.

Der arme Papa. Er ist so stolz auf seinen Werwolf. Manchmal könnte man denken, außer dem Werwolf ist gar nichts mehr da. Wir schließen unsere Zimmertür, Mama und Papa werden sicherlich gleich anfangen zu streiten, und das wollen wir nicht mit anhören. In ihrer Verzweiflung verfallen die Kleinen auf die Idee, Papa helfen zu wollen: Was Papa braucht, was Papa jetzt ganz dringend braucht, damit es ihm bald wieder besser geht, sind Werwolftaten, heldenhafte Nachrichten. Sie nehmen sich ein altes Schulheft vor, die werden ohnehin nicht mehr gebraucht. Ein Schulheft aus der Zeit, als unser Unterricht abbrach, in dem noch genug Platz ist. Sie setzen sich in eine Ecke und beginnen damit, sich Werwolfmeldungen auszudenken, und wenn das Heft bis zur letzten Seite damit vollgeschrieben ist, wollen sie es Papa schenken. Hilde läßt sich zum Notieren überreden, obwohl ihr der Sinn gar nicht danach steht. Da sitzen sie und tuscheln: Der Werwolf reißt jetzt tiefe Wunden, der Werwolf fährtet nimmermüde und fällt dem Feind in den Rücken.

Das ist Holde, mit ihrer Begeisterung für Gruselgeschichten. Aber Hilde unterbricht sie: Zackig muß es sein, wir brauchen ganz kurze Sätze: Es wird . . . es wird gestrichen. Die Straßenschilder werden durchgestrichen.

Hedda flüstert laut: Der Werwolf, der braucht Bierzeltmelodien, und zwischendrin die Nachrichten im Werwolfsender. Helmut denkt nach: Papa hat auch gesagt, man kann bei Nacht Benzin verderben, im Tank von einem Amerikanerpanzer.

Meine Geschwister bemühen sich umsonst. Es wäre schön, wenn das wirklich helfen könnte, damit dieser Krieg ein Ende fände. Hilde sagt: Es müssen schlimmere Sachen sein, zum Beispiel: Es wird geätzt. Ätzen ist schlimm. Die Augen werden ausgeätzt. Ja, ausgestochen. Also: Der Werwolf sticht dem Feind die Augen aus.

Die Hände werden abgehackt, erfindet Holde, aber Hilde kann so schnell nicht schreiben: Also erst nackt ausziehen und fesseln, und dann zerhacken? In dieser Reihen-

folge? Mordbrenner und Verwüstung. Alle Verräter umlegen. Der Werwolf, der ist unersättlich. Der hat so einen
großen Blutdurst, das kann man sich gar nicht vorstellen.

Meine Geschwister machen eine Pause und schauen einander an, als wären sie über ihren eigenen Blutdurst er-
staunt. Doch sind sie davon überzeugt, Papa damit nun
viel geholfen zu haben, und wenn er erst einmal ihre
Nachrichtensammlung in den Händen hält, dann wird er
gleich wieder fröhlicher sein.

Doch dieses Dunkel bietet keinen Schutz, nicht vor dem
Lärm der brüchigen, schrillen, verstümmelten Stimmen,
nicht vor dem Lärm des Bombardements, das Krachen der
Granaten über der Erde dringt durch die Bunkermauern
bis herunter in die unterste Etage. Nicht mehr lange, und
diese Mauern werden Risse zeigen unter den Erschütterungen, sie werden einbrechen und uns erschlagen, wir
werden von den Trümmern zermalmt werden, so wie die
schlafenden Flughunde Moreaus erschlagen worden sind
und zermalmt in der Finsternis liegen, nachdem sie sich
für einen Moment blendender Helle ausgesetzt gesehen
haben, als eine Bombe die Decke des Hauses aufriß und
strahlendes Tageslicht in das Flughundzimmer eindringen
ließ, schmerzhaftes Licht, welches die Nachtwelt der
schutzlosen Tiere endgültig zerstört hat.

So hat die eine Dunkelheit die andere aufgesogen:
Schwarz geht unter in Schwarz, in einem Schwarz, das
nichts mit jener Nacht- und Morgenwelt zu tun hat, in der
man sicher ist. Eine Dunkelheit, die nicht als Abschir-
mung gegen das grelle Licht wirkt, weil sie Licht überhaupt nicht kennt als Widerpart. In ihr geht jede Vorstellung von Licht verloren.

Stumpfecker steht vor mir in seiner Uniform. Von ihm stammt der Befehl, mich umgehend hierher zu begeben, in diese Welt ohne Tageslicht, wo wir viele Meter unter der Erde sitzen, er hat mich kommen lassen, um Stimmaufnahmen seines letzten Patienten durchzuführen. Stumpfecker legt den Zeigefinger auf die Lippen. Hier gilt es, möglichst still zu sein, vor allem in der unteren Bunkeretage, da man zu keiner Zeit des Tages und der Nacht genau weiß, ob der Patient nicht vielleicht schläft, ob er eine Geheimkonferenz abhält oder nur einfach stumm in seinem Zimmer sitzt, ohne auch nur die kleinste Störung durch Geräusche vom Flur her zu dulden.

Auf die Geräuschbelästigung durch Menschen reagiert der Patient weitaus empfindlicher als auf das Donnern der Geschütze draußen. Stumpfecker meint, daß auch die Töne des Patienten selbst von dieser Empfindlichkeit nicht ausgenommen sind: Diese Stimme, die doch früher so laut und klar gewesen ist, wird immer leiser. Was Sie aber noch nicht miterlebt haben, Karnau, und was mich wirklich bestürzt, ist, daß der Patient in den letzten Tagen manchmal gar keinen Laut mehr hervorbringen kann, und solche Vorfälle häufen sich: Er verabschiedet sich wortlos von einem Mitarbeiter, der den Bunker endgültig verläßt, und wenn sein Gegenüber beim Händedruck etwas sagt, so antwortet er nur mit geräuschlosen Lippenbewegungen.

Auf dem Tisch in meiner Kammer liegt ein ganzer Satz Wachsplatten, noch ungraviert. Ein tragbares Aufzeichnungsgerät steht ständig aufnahmebereit. Stumpfecker ist wieder fort, er will nach seinem Patienten sehen. Der überlastete Entlüfter summt. Sonst dumpfe Stille. Das Telephon klingelt, Stumpfecker am Apparat: Schnell, Karnau, kommen Sie, der Patient, sehr ernste Lage, er schreit hier schon die ganze Besprechung hindurch die Mitarbeiter an, so stark hat er die Stimme seit langem nicht mehr beansprucht, in wenigen Augenblicken wird sie weg sein, bringen Sie ihre Ausrüstung herunter.

Auf der Treppe und in dem schmalen Gang drängen sich die Menschen zusammen und lauschen mit verschrecktem Gesichtsausdruck. Und nun ist der Patient ganz deutlich zu hören, obwohl alle Türen geschlossen sind, jedes einzelne Wort ist zu verstehen, das da herausgeschrien wird von diesem überspannten, tatsächlich in Kürze versiegenden Organ. Schon sind die Risse der Stimmbänder herauszuhören, die Überreizung der Kehle. Aber das scheint den Zuhörern nicht aufzufallen, sie achten nur auf den Wortlaut der Untergangsbeschwörungen und der Beschuldigungen.

Stumpfecker hockt vor der Tür, durch die der Lärm dringt. Nervös hantiert er an seinem Arztkoffer herum: Wir warten noch, wir dürfen noch nicht hinein, aber in dem Moment, da dieser Wutausbruch zu Ende ist, betreten wir das Zimmer. Er wird kraftlos auf dem Stuhl sitzen, Sie bleiben zuerst im Hintergrund, und dann, nach der Kontrolle des Blutdrucks und der medizinischen Versorgung halten Sie das Mikrophon vor seinen Mund, dann, auf ein Zeichen von mir, müssen Sie unverzüglich mit der Aufzeichnung beginnen, während es meine Aufgabe ist, ihm ein paar Worte zu entlocken. Sie können sich keinen Patzer erlauben, Karnau, denn wir wissen nicht, ob es ihm jemals gelingen wird, die Stimme zurückzuerlangen, ob dies nicht überhaupt die allerletzte Aufnahme sein wird.

Aber der rote, der aufgeriebene, der zerschlissene Schlund bringt nichts mehr hervor. Wir sitzen in Stumpfeckers Behandlungszimmer in der unteren Etage und hören die stille Aufnahme ab. Stumpfecker versucht, die Fassung zu behalten: Hoffentlich ist diese schwere Phase bald vorbei und wir sehen wieder Licht. Schließlich hat er sich auch mehrmals einer Polypenoperation unterziehen müssen. So zum Beispiel im Mai 1935, auf Anraten der Ärzte der Charité, die am Radio eine seiner Reden verfolgt und aufgrund der heiseren Rachenstimme darauf schlossen, daß jemand, der über zwei Stunden hinweg in einer solchen Lautstärke brüllen könne, entweder einen Kehlkopf aus Stahl besitzen müsse oder eines Tages durch Sprachlähmung verstummen werde. Die letzte Operation fand meines Wissens im Oktober letzten Jahres statt, also kurz vor meiner Dienstverpflichtung, als noch einmal eine Wucherung der Stimmbänder beschnitten werden mußte.

Vielen scheint die Gesamtlage aussichtslos, und wir alle hier müssen aus nächster Nähe dem körperlichen Verfall des Patienten tatenlos zusehen. Es hat Mediziner gegeben, welche die irrige Ansicht vertreten haben, er leide an der Parkinsonschen Krankheit, aber Sie werden sehen, Karnau, wenn dieser Krieg erst einmal aus ist, und er wird bald zu Ende sein, werden eine Frischluftkur, lange Aufenthalte draußen in der herrlichen Sommersonne und eine gnadenlose Entgiftung des Patienten dessen Konstitution rasch wieder herstellen.

Erst vor zwei Tagen ist Stumpfecker zum Leibarzt befördert worden, Ablösung für den Mann, der die Kanülen lautlos in jede beliebige Vene jagen konnte. Morell, mit seinen Wunderpillen, hat den Bunker überstürzt verlassen. Und niemand hat damit gerechnet, daß von den zahlreichen anwesenden Ärzten gerade Stumpfecker ihn ersetzen sollte. Am wenigsten wohl dieser selbst. Denn das Ende unserer gemeinsamen Forschungsarbeit warf einen

Schatten auf Stumpfeckers Karriere: Hatte man die Fehlschläge seiner Arbeit an Knochenverpflanzungen in Hohenlychen noch gebilligt, wo er Späne von Insassinnen des Lagers Ravensbrück auf Patienten des SS-Lazaretts zu übertragen versuchte, was jedoch nur zu Eiterungen, zur Wucherung wilden Fleisches und schließlich zum Tod führte, so sah man sich unter den Bedingungen des fortgeschrittenen Krieges nicht mehr in der Lage, unsere Versuche noch länger zu unterstützen: Da waren wir mit dem Ziel angetreten, die Grundlagen einer radikalen Sprachbehandlung zu erkunden, und hatten schließlich nur noch stumme Kreaturen vor uns.

Anstatt Stimmfehler gezielt zu tilgen, haben wir vollständige Stimmbilder gelöscht, so daß am Ende das Zurückholen, das Einrenken, das Justieren der beschädigten Stimmen die gesamte Aufmerksamkeit kostete, die hilflosen Atemübungen, das Reinigen asthmatischer Apparate, diese von leidlichem Erfolg gekrönten Versuche in Bahnen zu lenken, wofür es doch eigentlich längst keine Rettung mehr gab, die Reparaturarbeiten an verlorenen, schon aufgegebenen Organen, was den Versuchspersonen nur verheimlicht wurde, damit sie nicht in Panik ausbrächen und die Luft mit unzähligen abirrenden Schallwellen zerrissen.

Als eine Sondereinheit einen Schlußstrich unter unsere Arbeit zog, indem sie die zu keinem Widerstand mehr fähigen Versuchspersonen in einer Ecke des Bettensaals zu einem Haufen auftürmte, mit medizinischem Alkohol übergoß und mitsamt der Baracke niederbrannte, da sah sich Stumpfecker schon um mehrere Ränge herabgesetzt. Allein seinem Lehrer Gebhardt hat er es zu verdanken, daß er im Gegenteil schon wenig später, im Oktober des letzten Jahres, zum Chirurgen im Hauptquartier an der

Ostfront ernannt wurde, wo er den Patienten oft auf den täglichen Spaziergängen begleitete.

Und nun hat er sich mit der Krankengeschichte seines Patienten innerhalb weniger Stunden anhand der vorliegenden, von Morell über die Jahre hinweg nur schlampig geführten Krankenblätter vertraut machen müssen. In der gegenwärtigen Lage zählt für den Patienten allerdings weniger die medizinische Kompetenz seines neuen Leibarztes als dessen körperliche Statur: Der fast zwei Meter Körpergröße messende Hüne, wie Stumpfecker hier genannt wird, mag zwar, so die Bedenken des Patienten, wie sie Stumpfecker aus den eigenen Reihen zugetragen worden sind, eventuell nicht so präzise und schmerzlos Medikamente injizieren können wie Morell, doch wird er, bei dieser hünenhaften Gestalt, im Falle einer gefährlichen Bombardierung ohne weiteres in der Lage sein, den Patienten auf den Rücken zu nehmen und in eine geschützte Ecke zu schleppen: wenn nötig von einem Raum zum anderen, mit dem erstarrten Bündel, das ihm mit festverkrampften Armen die Luft abzudrücken droht, den herabstürzenden Betonbrocken und Stahlträgern ausweichend, mit Kraftreserven ausgestattet, die es dem Schlepper erlauben, auch über eine längere Zeitspanne hinweg über die Trümmer zu stolpern, den Blick ständig nach oben gerichtet, um die bröckelnde Bunkerdecke im Auge zu halten, das Keuchen des Geschleppten aus den Ohren verdrängend, um zu horchen, wo der Beton aufreißt, an welcher Stelle das nächste Geschoß einschlagen wird.

Bei der Sitzung am folgenden Tag strahlt Stumpfecker wieder voller Optimismus. Die gestrige Erschöpfung seines Patienten nach der endlosen Tirade ist verschwunden. Heute erscheint der Patient guter Dinge, entspannt und bei bester Stimmkraft. Die Nadel zittert unruhig, silbrig glänzt die Gravur, die sie im matten Wachs zurückläßt. Zwischendurch nimmt der Patient immer wieder von dem Tablett mit Schokoladenkonfekt. Eine Gewohnheit, die mir schon gestern aufgefallen ist: Sie dient wohl dazu, routinegemäß und unauffällig die Stimme zu schmieren.

Beneidenswert sind diejenigen, die von einem auf den nächsten Augenblick in Schlaf fallen können. Wir haben hier solche Fälle. Ein Bote, der draußen im Essensbereich einfach wegnickt, gleich nach der Übermittlung seiner Nachricht: Dort sitzt er am Tisch unter der hellen Lampe und schläft, nur eine Viertelstunde, dann ist er sofort wieder hellwach, da er erneut hinaus muß in die Gefahren der umkämpften Stadt. An vielen Besuchern ist dieses Phänomen zu beobachten, an Ärzten, Wachen, hohen Militärs und Parteimännern, die ein und aus gehen im Bunker. Menschen, die sich zwischendurch eine Viertelstunde, zehn Minuten, ja manche nur für fünf Minuten irgendwo anlehnen und hinterher aus tiefem Schlaf zu erwachen scheinen. Mir gelingt das nicht, es kostet mindestens eine halbe, wenn nicht sogar eine ganze Stunde, bis sich endlich Schlaf einstellt, und dieses Hinübergleiten zieht sich qualvoll hin: Gegenwärtige, vergangene und zukünftige Stimmen durchfluten mein inneres Ohr und wollen nicht verstummen. Es gibt Momente, da ist jede Stimme zuviel.

Das hängt mit der absoluten Dunkelheit meiner Bunkerkammer zusammen, die Lichtverhältnisse hier unter Tage machen mir zu schaffen. Es gibt keine Dämmerung mehr am Morgen, kein Zwielicht abends, kein langsames Verwischen der Konturen, dann Verschwinden der Gegenstände und Gestalten, die Farben ändern nicht mehr ihre Tönung, von Purpur zu geronnenem Blut, von Licht- zu Tiefblau, um nach und nach alle Farben zu Grauschattierungen zu machen, die schließlich in Schwarzblau münden, schwarzblau die ganze Welt. Es gibt jetzt keinen Schimmer mehr, keinen schwach durchleuchteten Nachthimmel. Es gibt nur noch abrupten Wechsel, wenn in der Bunkerkammer ein- oder ausgeschaltet wird. Und draußen auf den Gängen, in den Gemeinschaftsräumen sind nicht einmal Lichtschalter vorhanden, dort brennen ohnehin vierundzwanzig Stunden am Tag die Lampen, woher da jetzt noch soviel Strom genommen wird, die Generatoren in der unteren Etage sind dem kaum gewachsen. Daß man die wertvolle Elektrizität derart verschwendet, aber es muß wohl alles beleuchtet bleiben außerhalb der Kammern, Schemen dürfen einander nicht im Halbdunkel begegnen, keiner darf sich auch nur einen Moment zurückziehen in Abgeschiedenheit. Vielleicht bietet der schlafende Bote auch darum ein solch seltsames Bild: Normalerweise findet man Schläfer nicht ausgeleuchtet, sondern sie ziehen sich in die Dunkelheit zurück, wo sie nicht beobachtet werden können. Welch ein Leben führen wir hier unter ständiger Beleuchtung?

Dieses Licht, das zwar nicht besonders intensiv ist und unter Beschuß auch flackert oder gar ausfällt und damit natürliche Veränderungen zu imitieren scheint, dieses Kunstlicht, in dem wir seit wie vielen Tagen nun schon ausschließlich leben, brennt auf der Haut, es sticht, sobald es angeschaltet wird, und auf die Dauer nimmt man es nicht mehr als einen Zustand, man nimmt es als Substanz wahr: Schon wieder legt sich dieser schmierig gelbe Schimmer auf alle Dinge, der sich auch durch hartnäckiges Wischen nicht entfernen läßt, auch vom Gesicht nicht, das ganz käsig ist, als wäre die ursprüngliche Farbe unmerklich daraus gewichen und durch Spuren des künstlichen Lichts ersetzt. Verbrannte Haut auf meiner Milch oder ist es nur dieses Licht? Die abgekochte Milchration bringt niemand mehr ohne Widerwillen hinunter.

Das Licht wirkt sich sogar auf die Akustik aus, es unterdrückt die natürlichen Geräuschverhältnisse: Alle Stimmen erscheinen um einen ganzen Ton gesenkt, die Laute wirken undeutlicher, dumpf. Je heller das Licht und also schärfer alle Umrisse, desto unklarer die Stimmen. Ein unwirkliches Geräuschfeld, aus dem tatsächlich alles Laute und Schrille als unzumutbare Störung heraussticht. Gibt es noch Wind, der pfeift? Noch Taubengurren? Das Zwitschern, welches der Kehle einer Amsel von allein entweicht, wenn diese von einem Ast zu einem anderen hüpft? Gibt es noch fast unmerkliche Regungen der Luft, deren Ursprung nicht auszumachen ist? Hier unten läßt sich alles leicht auf seine Ursache zurückführen: Ganz einfach eine Druckveränderung, da hat jemand die schwere Eisentür am Ende dieses Trakts geschlossen.

Niemand wagt mehr, mit Bestimmtheit die Tages- oder Nachtzeit zu benennen, und wenn jemand von draußen zu uns kommt, wird er gleich umringt und nach der Tageszeit gefragt, nach den natürlichen Lichtverhältnissen. Da stehen sie:

Leuchtend weiße Wolken vor abgeschattetem Himmel?

Nein, eher ineinander verschwimmend.

Aber Sie meinen doch nicht bedeckten Himmel, ausgelaugt, als sei ihm Licht entzogen worden?

Nein, auch nicht, eher die fleckenweise Andeutung, daß bald schon strahlendes Sonnenlicht durchbrechen könnte.

Habt Ihr gehört? Er hat gesagt, daß strahlendes Sonnenlicht bald durchbrechen könnte, welch eine Vorstellung. Daß Sie dies mit eigenen Augen haben sehen dürfen.

Wärmt denn die Sonne die Haut schon ein wenig?

Sind die Nächte schon mild?

Und sagen Sie, wie ist das mit dem rötlichen Frühlingsschimmer des Abendhimmels, kann man ihn klar vom Schein der brennenden Vororte unterscheiden?

Wo Rauchschwaden den Himmel nicht trüben, da ist es ohne Schwierigkeiten möglich.

Spielt das Licht auch auf den zertrümmerten Gebäuden über uns, oder sind sie vom Brand so sehr verrußt, daß sie die Sonnenstrahlen einfach schlucken?

Dann sinken alle zurück in das Kunstlicht. Der Körper leidet unter dem veränderten Tagesablauf, der nicht mehr von der Sonne vorgegeben wird: Erst morgens gegen Drei geht es zu Bett, dann mittags auf und bald zur Sitzung, noch völlig erschlagen, während die einzelnen Handgriffe wie im Halbschlaf ausgeführt werden. Beobachte mich dabei wie ein Fremder: Die Hand, das Sehnenspiel, die seltsame Krümmung des Zeigefingers in durchgestreckter Haltung, und diese vorher nie bemerkten Monde, diese ausgeprägten Monde der Fingernägel.

Die gesamte Entlüftungsanlage des Bunkers droht zusammenzubrechen. Die verbrauchte Luft wird nicht mehr vollständig abgesaugt, und jeder atmet schneller als unter normalen Bedingungen, um den übriggebliebenen Sauerstoff aus der verbrauchten Luft zu filtern. Die Ohnmachtsanfälle häufen sich. Vielleicht sind die Entlüfter auch verstopft, da sie schon ganze Schwärme dieser kleinen Fruchtfliegen angesaugt haben, die aus der Küche gegenüber kommen. Die Köchin sieht sich nicht mehr in der Lage, die Fliegen fernzuhalten, die Mengen an herumliegenden Nahrungsmitteln sind zu groß, Mannschaftspakete Zwieback und Knäckebrot, eimerweise Honig, Ketchup, die keine Verwendung mehr finden, da das Personal von der großen Küche in einem anderen Bunkerteil versorgt wird. Und schauen Sie: Alles verkommt, hier die Frischwaren, der Quark, Joghurt, die frischen Pilze, der Salat. Niemand hat die Lebensmittelflüge abbestellt, die kommen nach wie vor täglich aus Bayern, obwohl der Chef nichts mehr von diesen Dingen ißt.

Dies ist ein trauriges Kapitel in meiner langen Dienstzeit als persönliche Diätköchin des Chefs: Jahrelang versorgt man ihn vegetarisch nach Maßgabe der ärztlichen Vorschriften, mit Rücksicht auf den angeschlagenen Magen und die Verdauungsprobleme, dann werden alle Bemühungen innerhalb weniger Tage zunichte gemacht, da sich der Chef nicht mehr an seine Diät halten will und nur noch Kuchen zu sich nimmt und Schokolade.

Nach dem Aufstehen Schokoladensuppe oder Pudding aus harter schwarzer Blockschokolade, jedoch ohne Verwendung von Milch, rein pflanzlich, wenigstens darauf kann man als Diätköchin noch ein Auge haben, Milch nämlich verträgt der Chef nicht, anders als Joghurt oder Sahne. Also bereiten wir Agar-Agar-Kunstwerke, Cremes, Hauptsache sehr schokoladig, sehr sämig das Produkt. Und über den Tag hinweg dann die Pralinés, der Schokoladenkuchen, und die Nougatkarrees vor allem während der aufreibenden Besprechungen bei Nacht: stark gesüßt, gut für die Nerven, bis zum bitteren Ende, solange unsere Vorräte reichen.

Zuletzt ist uns ein ganzes Zimmer Vollmilchschokolade, ohne Nüsse, versteht sich, weggebombt worden, inklusive Wachmann, auf einem der oberen Korridore in der Kanzlei. Ein einfallsreiches, aber eben auch riskantes Geheimlager. Schließlich, wer hätte sich unter dem ständigen Beschuß schon in die oberen Etagen gewagt, um es zu plündern?

Alle hoffen jeden Morgen inständig auf Nachlieferungen aus der Schweiz, bisher kommen die Rotkreuzflüge von Süden noch durch bis Berlin, aber die Situation ist angespannt. Schon fürchtet die Schokoladenwachmannschaft, die Stellung verlassen zu müssen und in das Kampfgeschehen draußen verwickelt zu werden, wenn sie den allmorgendlichen Schokoladenkordon eskortieren müßte. Und der rund um die Uhr arbeitende Konditor fürchtet um seinen Kopf, sollte er eines Tages nicht einmal mehr ein einziges Tablett mit Schokoladenwaren anrichten können.

Draußen laufen die Totenhunde, die abgerichteten Kriegertiere, sie beißen jeden, der am Boden liegt und schläft, sie hören schon von Ferne dieses ruhige Atmen, das ihnen anzeigt, daß der Schläfer sich nicht wehren kann, und sie erkennen selbstverständlich auch das Schnarchen, jeden einzelnen Atemzug nehmen sie wahr, um sich dann anzuschleichen, und wenn sie einen Schläfer entdeckt haben, weisen die Kragenspiegel ihnen den Weg. Dann stupsen sie den freiliegenden Hals mit ihrer Nase an, aber ganz sachte nur, damit der Schläfer nicht gekitzelt wird und aufwacht, die Totenhunde suchen nach dem Adamsapfel. Dann nehmen sie ihn vorsichtig ins offene Maul, und plötzlich beißen sie, so fest sie können, zu, so schnell, daß ihr Opfer nicht mehr schreien kann vor Schmerz, weil längst ein Stück herausgebissen ist. Denn diese Totenhunde sorgen dafür, daß niemand dort draußen jemals wieder auch nur ein einziges Wort spricht. Das Licht der Kreatur scheint tief in ihren Augen, und Wolfsblut fließt in ihren Adern.

Die Werwolfgeschichten lassen mich nicht mehr los, ich weiß schon gar nicht mehr, ob es Alpträume sind oder ob ich sie mir im Wachen ausdenke, wenn ich nicht schlafen kann. Nachdem Papa das Heft mit den erfundenen Werwolfmeldungen von meinen Geschwistern gelesen hatte, war er entsetzt, er konnte sich nicht erklären, wie sie solche grausamen Nachrichten hatten erfinden können. Nur einen Augenblick lang hörte er auf zu lächeln, sein Mund stand offen, als glaubte Papa plötzlich selber nicht mehr an seinen Werwolf, er dachte nicht mehr an den nahen Endsieg, er starrte nur das Heft an. Er achtete nicht mehr auf sein Gesicht und vergaß, daß wir ihn währenddessen sehen konnten.

Zu Anfang hatte Papa sich gegen die Werwolf-Idee gesperrt, weil es bedeutete, nun endlich zuzugeben, daß der Feind in unser Land eingedrungen ist. Dann aber nahm Papa seine ganze Energie zusammen und propagierte seinen Werwolfsender voller Überzeugung, manchmal vergaß er dabei sogar, daß die Idee gar nicht von ihm selbst stammte. Einen Sabotageakt nach dem anderen lügt er sich zusammen. Dann wundert er sich, wenn meine Geschwister dasselbe tun. Früher hat Papa mich manchmal verhauen, wenn er gemerkt hat, daß ich lüge. Erwachsene halten sich und ihre Lügen für undurchschaubar, aber dabei sind nur die Regeln undurchschaubar, nach denen sie entscheiden, ob man eine Sache wissen darf oder angelogen wird.

Warum wird uns die eine Sache gesagt, die andere aber verheimlicht? Die Werwolfmeldungen hat Papa auch erzählt, wenn wir im Zimmer waren, er hat uns oft auch andere Ideen stolz berichtet und gefragt, ob sie auf uns überzeugend wirken. Propagandazüge, wo es um die Herabsetzung von Lebensmittelrationen ging, bis in die Formulierungen, und wir sollten mit entscheiden, ob dieses oder jenes Wort die schlechte Lage besser darstellte, verschleierte. Oder die Bilder, die den Franzosen in den Schützengraben geschickt wurden, mit nackten Frauen, womit die Kampfkraft aufgerieben werden sollte. Papa hatte die Bilder selber ausgesucht und auch den Text gestaltet, er überlegte immer hin und her, wie man in den Soldaten am besten das Gefühl wecken könnte, daß ihre Frauen zu Hause längst schon einen anderen hätten. Wir hätten zwar von dieser Aktion nichts mitbekommen sollen, doch als Papa sich verplapperte, tat er, als wäre das auch nicht so schlimm. Auch in seinen Plan, ein Buch über den Film zu schreiben, weihte er uns ein, als der noch geheim war. Aber von anderen Dingen durften wir nichts erfahren, und Papa glaubt auch immer noch, daß wir davon nichts wissen: Von der besonderen Abteilung, die er einmal überstürzt einrichten ließ, um Mamas Telephon abzuhören, weil sie immer mit einem Norweger telephonierte.

Wenn Papa lügt, nimmt er sich dafür Zeit, er weiß genau, wie er damit umgehen muß, wenn er eine Frage falsch oder gar nicht beantworten will. Zum Beispiel, als es darum ging, ob er nun wirklich ein Verhältnis mit dieser Sängerin habe. Papa zuckte nicht mit den Lidern, er drehte sich nicht weg, er ließ sich nicht anmerken, daß dies eine unangenehme Frage war, es gab auch keine Pause, bevor er antwortete, sondern er sagte gerade heraus: Nein. Als müßte er sich gar nicht erst entscheiden, ob er nun die Wahrheit sagen oder lügen wollte, als gäbe es nicht die beiden Möglichkeiten zu antworten.

Ja, normalerweise ist Papa ein guter Lügner. Bei Mama merkt man eher, wenn sie lügt: Dann klingt sie so, als müßte sie alles schnell hinter sich bringen, den Lügensatz möglichst schnell aussprechen, oder sie tut so, als wäre sie zerstreut und antwortete auf die Frage nur nebenbei, weil die Antwort nicht wichtig wäre. Aber ich erkenne dann, daß ihr das Antworten unangenehm ist, weil ich eine unangenehme Frage gestellt habe.

Erwachsene meinen, ein Kind könnte nicht selber nachdenken und sich ein eigenes Bild der Lage machen. Jeder von ihnen ist seltsamerweise davon überzeugt, daß Kinder jede Frage nur ein einziges Mal stellen, und wenn sie eine Antwort haben, damit zufrieden sind. Keiner macht sich Gedanken darüber, daß ich doch nicht alles allein aus seinem Mund erfahre, daß ich noch andere Erwachsene sprechen höre und daß ich auch selber sehen kann.

Sie lächeln einen an mit ihren Augen. Aber was sind schon Augen. Denn daß sie lügen, kann man bei vielen Menschen an der Stimme erkennen: Das ist ein ganz bestimmter Hauch. Neuerdings erkenne ich sogar ganz eindeutig, wenn Papa lügt, ich rieche das an seiner Stimme, selbst wenn er noch soviele Pastillen lutscht gegen diesen verräterischen Atem, selbst wenn er sich noch so intensiv parfümiert mehrmals am Tag.

Doch dann die wirkliche Katastrophe, am Dienstag, dem 24. April: Der Patient verweigert jegliche Zubereitungsform von Schokolade, alle Mischprodukte, selbst Kuchen, will er nicht länger, besteht fortan auf Schokolade in Reinform, Vollmilch, und keine Kompromisse mehr. Jene Art feiner Schokolade, die sich im Mund sehr langsam auflöst, ohne daß man sie kauen, ohne daß die Zunge sie lutschen oder zermahlen müßte: Sie zergeht von allein, breitet sich in der Mundhöhle aus und überzieht Zähne und Gaumen mit einer feinen Lasur aus sahnigem Kakao. Auch Schichtnougat wird unter keinen Umständen mehr akzeptiert. Stumpfecker untersucht Gaumen und Zunge des Patienten eingehend und konstatiert eine nervöse Überreizung der Geschmackspapillen. Und jeder spürt es: Jetzt gibt es keine Rettung mehr. Der Anfang vom Ende.

Nach den vielen Aufnahmen, auf denen kaum mehr etwas zu hören ist, den fast schon vergeudeten Platten, wo die Nadel nur schwache Gravuren gezogen hat, erleben wir an diesem Tag noch einmal eine Sitzung in voller Lautstärke. Unter der nervlichen Zerrüttung, die auch auf die prekäre Schokoladensituation zurückzuführen sein mag, setzt der Patient zu einem seiner berüchtigten Wutausbrüche an, mit denen sich jeweils mühelos ein ganzer Satz von Platten bespielen ließe. Jede Regung äußert sich unmittelbar in Geschrei, in Töne, in wilde, unartikulierte Laute. Wir haben uns gerade zur üblichen Sprachaufnahme eingefunden, und nun bedeutet mir Stumpfecker, den Apparat anzuschalten, ohne daß der Patient davon etwas merkt.

Nachher folgt mir Stumpfecker zum Probehören der Platte in den Behandlungsraum: Eine einwandfreie, glasklare Aufnahme, mit dem einzigen Nachteil, daß die Stimme periodisch an- und abschwillt, da der Patient sich auf seiner Wanderung durch den Raum immer wieder aus dem Empfangsbereich des Mikrophons entfernt hat: Verraten, jeder einzelne hat mich am ... nur von Verrätern umgeben ... Satzfetzen, die wir schon auf mehreren Platten der letzten Tage konserviert haben.

Abgesehen von der wachsamen Rationierung der Morphium-Vorräte ist Stumpfecker seit einigen Tagen nicht mehr für Gesundheit und leibliches Wohl seines Patienten zuständig, sondern vielmehr dafür, eine geeignete Todesart für diesen zu ermitteln. Zuerst geht man, allerdings ohne den Patienten von derartigen Spekulationen wissen zu lassen, davon aus, daß dieses Problem aufgrund eines tödlichen Anschlags durch die Leibwache von allein aus der Welt geschafft wird. Zwischenzeitlich wird auch die Möglichkeit eines Hirnschlags nicht ausgeschlossen. Ein natürlicher Tod muß, trotz konsequenter Fehlernährung und extremer Nervosität, jedoch aufgrund der äußerst zähen körperlichen Konstitution des Patienten aus den Überlegungen ausgeschieden werden.

Von daher erprobt Stumpfecker in der Nacht des 29. April erfolgreich eine mögliche, von außen beigebrachte Todesart versuchsweise an der Schäferhündin des Patienten. Zuerst mischt man unter das Futter des Tieres Zyankali, das, vom Arzt aus einer Kapsel in den Napf geträufelt, unter den Getreidebrei gerührt wird. Doch die Hündin verweigert aus unerfindlichen Gründen die Nahrungsaufnahme und zieht sich vom Napf zurück. Daraufhin muß man sie in die Toilette der Wachmannschaft locken, ihr dort das Maul gewaltsam aufsperren und die mit einer Zange zerdrückte Ampulle auf der Zunge ausleeren, was den Eintritt des Todes binnen weniger Augenblicke zur Folge hat.

Dennoch ist eine solche Vergiftung nur unter Zustimmung des Patienten in Betracht zu ziehen, da dieser schließlich keine Nahrung mehr zu sich nimmt, deren Konsistenz ein Untermischen von Zyankali erlaubte, und man kann ihn auch nicht durch Aufsperren des Mundes zur Einnahme der Ampulle zwingen.

Mit verschmiertem Mund diktiert der Patient sein Testament und blättert dabei fortwährend in Wörterbüchern, auf der Suche nach passenderen Worten, treffenderen Formulierungen. Falls sich in einem Wörterbuch das Gesuchte nicht auf Anhieb findet, schleudert er das schwere Buch quer durch den Raum und nimmt ein anderes zur Hand. Während des Diktats bleibt er auf dem Sofa liegen und stopft weiterhin unbeirrt Riegel um Riegel in den

Mund. Sehr zum Unwillen der stenographierenden Sekretärin deutet er dann mit Schokoladenfingern auf zu ändernde Stellen im Text, wobei sich auf dem Papier Fettflekken bilden, glasige Stellen inmitten der letzten Worte, die dann auf der Maschine mit dreifach vergrößerten Typen reingeschrieben und von ihm abgezeichnet werden. Verwackelte Lettern, da die Schreibmaschine einen Fehler in der Führung hat, so daß der Wagen nicht mehr widerstandslos von rechts nach links gleitet. Zudem hinterläßt die mangelhafte Qualität des Farbbandes auf dem Papier Schatten und schwärzliche Baumwollspuren. Die Spitze des Füllfederhalters kratzt über das letzte Blatt und zeichnet die Unterschrift des Patienten, weniger akkurat als gewöhnlich, was neben dessen Unruhe womöglich auch darauf zurückzuführen ist, daß der von Schokoladenresten fettige Schaft des Stifts in seiner Hand beim Schreiben verrutscht.

Der Fahrer des Patienten ist inzwischen mit dem Aufheben und Zurückstellen der auf dem Teppich verstreut herumliegenden Wörterbücher betraut worden. Bevor er diese wieder ins Regal einsortiert, glättet er die unzähligen Eselsohren, die sein Chef in die Seiten geknickt hat, wo sich interessante Begriffe und Erklärungen finden. Daneben hat der Fahrer den Auftrag, das vom Treppenhaus her langsam in die Räume der unteren Etage eindringende Wasser zurückzuhalten, welches die Teppiche schon soweit durchtränkt hat, daß jeder Schritt durch den Raum von einem saugenden Schmatzen begleitet wird. Doch hat der Fahrer hierbei keinen Erfolg, denn es fehlt im Bunker an geeigneter Dichtungsmasse, um die von den fortwährenden Detonationen in nächster Nähe verursachten Risse in den Wasserrohren und im Beton zu stopfen.

Seit vorletzter Nacht führen wir die Aufnahmen stündlich durch. Stumpfecker ruft an. Aber seit der letzten Sitzung kann doch noch keine ganze Stunde vergangen sein. Hier unter Tage verliert man jedes Zeitgefühl. Welches Datum ist heute? Es ist Montag. Der 30. April. Im Gang dröhnt Grammophonmusik. Der Großteil des Personals hat sich auf dem Flur vor meiner Tür, wo normalerweise die Mahlzeiten eingenommen werden, zu einem Tanzvergnügen versammelt. SS-Männer, Leute vom Begleitkommando und Bedienstete sitzen auf den Bänken und wippen mit den Füßen. Einer vom Sicherheitsdienst öffnet die Jackenknöpfe, lockert die Krawatte und fordert die Köchin mit einer Verbeugung zum Tanz auf. Sie reicht ihm den Arm, die beiden treten zwischen die beiseite geschobenen Tischen und Stühlen in die Mitte des Raumes und durchmessen den Tanzboden schwungvoll von einem Ende zum anderen.

Unten fängt mich Stumpfecker schon am Zugang zu den Räumlichkeiten ab: Nein, Karnau, Sie werden jetzt keine Aufnahme mehr machen. Der Redner ist erloschen. Er kann nicht mehr sprechen. Aber das ist nun auch nicht mehr wichtig. Holen Sie Ihre Sachen aus dem Behandlungszimmer und schaffen Sie die Wachsplatten nach oben. Die Stimme wird in Zukunft nur noch auf Ihren Aufnahmen zu hören sein, gehen Sie also äußerst sorgsam mit den Platten um, und schneiden Sie zur Sicherheit sofort Kopien.

Von hinten ertönt das bekannte Husten. Stumpfecker schließt die Tür von innen. Jetzt ist also Schluß. Im Treppenhaus steht das Wasser knöcheltief, überall liegen Granaten, Orden und Uniformmützen herum. Steige die Wendeltreppe zum Notausgang hinauf und trete in den Garten. Ein heller, sonniger Nachmittag. Seit meiner Ankunft keinen Himmel mehr gesehen. Wäre nicht der höllische Lärm von Detonationen in der Luft, man könnte meinen, der Krieg sei schon vorüber.

Aber man muß sich noch in Deckung halten. Hier im Schutz eines Mauerrests entspannen sich erstmals seit langer Zeit die Bronchien wieder, langsam wird die angestaute, verbrauchte Luft der letzten Tage und Nächte aus den Lungen herausgepreßt und weicht der Frühlingsluft. Plötzlich flackert im Garten Feuer auf. Werden da noch die letzten verräterischen Unterlagen verbrannt? Dort ist Stumpfecker, doch hält er keine Akten unterm Arm, sondern nur einen einzelnen Fetzen Papier. Er beugt sich über einen Körper, der am Boden liegt. Nahe der Flamme stehen noch weitere Männer, wechselnde Schatten auf den Gesichtern. Plötzlich ein ohrenbetäubender Knall, die Silhouetten springen einen Schritt zurück, da ist in allernächster Nähe eine Granate eingeschlagen. Jetzt ist die Gruppe nicht mehr zu sehen, als die benzingetränkte Uniform am Boden endgültig Feuer fängt, da ein zerknülltes Wörterbuchblatt zündelnd auf sie niedergeht. Schaue genau hin und erkenne das offene Mundloch, blutverschmiert, den aufgerissenen Hinterkopf des brennenden Leichnams, der schon im nächsten Moment von dichtem Qualm eingehüllt ist. Jetzt fällt ein zweiter Leib daneben, auf den Bauch, und gleich greifen die Flammen auch auf ihn über, sie breiten sich von der Mitte her aus, hoch zur gewölbten Brust, nach unten zu den schwarzen Wildlederschuhen.

Wir nehmen alle mit. Das steht schon fest. Wir wollen in mehreren Gruppen aus dem Bunker ausbrechen, in kleinen Trupps unauffällig einen Weg aus dieser Stadt finden. Und wie sie ihre letzten Sachen nun zusammenpacken. Jetzt herrscht hier unglaublicher Krach: Das Trampeln auf den Gängen, das Töpfescheppern, Scherbenklirren, als etwas zu Bruch geht, und darauf folgt nicht Stille, sondern lautes Lachen. Aber so laut ist es gar nicht: Der krasse Gegensatz zum Flüstern und Herumschleichen der letzten Tage, der jedes einzelne Geräusch so heftig und langanhaltend wirken läßt. Doch niemand jubelt. Dafür sind alle hier zu müde und erledigt.

Wir warten auf den Ausbruch. Sitze in meinem Bunkerzimmer und arbeite, zwei Satz Schallfolien der letzten Aufnahmen sind zu kopieren: Ein Satz Kopien wird nach außerhalb geschickt werden, den zweiten Satz nimmt Stumpfecker. Er will damit in Richtung Süden. Und mir, der Richtung Westen will, bleiben die Originale zur Rettung überlassen.

Alle rauchen. Der ganze Bunker ist voll Rauch auf einmal, nach der unendlich langen kippenlosen Zeit. Jeder holt die Zigaretten heraus, die er in den letzten Wochen versteckt hat, in Erwartung dieses Augenblicks, da er sich endlich wieder eine Zigarette anzünden kann, weil der Hausherr das Rauchverbot zu überprüfen nicht mehr in der Lage ist. Eine Rauchwolke frisch verbrannten Tabaks. Und wie das qualmt. Die ganze Nacht. Man sieht die Wände bald nicht mehr, die Möbel, ja, die eigene Hand, die selbst eine Zigarette hält.

Es ist bald zehn, der 1. Mai. Nun wird es draußen sicher langsam dunkel. Im Schutz der Dunkelheit wollen wir diesen Ort endlich verlassen. Wo ist jetzt Stumpfecker, damit er seine Kiste mit Platten an sich nimmt? Vielleicht unten im Bunker, vielleicht im Raum der SS-Wachmannschaft. Nein, hier ist er nicht. Der Raum ist leer. Die Wände sind mit pornographischen Bildern ausgemalt. Die Büschel zwischen den Beinen, und Brüste, grob gezeichnet, so haben hier SS-Leute, die sich nicht entscheiden können, ob sie Fut mit Doppel-T schreiben sollen, ob

Fotze mit V oder F anfängt, grinsende Frauen an die Betonmauern gekritzelt. Da kommt ein Mann vom Begleitkommando mit einem leeren Kanister den Gang entlang. Er hat gerade das Konferenzzimmer angezündet, also raus hier, bevor der Rauch uns vergiftet. Die Gruppe hat sich schon oben am Ausgang gesammelt, da stehen sie mit ihren Habseligkeiten, und Stumpfecker wacht über die zwei Kisten mit Schallplatten.

Bevor wir losgehen, wendet sich Stumpfecker noch einmal an mich: Solange für uns alle die Gefahr besteht, von den Besatzern aufgegriffen zu werden, müssen Sie sich dies eine genau einprägen: Vordringlichste Aufgabe ist es nun, wie ein Opfer sprechen zu lernen. Erinnern Sie sich genau an die Worte, den Satzbau, den Tonfall Ihrer eigenen Versuchspersonen, rufen Sie sich das alles ins Gedächtnis. Imitieren Sie, sprechen Sie nach, erst langsam und im Geiste, dann leise murmelnd, sprechen Sie mit niedergeschlagenen Augen, lassen Sie Pausen im Sprachfluß, als sei Ihnen Grausames widerfahren, dessen Beschreibung Sie nicht über sich bringen – und lassen Sie in ihrer Rede genau dieses vermeintliche grausame Geschehen aus. Verschweigen Sie ihre Tätigkeit der letzten Jahre, indem Sie diese Pausen zögerlich ansteuern in Ihrem Bericht. Verstummen Sie dann aber rechtzeitig, um nichts von Ihrer Tätigkeit preiszugeben. Verzerren Sie das Gesicht, stammeln Sie, lernen Sie feuchte Augen willentlich hervorzurufen, geben Sie sich auskunftsfreudig, hilfsbereit, geben Sie vor, über das Grauen, das Ihnen widerfahren sei, berichten zu wollen, es aber leider nicht zu können. Kollabieren Sie, und man wird von weiteren Fragen absehen, man wird Sie am Ende bemitleiden und Sie tatsächlich für ein Opfer halten, Opfer eines unbestimmten Grauens ohne Namen, für das keine Worte zu finden sind. So wechseln Sie die Seite, so gleiten Sie während des Verhörs unmerklich über die Linie, hinüber zu denen, wegen deren Behandlung man Sie eigentlich anklagen wollte. Sie müssen jetzt lernen, genau das zu tun, was Sie an anderen immer angewidert hat, ein Abscheu, der überhaupt erst Anlaß Ihrer Tätigkeit gewesen ist: Sie müssen stottern, aussetzen, Worte verfehlen. Wir werden leider übergangsweise unter der Herrschaft gebrochener Stimmen stehen.

VII

Im Juli 1992 findet man bei einer Besichtigung des städtischen Waisenhauses in Dresden im Keller ein Schallarchiv, das bisher hinter einem mit Brettern vernagelten Mauerdurchbruch verborgen gelegen hat. Trotz seiner langen Geschichte, die aufgrund des eingelagerten Materials außer Zweifel steht, ist dieses Archiv bisher unbekannt gewesen.

Durch unterirdische Gänge gelangt man vom Schallarchiv in das nicht weit entfernt liegende Deutsche Hygiene-Museum. Daraus läßt sich schließen, daß früher auch Mitarbeiter des Museums Zugang zu diesen Räumlichkeiten gehabt haben, daß möglicherweise sogar ein Austausch von Information und Personal stattgefunden hat. Im Hygiene-Museum weiß man allerdings nichts von diesem Archiv. Folglich können nur spezielle Mitarbeiter diese Verbindungsgänge gekannt haben, deren Existenz streng vertraulich behandelt wurde. Unterlagen über das Personal des Schallarchivs existieren allerdings kaum noch. Aus einer Kartei, die größtenteils vernichtet worden ist, läßt sich lediglich der Name eines Wachmanns mit Sicherheit entnehmen: Hermann Karnau.

Beim ersten Lokalaugenschein in Begleitung einer Kommission von Untersuchungsbeauftragten erörtert Karnau: Hier finden sich alle erdenklichen, für die entsprechende Forschung nutzbringenden Anlagen und Aufzeichnungen. Selbstverständlich eine ganze Bibliothek mit regelmäßigen Aufnahmen aller wichtigen Personen aus Politik und öffentlichem Leben seit der Erfindung des Schallträgers. Sofern sich die Herrschaften solche zeitaufwendigen Kontrollen leisten konnten. Selbst jene berühmten, lange verschollen geglaubten Aufnahmen DER

FÜHRER HUSTET, noch auf Schellack, bei 78 Umdrehungen pro Minute, sind in unserem Besitz.

Wozu diente diese Einrichtung denn überhaupt? Karnau erklärt: Die Pulsfrequenz bei Anstrengung, in Bewegung oder beim Halten einer Rede wurde wöchentlich in Wachs gepreßt, um turnusgemäß Vergleiche anstellen zu können durch das simultane Abspielen verschiedener Wochenergebnisse. Haben sich seine Gefäße erweitert? Ist sein Blutdruck gesunken? Gelangt das Herz nach einer vehement gehaltenen Rede in angemessener Zeit zu seinem normalen Rhythmus zurück? Das waren einige der Gesichtspunkte, unter denen diese Tonwalzen, Lackfolien, Schellackplatten und Tonbänder ausgewertet wurden.

Doppelt gesicherte Zugänge: Gitter und massive Eisentüren. Dahinter: Backsteingewölbe. Nur in leicht gebückter Haltung läßt sich hier arbeiten. Der Aufnahmeraum ist luxuriöser ausgestattet: Ein bequemer Sessel hinter dem Mikrophon, Teppichboden, die Wände mit Stoff behangen, sowohl aus Gründen der Schallisolierung, als auch weil hier schließlich wichtige Persönlichkeiten erschienen, die einigen Komfort gewöhnt waren. Das Trampeln der Kinder zwei Stockwerke höher ist nicht zu hören.

Ein Regal voller Tonbänder, die zum Teil von der Spule gerutscht sind, dokumentiert verschiedene, allerdings nie weit gediehene Versuche, sämtliche Aufnahmen auf die jeweils neuesten Arten von Tonträgern zu überspielen. Zu umfangreich war immer wieder das aktuelle Material, welches ausgewertet und archiviert werden mußte. Hier ist zwar immer peinlich auf Sauberkeit geachtet worden (Ungeziefer hätte schließlich leicht das gesamte Archiv ruinieren können), aber dennoch hat sich mit der Zeit eine feine Staubschicht auf den unzähligen Pappschachteln gebildet.

Der Staub muß erst mit dem Handrücken abgewischt werden, bevor man den Deckel hebt und ein Dokument entnimmt: In Papier geschlagene Schallplatten. In der Ecke des ungenügend beleuchteten Raumes steht ein Grammophon, auf dem die Tonträger, deren weiße Etiketten oft keine Beschriftung tragen, probegehört werden können. Trotz fortschreitender Technik konnten alte Geräte nicht ausgemustert werden, da man auch historische Aufnahmen weiterhin zu Vergleichen heranziehen wollte. Eine Kraftanstrengung das Bedienen der Handkurbel, ein Teil der Saphirkollektion aus den Dreißigern fällt vom Tisch.

Die Erfindung des Tonfilms wurde mit Spannung erwartet. Während man in den Kinos noch darüber stritt, ob sich der Stummfilm werde behaupten können, ging man hier bereits daran, Kameras zu installieren. Die Objektive blieben stets verschlossen, da lediglich der Ton aufzuzeichnen war. So erklärt sich die Existenz kilometerlanger Weißfilmstreifen, unbelichtet. Das Lichtton-System erlaubte erstmals auch zu schneiden, was beim Einritzen von Schallereignissen in Wachs nur schwerlich möglich war.

Die deutschen Entwicklungen auf dem Gebiet der Tonspeichertechnik waren denen des Auslands weit überlegen. Die transportablen Magnetophonband-Geräte, welche für den Fronteinsatz gedacht waren, gehörten bis zum Ende des Krieges zur begehrtesten Beute des Feindes. Hier im Archiv wurde stets nur erstklassiges Material verwendet. Einmal drohte das gesamte Arsenal an Wachsplatten bei einer Störung des Heizungssystems einzuschmelzen. Allerdings haben Schallplatten gegenüber Tonbändern den Vorteil, daß sie sich nicht durch einfachen Kontakt mit einem Magneten unbrauchbar machen lassen.

Auch aus diesem Grunde war die Geheimhaltung wichtig: Man stelle sich vor, Saboteure hätten hier einen Elektromagneten installiert und so das gesamte Material vernichtet.

Einer der Arbeitsbereiche: die Optimierung der stimmlichen Voraussetzungen beim Einsatz technischer Mittel, zum Beispiel von Beschallungsanlagen bei Massenveranstaltungen. Eine differenzierte Sprechtherapie ermöglichte Knacklaut-Manipulationen, um die Übersteuerung in großen Hallen zu vermeiden. Oder: die Kontrolle des Speichelflusses bei schnellem und lautem Sprechen und das medikamentöse Austarieren der Drüsentätigkeit, damit jedes einzelne gesprochene Wort auch verständlich bleibt. Einige Experimente ergaben sich aus der Frage, ob das Atmen unter großer Anstrengung als Störgeräusch in Erscheinung träte. Bei der Verstärkung durch Lautsprecher sind solche Fragen von entscheidender Bedeutung.

In einem Winkel lagern Aufnahmen, bei denen nicht klar ist, ob hier die Spielfreude mit der fortschrittlichen Tonspeichertechnik durchgegangen ist oder ob diese Bänder tatsächlich medizinischen Zwecken dienten: so zum Beispiel, sofern man der Katalogisierung trauen kann, die Geräusche, welche die Absonderungen der Bauchspeicheldrüse verursachen, oder das extrem verstärkte Klappen von Augenlidern.

Eine andere nicht bis in die Einzelheiten zu klärende Versuchsreihe, die aber, wie die verwendete medizinische Technologie nahelegt, noch gar nicht so weit zurückliegen kann: Das Einführen von Sonden in den Rachenraum oder die Blutbahnen, um verschiedene, nicht rekonstruierbare Körpergeräusche aufzunehmen. Woher man allerdings die Probanden bezog, welche für die zum Teil recht schmerzhafte Erhebung der entsprechenden Daten rekrutiert wurden, liegt ebenfalls außerhalb der Kenntnis der Untersuchungskommission.

Es gibt Gerüchte, hier seien unter anderem Wolfsrachen-Patienten für Vergleichsaufnahmen herangezogen worden. Man habe die potentielle Intensität von menschlichen Schreien analysiert und sich auch nicht gescheut, an Versuchspersonen Veränderungen des artikulatorischen Apparats vorzunehmen, um die Sprechfähigkeit unter extremen Bedingungen zu untersuchen. All das läßt sich anhand des vorliegenden Materials jedoch nicht beweisen.

Karnau erzählt: Während das Hygiene-Museum für den sichtbaren Teil des Menschen zuständig ist, beschäftigten wir uns mit dem hörbaren. Der Blick für das Detail verband uns, und nicht selten haben die Pathologen des einen Bereichs denen des anderen ihren Dienst geleistet, wenn sie von artikulatorischen Veränderungen der Klienten auf physiologische Veränderungen schlossen.

Karnau erweist sich nicht nur als recht gesprächig, er verfügt auch über ein Fachwissen, das seinem Status als Wachmann gar nicht entspricht. Neben den präzisen Darstellungen der Aufgabenbereiche der Einrichtung verliert er sich zuweilen in Anekdoten: Wenn der Vormittag vorüber war und die Klienten uns, wie man sagen könnte, ihre Stimme geliehen hatten, traf man sich in den Pausen zwischen zwei Arbeitsgängen oft im Besprechungszimmer. Dann saß die ganze Mannschaft hier beisammen: Professor Sievers, Doktor Hellbrandt und Professor Stumpfecker. Man tauschte Gedanken aus, und als Vertreter verschiedener Disziplinen gab man einander Anregungen. Oder man lehnte sich ganz einfach schweigend in die Polster zurück, während draußen die Archivare ihrer Arbeit nachgingen.

Man sah sich auf ähnlicher Bahn befindlich. Und durch die gemeinsamen Forschungsziele wuchs die Gruppe zusammen. Oft scherzte man miteinander, zum Beispiel, wenn Doktor Hellbrandt sagte: Plastische Chirurgie ist gewaltsames Einwirken auf den Körper, und Professor Stumpfecker mit dem nächsten Atemzug antwortete: Sex auch. Und man erprobte aneinander spaßeshalber verschiedene Beatmungstechniken oder schwelgte in theoretischen Erörterungen, ob der Erwerb von Fremdsprachen wohl jemals durch operative Veränderungen am Individuum beschleunigt werde könnte.

Bei eingehender Untersuchung stellen sich in der Kommission jedoch verschiedene Zweifel an Karnaus Darstellungen ein. Seine genauen Kenntnisse sämtlicher Vorgänge und Forschungen, welche zur Zeit seiner Beschäftigung in diesem Archiv betrieben worden sind, wecken den Verdacht, daß er nicht lediglich, wie er immer wieder beteuert, mit sicherheitstechnischen Aufgaben betraut war, sondern daß er eine weitaus verantwortungsvollere Stelle eingenommen haben muß, so daß man ihn sich durchaus zwischen Hellbrandt, Sievers und den anderen Mitarbeitern auf einem der luxuriösen Ledersessel im Besprechungsraum sitzend vorstellen kann.

Zudem stellt sich heraus, daß zu diesem Komplex noch mehr Kellerräume gehören, als Karnau so vordergründig auskunftsfreudig zugegeben hat. Ein zweites Aufnahmestudio wird gefunden, das jedoch im Unterschied zum ersten keineswegs komfortabel eingerichtet ist, sondern aus einem gekachelten, neonbeleuchteten Raum besteht, der seiner Ausstattung nach einem Operationssaal entspricht: Unterhalb der Mikrophonanlage steht ein OP-Tisch mit herabhängenden, rotbraun verklebten Gurten.

Auch sämtliches für chirurgische Eingriffe nötige Besteck liegt nahebei auf einem Chromwagen. Eine gerichtsmedizinische Analyse der Blutspuren an den Gurten ergibt, daß hier die letzte Operation erst vor wenigen Wochen stattgefunden haben kann. Karnaus Behauptung, die Arbeit im Archiv sei bereits vor Kriegsende eingestellt worden, scheint unzutreffend. Vielmehr liegt der Schluß nahe, daß eine Fortführung der angedeuteten medizinischen Versuche auch für die Zukunft geplant war. Über unbekannte Kanäle muß die Ankündigung der bevorstehenden Inspektion des Waisenhauses weitergeleitet worden sein, so daß man überstürzt die Lokalität gewechselt hat, um an anderem Ort mit den derzeit nicht genauer zu bestimmenden Experimenten fortzufahren. Hierüber kann Karnau jedoch keine Aussage machen. Am darauffolgenden Morgen hat er die Stadt mit unbekanntem Ziel verlassen.

Ich liege stumm, ich spüre keinen Schmerz, nur einen schwachen Druck, wie Fingerspitzen meinen Schädel abtasten, ich höre, wie die Haut aufreißt und ein Skalpell sich mühelos ins Fleisch gräbt, aber ich spüre keinen Schmerz, ich spüre nur das helle Licht, die Strahlen brennen sich in meine Haut, warum ist der Scheinwerfer auf meinen Kopf ausgerichtet, ich will den Kopf wegziehen, kann mich aber nicht bewegen, das Skalpell schneidet weiter, zieht über meiner Stirn vorsichtig eine Linie, aber ich spüre keinen Schmerz, ich will fragen, aber auch meine Zunge spüre ich nicht, mein Gaumen, meine Lippen sind taub, das kommt von der Narkose, mein Mund, als wäre er mit einer zähen Masse ausgestopft, die sich langsam mit Speichel vollsaugt, da steckt ein Knebel, mein Mund ist fest verknebelt worden.

Mein Kinn brennt, meine Wangen, die Lider zucken, meine Brauen sind abgeflämmt, die Wimpern auch, mein Restgesicht ist eingemummelt, ich will ein Zeichen geben, ich bewege Arme, Beine, Bauch, aber die Haltegurte spannen sich nur stärker, geben mich nicht frei, der OP-Tisch fängt an zu quietschen, man bemerkt meine Signale nicht, ich versuche ein Kehlgeräusch hervorzubringen, aber ich höre nichts, doch, da ist eine Stimme, hinter mir, da spricht jemand nicht weit von meinem Ohr: Unterbinden Sie gefälligst diese störenden Rumpfaktionen, treiben Sie zusätzliche Gurte auf, intensivieren Sie die Anästhesie, unter diesen Bedingungen kann man nicht arbeiten. Ich kenne diese Stimme, ich kann mich an sie erinnern, das ist die klare Stimme von Stumpfecker: Veröden Sie diese Arterie, tupfen Sie, wer war hier für das Rasieren zuständig, das ist wieder eine Schlamperei. Eine warme Flüssigkeit spritzt auf meine Lider, das ist mein Blut, oder es ist Stumpfeckers Speichel.

Ich höre eine zweite Stimme: Ganz wüste Geschichte. Das muß Hellbrandt sein, der den Skalpellschnitt beobachtet: Großartige Szene. Stumpfecker reagiert unwirsch: Jetzt Knochenhaut abheben, klemmen Sie. Da ist sie schon, sehen Sie, da schimmert schon das Weiß der Schädeldecke durch. Sievers, bereiten Sie sich langsam vor. Nochmal blutungstillende Lösung pinseln. Halten Sie die Kopfhaut beiseite. Jetzt kommt Professor Sievers zum Zuge: Meine Herren, wir richten uns nach den aufschlußreichen Schädelvermessungen des Doktor Gall. Diese Grammophon-Nadel hier werden wir nun die Schädelnaht entlangführen. Wir sollten die Rille noch einmal von Blut säubern, damit die Nadel nicht in Mitleidenschaft gezogen wird.

Einen Moment feierliches Schweigen, und eine Faust

stemmt sich auf meinen Mundknebel. Sievers erklärt: Über Elektroden, Verstärker und Lautsprecher können wir die Impulse hören. Dann, mitten in die erneute Stille hinein, hört man ein schwaches Knattern, das nach und nach lauter wird. Ein kühler Luftzug zieht über mein Gesicht hinweg, als sich auf meinem blanken Schädel eine Hand bewegt, immer schneller die Rille hinauf und hinunter. Das Kratzen schwillt zu einem hohen Summton an. Wiederholen Sie. Läuft das Tonband? Vielleicht Parasprache, meint Hellbrandt, an niemanden direkt gerichtet. Ganz aufgeregt Sievers: Meine Herren, es funktioniert, das Experiment scheint zu gelingen. Stumpfecker: Fahren Sie fort, Sievers, das möchten sicherlich alle noch einen Moment länger hören. Später dann müssen wir an die Auswertung gehen und Vergleichserhebungen erarbeiten, um einige Ergebnisse dieser klanglichen Untersuchungen Katzensteins Archiv für experimentelle und klinische Phonetik zu melden.

Das Knochensummen ist ein Geräusch menschlichen Ursprungs, das kein Mensch je zuvor gehört hat, der wirkliche Schädelklang, und doch klingt es völlig menschenfremd, flaut wieder ab, wird dumpfes Knattern, droht zu ersterben, fällt zurück in das anfängliche metallische Kratzen, mein Schädel unter diesen Vibrationen, als lösten sich schon erste Knochensplitter, ein furchtbarer Ton, der mir Gänsehaut bereitet. Soll dies tatsächlich das charakteristische Lautgeben meiner eigenen Schädelnaht sein. Das Urgeräusch?

Nein, dieses Kratzen kommt von Taubenkrallen, die auf dem Fensterbrett herumtrappeln, sie wetzen sich an dem Metallbeschlag vor meinem Fenster ab, da sich die Taube nicht entscheiden kann, in welche Richtung sie auf die Straße hinuntersegeln soll. Aber es ist doch mitten in der

Nacht, warum sitzt denn das Tier nicht still und schläft? Ich zwinge mich, die Augen zu öffnen: Dunkel. Kein Stumpfecker, kein Hellbrandt oder Sievers. Sogar mein Kopf läßt sich bewegen.

Das Haar klebt mir auf der Kopfhaut, mein Kissen ist durchgeschwitzt. Solch einen zermürbenden Alptraum habe ich seit Jahren nicht mehr gehabt. Stumpfecker ist schon Ewigkeiten tot, ich habe seine Leiche mit eigenen Augen gesehen, auf der Flucht aus Berlin, bald nachdem wir uns voneinander getrennt hatten, noch in derselben Nacht fand ich auf der Brücke vom Lehrter Bahnhof den Hünen, den Schlepper leblos mitten auf der Straße. Und Hellbrandt ist wenig später ins Ausland gegangen, ein englischer Kontaktmann gewährte ihm Fluchthilfe gegen eine Aufwandsentschädigung, wie er es nannte: Als Andenkensammler gab er sich mit einer kleinen Selbstkarikatur von Stumpfeckers letztem Patienten zufrieden, mit ein paar Bleistiftstrichen auf Karton skizziert.

Todmüde, aber ich kann nicht mehr einschlafen. Ich gehe in die Küche, kein einziges Fenster ist um diese Zeit erleuchtet, es herrscht noch tiefe Nacht, nur die Spitze meiner Zigarette glüht rot im Dunkeln. Licht scheidet Tag von Nacht, Licht bestimmt die Zeit der Welt, nach Sonnenstand und Gang der Sterne werden die unverrückbaren Zeitabschnitte eingeteilt. Aber die Zeit des Menschen, seine ganz eigene Einteilung wird von der Stimme vorgegeben: der Wechsel von Sprechen und Schweigen, die Abfolge von Worten oder auch nur von unartikulierten Lauten, die, fast im stillen, beim Gehen den Rhythmus der Schritte bestimmen, die das Maß aller Handgriffe setzen, obwohl sie die Bewegungen nur zu begleiten scheinen, da sie kaum bewußt wahrgenommen werden. Beim stummen Selbstgespräch bewegt sich der Kehlkopf unmerklich, und wenn man unbeobachtet ist, drängt der innere Monolog bald auch dahin, laut zu werden: So trennt die Stimme die Zeit des Alleinseins von aller restlichen Zeit ab.

Warum haben die Menschen so lange die eigenen Stimmen nicht mehr aufzeichnen wollen? Das Kriegsende markiert den Bruch: Ab diesem Zeitpunkt ist es auch mit der Akustik erst einmal vorbei. Dabei waren schon bald nach der Erfindung des Phonographen die sogenannten Selbstaufnehmer auf den Plan getreten, die ihre Hausmusik auf Walzen festhielten: Der Onkel bringt ein Ständchen, die ganze Nachbarschaft um das Harmonium, ab heute braucht niemand hier mehr zu singen, jetzt gibt es jeden Sonntag eine Walzenvorführung. Diese Begeisterung setzte sich auch nach Emil Berliners Erfindung der Schallplatte fort, auf hundertfünfzig Umdrehungen, bis in die Dreißiger, der Blütezeit, da wollte jeder vor das Mikrophon, um hinterher dem kümmerlichen Klangergebnis zu lauschen.

Selbst während des Krieges gab man sich nicht geschlagen, da schnitt man Platten für daheim mit ausgedachten Frontberichten: In der Stube zittert der Schneidstichel, die ganze Familie sitzt still, und aufgeregt hantiert der Vater am Gerät herum, die aufgeschlagene Seite der ANLEITUNG FÜR PHONOAMATEURE im Blick, um jeden Schritt an den Aufnahmebefehlen im Leitfaden abzugleichen, damit die Heimarbeit nicht fehlschlägt, damit auch tatsächlich die ganze Zackigkeit des Ostfrontkommentars auf das Abhörwachs gebannt wird, jede Nuance im Direktschnitt: Kraftvoll, wo man sich den Panzervorstoß ausmalt, ironisch, wo das Sowjetdorf ins Bild geraten müßte, und klirrende Markanz beim Kälteeinbruch.

Doch plötzlich war es aus. Die lange Pause, bis das Tonband auch im Privaten vereinzelt Verwendung fand, und erst mit der Audiokassette, ab Ende der sechziger Jahre, begann man wieder, mit Selbstverständlichkeit für den eigenen Gebrauch aufzunehmen, erst mit dem integrierten Mikrophon von mangelhafter Qualität, das jeden Kassettenrekorder zierte, machten sie sich wieder über die eigenen Stimmen her, um alberne Anekdoten, langatmige Urlaubsschilderungen oder ganz einfach rohe Witze aufzuzeichnen und einander vorzuspielen.

Dazwischen lag die stumme Zeit, die taube Zeit. Photographieren: Ja, photographiert haben sie immer, aber sie konnten ihre eigenen Stimmen nicht mehr hören, die sie sich zwölf Jahre lang heiser geschrien hatten. Denn Photos kann man schönigen, man kann sie arrangieren: Jetzt lächeln und einander umarmen. Und Uniformen tauschen gegen Nachkriegslumpen. Orden verschwinden lassen, und: Wie schnell ein Oberlippenbärtchen abrasiert ist. Den Blick kann man sich abgewöhnen über Nacht: Am Morgen nicht mehr haßerfüllt und kriegerisch, sondern erschöpft und freundlich. Aber das geht mit der menschlichen Stimme nicht, die läßt das Ja Ja Ja, das Heil und Sieg und Ja Mein Führer noch auf Jahre durchklingen.

Bilder werden noch viele vorgeführt: Da drängeln sich die alten Männer im Zeitschriftenladen vor der Auslage, um ihre Fronterinnerungen aufzufrischen, da stöbern sie in WEHRTECHNIK und STALINGRADREPORT, da stoßen sie sich gegenseitig mit den Ellbogen in die Rippen, um aus dem NATIONALBLATT die einzige Bestellkarte für das Obersalzbergvideo zu ergattern. Und wenn der Tonfall keine Rolle dabei spielt, wenn es möglich ist, sie still zu lesen, dann sind auch Worte aus dem Munde einer SS-Fratze begehrt, dann wird jede einzelne Zeile schnell im Stehen hier gelesen, damit man auf der Straße nicht erkannt wird mit einer Zeitung unterm Arm, die vor grammatikalischen Fehlern nur so strotzt, die keinen einzigen korrekten deutschen Satz enthält.

Nein, niemand hört die alten Stimmen gerne wieder. Es scheint, daß man nicht sagen kann: Ja, so war meine Stimme damals, aber das hat sich dann schnell geändert. Wie haben sie die Taubstummen beneidet, sie wären alle gerne Taubstumme gewesen, die erst jetzt, Sommer 1945, wie durch ein Wunder zur Stimme kämen. Und wären bei Kriegsende die Lautsprecherwagen nicht mit der Kapitulationserklärung durch Berlin gefahren, sondern hätten die letzten Aufnahmen von Stumpfeckers Patienten ausgestrahlt, die Wutanfälle und erstickten Laute, dann wäre niemand aus dem Keller herausgekommen, um die Siegestruppen zu empfangen, dann hätten sich die Menschen erst noch gegenseitig die Kehlköpfe herausgebissen.

Es gibt keine vergangene Stimme. Dabei hat man soviel versucht, dabei haben sogar die Sieger den Deutschen alle Unterstützung zukommen lassen, um möglichst schnell eine flächendeckende Stimmveränderung herbeizuführen: Die Überraschung, als man feststellen mußte, daß die Besatzer schon während des Krieges intensiv daran gearbeitet hatten, ein erstes Grundvokabular zusammenzustellen, Ausspracheübungen und leicht verständliche Grammatiken für die Besiegten zu entwickeln, damit sie den alten Tonfall ablegen und für einen Moment von der eigenen Sprache ausruhen könnten. Allein schon das Fremdsprachenhören und Lippenablesen bedeuteten Erleichterung, wenn die Schüler die Lektionen im Chor repetierten, in Sälen, Turnhallen und Stadien, wo kurz zuvor noch Aufmärsche und Durchhaltefeiern stattgefunden hatten. In der Hoffnung, die alten Stimmfärbungen restlos löschen zu können, setzten sich alle willig den regelmäßigen Kontrollmessungen des Wortschatzes aus und ließen Aussprachefortschritte überprüfen. Selbst das gezielte Abfragen war willkommen, man drängte sich geradezu danach, wenn es nur dazu dienen konnte, jegliche Abweichung vom Gesamtbild des Gruppenklangs aus der Kehle zu tilgen.

Oder fiel der Abschied von der alten Stimme doch auch ein wenig schwer? Waren die Menschen innerlich gespalten? Wünschten sie einerseits, der Tonfilm wäre noch nicht erfunden worden, so daß man nur ihre Mundbewegungen sähe in den Parteifilmen, nur ihr Strammstehen, ihre Gesten, ihr Herumfuchteln auf Anweisung? Selbst der Anblick ihrer verzerrten Gesichter wäre noch leichter zu ertragen als ihre Stimmen damals. Doch andererseits war jeder von diesen Stimmausbrüchen nun auch geprägt, sie hatten die Kehle aufgerauht und sich in die Stimmbänder eingezeichnet als verhängnisvolle Narben, die keine noch so fein arbeitende plastische Chirurgie je wieder hätte unkenntlich machen können. Und so zog jeder für sich den Schluß, die bisherigen Tonfälle nicht völlig durch neue zu ersetzen, sondern das vorhandene Stimmbild durch andere Färbungen zu überlagern, so daß die alte Stimme noch verfügbar bliebe und sich bis heute manchmal ganz unerwartet Gehör verschafft, da sie aus tieferen Schichten hervorbricht: wenn ein alter Mann ein paar spielende Kinder überrascht, die sich auf sein Privatgelände vorgewagt haben und nun, erschreckt von diesem ihnen unbekannten rohen Ton, die Flucht ergreifen, als ginge es um ihr Leben.

Denn dieser Herrenton gilt noch immer als Inbegriff des Erwachsenseins. In der Rückschau setzt jeder, ohne einen genauen Zeitpunkt festlegen zu können, einen Einschnitt an und meint, an diesem Punkt die eigene Erwachsenenstimme angenommen zu haben, und vorher sei da nichts gewesen, nichts Vergleichbares, nur niedliches, naives Antworten auf die Erwachsenenfragen, ein ungeübtes Herumtasten in der Erwachsenen-, der wirklichen, gültigen Welt. Eine Vorstellung, die voraussetzt, daß ein Erwachsener nicht begreifen kann, daß hinter jener äußeren Kinderstimme noch eine innere Stimme steht, mitunter in krassem Gegensatz zum Suchen von Worten, zum kindlichen Klang. Eine Diskrepanz, die dem Erwachsenen erst gar nicht in den Sinn kommt, weil er dem Kind jegliche innere Stimme abspricht. Ihm muß undenkbar bleiben, daß der hörbaren Kinderstimme ein völlig anderer Klang entgegensteht, daß ein Kind in zwei Welten lebt, zwei Stimmen hat, zwei verschiedene Sprachen benutzt, die sich vielleicht so grundlegend voneinander unterscheiden wie die Sprache der Lebenden von der der Toten: Die Toten, heißt es, benutzen zwar dieselben Wörter wie die Lebenden, doch haben diese in ihrer Welt genau die entgegengesetzte Bedeutung wie zu Lebzeiten.

Es ist noch immer dunkel draußen. Ich suche nach der alten Stimmensammlung, nach jenen Aufnahmen, die mir damals zu wertvoll waren, als daß ich sie in Dresden im Archiv zurücklassen konnte. Nach dem Abbruch unserer Forschungsarbeit und noch einmal bei Kriegsende habe ich die bedeutendsten Schallfolien und Bänder in Kisten verstaut und seither von Umzug zu Umzug in jede neue Wohnung mitgeschleppt, ohne sie jemals wieder abzuhören. Sogar einen dieser alten Plattenspieler besitze ich noch, das gleiche Modell, wie es beim Tanztee, letzter Kriegstag, unten im Bunker benutzt wurde. Auf dem Deckel ein aufgerauhter Fleck: Dort ist vor Jahren das Emblem mit einem Küchenmesser weggekratzt worden, der Tonkopf, nein, der Totenkopf.

Ich öffne das brüchige Band, das einen Packen Wachsmatrizen zusammenhält und nehme eine Schallplatte aus
der stockfleckigen Papierhülle. Sie hat kein Etikett, aber
sie muß im Spiegel eine Kennzeichnung tragen: Tatsächlich schimmert dort im matten Schwarz meine hineinge-
kratzte Handschrift. Das Wachs gleicht jenem hochwerti-
gen Material, welches uns gegen Kriegsende lediglich noch
im Bunker der Reichskanzlei zur Verfügung stand. Sind
das jene Aufnahmen, die Stumpfecker mir übergab, um sie
aus Berlin zu retten?

Es kitzelt unangenehm in meinen Ohren, in der Erwartung des ersten Geräuschs. Zu meiner Enttäuschung aber
muß ich sofort erkennen, daß diese Aufzeichnung nicht
von mir stammt. Völlig unprofessionell durchgeführt, es
geht nur: Klippe klappe, klippe klappe. Ganz schwach
höre ich eine junge Stimme: Hick hack, hick hack, hick
hack. Die zweite Wachsmatrize: Noch eine Kinderstimme. Nein, mit diesen Tondokumenten habe ich nichts
zu tun. Aber wie kommt dann meine Handschrift auf die
Platten?

Ich habe doch auch niemals Kinderstimmen aufgenommen, ich habe keine eigenen Kinder, habe in meinem
Leben nicht ein einziges Mal miterlebt, wie ein Kind das
Sprechen lernt. Ich bin mit Kindern kaum in näheren
Kontakt gekommen. Außer mit jenen sechs. Doch die haben mir nicht auf Platte gesprochen, obwohl ich es mir
immer gewünscht habe. Es ergab sich nie eine Gelegenheit
dazu, und außerdem war ihr Vater auch strikt dagegen, aus
Furcht vor der Existenz solcher Aufnahmen in meinen
Händen. Gerade bei unserer letzten Begegnung, kurz vor
seinem Tod, sperrte er sich so vehement dagegen, daß ich
alle Hoffnung aufgab. Wir hatten eine heftige Auseinan-
dersetzung auf dem Gang vor meiner Bunkerkammer. Da

war es auch schon längst zu spät: Tag und Nacht war ich damit beschäftigt, Stumpfecker bei seinen verzweifelten Versuchen beizustehen, die Stimme seines letzten Patienten zu retten, so daß keine Kraft blieb, sich noch mit anderem zu beschäftigen.

Ich prüfe eine dritte Wachsmatrize. Ist dies am Ende Helgas Stimme? Ja, obwohl es rauscht, obwohl die Stimme nur ganz von ferne kommt: Das ist Helgas Stimme. Mit einem Mal stellen sich auch die zu den Tönen gehörigen Bilder wieder ein: Ankunft im Bunker am 22. April, wo ich den Kindern noch einmal begegnete. Mit ihren Eltern hatten sie sich vor den Angriffen in Sicherheit gebracht. Und gleich am ersten Abend gelang es mir, unbemerkt ein Aufnahmegerät unter ihrem Bett zu installieren: Beim Gute Nacht-Sagen geschickt versteckt und eingeschaltet. Diese kurzen Aufnahmen wurden in der Folge täglich fortgeführt, jeden Abend vor dem Einschlafen das Abhorchen.

VIII

Mama macht Papa seine Hände. Mama macht seine Finger. Heute ist Freitag. Freitag macht Mama immer Maniküre, seitdem Papas Sekretärinnen dazu keine Zeit mehr haben. Sie arbeiten jetzt Tag und Nacht. Man hört nur, wie die kleine Schere knipst, die Nagelfeile leise scheuert. Das Geräusch macht mir immer eine Gänsehaut, wie trockene Kreide auf der Tafel oder ein Holzlöffel, der durch den Topf kratzt. Mama feilt weiter. Mama massiert. Ist Papa nervös? Sind Papas Hände zittrig, oder pumpt sein Blut besonders heftig, da Mamas Finger seine Finger drücken? Papa hat Flecken auf dem Handrücken bekommen. Und Mama cremt. Papas Haut sieht nicht gesund aus, auch im Gesicht, da ist sie schuppig, obwohl er sich doch immer bräunt. Papa hat kein Rasierwasser mehr, also riecht er auch im Gesicht nicht mehr so gut. Mama massiert die Creme in die Falten von Papas Fingerknöcheln ein, bis die Gelenke knacken.

Papa muß gleich noch weg, da will er schöne Hände haben. Der Führer hat Geburtstag, und Papa nimmt unsere Geschenke mit zu ihm, wir haben alle etwas gebastelt, aber wir dürfen die Geschenke dieses Jahr nicht selber überreichen. Das wäre zu gefährlich, denn draußen wird geschossen, draußen fallen so viele Granaten wie noch nie auf unsere Stadt. Der Krach der Explosionen ist das einzige, was Mamas Maniküre unterbricht, denn Papa zieht bei jedem Einschlag erschrocken seine Hände weg, so daß die Feile abrutscht. So daß die Creme auf Mamas Ärmel schmiert. Endlich sind Papas Hände fertig. Wir haben unsere Geschenke verpackt. Bald hat auch Hedda schon Geburtstag, am 5. Mai, dann wird sie sieben, da müssen wir rechtzeitig auch etwas für sie basteln, uns bleiben dazu jetzt nur noch zwei Wochen Zeit. Da knallt schon wieder eine Explosion, das ist ein Lärm. Doch jetzt tut Papa so, als wenn ihm das nichts ausmacht, er zuckt noch nicht einmal. Einen Moment sind wir alle ganz still. Aber die Explosion war nicht sehr nah bei unserem Haus, Papa schaut aus dem Fenster, und er sagt: Nein, man kann noch nicht einmal die Wolke sehen.

Mama packt ihre Utensilien zusammen. Papa zieht seinen Schlips zurecht. Papas Hände sind jetzt ganz rot und glänzen. Wenn jetzt schon in unserer Nähe hier geschossen wird, warum hat Papa uns dann vorgestern nacht von Schwanenwerder hierher kommen lassen? In Schwanenwerder war es doch viel sicherer, da fielen keine Bomben. Da haben wir nur jeden Abend den roten Schein über der Stadt gesehen, weit entfernt. Da sahen wir den Krieg im Lichtermeer, und meine kleinen Geschwister meinten immer, es gäbe ein Gewitter. Nur daß der Donner fehlte, wenn es blitzte. Meine Geschwister schauten auf den See hinaus und warteten darauf, daß das Gewitter auch über unseren Köpfen tobte, sie wollten, daß es endlich regnet. Aber es waren nur die Strahlen der Flakscheinwerfer und die Feuer in der Stadt zu sehen.

Mama hat keinem von uns verraten wollen, daß wir jetzt mitten im Krieg stecken, hier in der Stadt. Und was sie von den Flüchtlingen erzählt hat, das hätten doch auch die Kleinen schon begreifen müssen: Die haben die Stadt verlassen, weil es hier zu gefährlich ist. Und wenn die Russen Schwanenwerder nie erreichen würden, wie Mama uns einmal beruhigt hat, warum fahren wir ihnen dann entgegen? Als Papas Ministerium getroffen wurde, warum hat niemand da gemeint, daß es für uns zu gefährlich ist, hierher in die Nähe zu ziehen? Als gäbe es jetzt nicht mehr die Moskitos, die Papas Ministerium zerstört haben, als wäre der Krieg schon vorbei. Aber das ist er nicht, das merken wir doch auch jede Minute, wenn wieder eine Granate einschlägt irgendwo in unserer Nähe. Papa ist jetzt fertig zum Gehen, er gibt mir einen Kuß und lächelt. Dann verschwindet er. Wenn es für uns gefährlich ist, in den Garten zu gehen, dann ist es doch für Papa auch gefährlich, bis zum Führer zu laufen. Aber Papa hat versucht so zu lächeln, als könnte ihm gar nichts passieren.

Was haben Mama und Papa mit uns vor, warum wollte Papa unbedingt, daß wir mitten in der Nacht, als wir alle schon geschlafen hatten, zu ihm ins Stadthaus kommen? Vor kurzem hat Mama mit ihrer Sekretärin alle Gegenstände in Schwanenwerder gezählt, die beiden machten eine Liste aller Teller, auch das Besteck, die Bettlaken und Tischtücher wurden erfaßt. Da dachten wir, wir nehmen diesen Hausrat mit, wenn wir von Schwanenwerder wegziehen. Haben wir aber nicht. Wir glaubten auch, daß wir woandershin fahren, nicht in die Stadt, nicht dahin, wo gekämpft wird. Das hat Mama selber einmal gesagt: Wenn es gefährlich wird, dann fliehen wir vor dem Krieg.

Mama muß doch auch wissen, daß sich die Kleinen fürchten und daß wir Großen merken, wie Mama lügt. Wir sagen alle Ja, wenn Mama fragt: Freut Ihr euch, daß Ihr erst einmal nicht mehr für die Schule lernen müßt? Aber eigentlich freut sich dabei nur noch Helmut, der strahlt, weil er nicht jeden Tag drei Stunden üben muß. Wir Großen sind doch keine kleinen Kinder mehr, mit Schulfrei kann uns Mama nicht locken. Aber wir können ihr das auch nicht sagen, dann bekämen die Kleinen noch mehr Angst. Die dürfen nicht erfahren, was uns allen bevorsteht: Wir werden nicht mehr lange leben. Das kann man nicht laut sagen. Weil es mir den Hals zuschnürt und meinen Mund so trocken macht, daß meine Zunge sich nicht mehr bewegen läßt. Selbst Atmen geht nicht mehr, wenn man nur daran denkt.

Helga, was schaust du so bekümmert?

Nichts, Mama. Kommt Papa auch bald wieder?

Sicher. Hast du Angst, daß ihm etwas passiert?

Mamas Gesicht zuckt. Sie hat noch immer ihre Schmerzen, seit ein paar Tagen ist es so schlimm wie lange nicht mehr. So krank war sie zuletzt, als sie aus Dresden wiederkam. Da war die Stadt schon ganz zerstört, Mama war noch einmal im Weißen Hirsch, aber nicht mehr zur Kur, nur zum Verabschieden. Sie kam zurück mit einem Zigarettenlieferwagen, ihr Mantel sah zerschunden aus, die Frisur zerzaust. Aber das hat sie nicht gemerkt, sie war zu traurig und nervös. Ob sie in Dresden etwas erfahren hatte, das sie so traurig machte? Gesagt hat sie uns nichts, sie hat uns nicht mal richtig angesehen.

Der Krach um unser Haus wird immer lauter, das tut in meinen Ohren weh. Bald schießen sie auch schon auf unser Haus. Mama sagt etwas, aber bei diesem Lärm kann man sie nicht verstehen. Dann ruft sie: Helga, such deine Geschwister, es ist wohl besser, wenn wir hinunter in den Bunker gehen.

Draußen auf dem Flur ist der Teppich schon plattgetreten von den vielen Schritten. Schmutzig. Hier putzt nun niemand mehr. Alle haben anderes zu tun. Vom Flur aus hört man hinter jeder Zimmertür, wie Schreibmaschinen klappern, daß Besprechungen abgehalten werden, oder wie die Männer diktieren. In jedem Zimmer sitzen Leute und arbeiten, seitdem das Ministerium nicht mehr steht. Das ganze Haus ist voller Leute, aber im Treppenhaus merkt man davon fast nichts, weil hier alle leise sind, hier auf den Fluren wird nur geflüstert. Jeden Tag rücken alle näher zusammen, in manchen Zimmern kann man nicht mehr wohnen, in den meisten Räumen sind schon keine Fensterscheiben mehr. Dort kleben Pappen vor den Fenstern, damit es nicht zu kalt wird drinnen, und trotzdem pfeift der Wind durch, so daß die Kerzen anfangen zu flackern.

Meine Geschwister haben sich im Erdgeschoß im Wandelgang zusammengekauert, sie fürchten sich vor den Granaten. Als sie mich sehen, ruft Helmut: Helga, werden wir jetzt beschossen? Ist oben schon das Haus kaputt?

Nein, Helmut, es ist nichts. Aber wir werden jetzt mit Mama hinunter in den Bunker gehen, damit uns wirklich nichts passieren kann.

Sie trauen sich nicht aus ihrer Ecke heraus. Erst als Mama erscheint, stehen sie auf. Früher sind wir immer mit dem Fahrstuhl hinuntergefahren. Aber jetzt, wo jeden Moment der Strom ausfallen kann, gehen wir zu Fuß, damit wir nicht im Schacht steckenbleiben. Niemand würde uns wieder herausholen, alle haben zu viel zu tun. Wir Kinder gehen in den Bunker, die anderen aber müssen oben bleiben und weiterarbeiten.

Hier unten sieht noch alles aus wie früher. Den Lärm von oben hört man nicht. Auf den Bildern an den Wänden gibt es keine Einzelheit mehr, die wir nicht schon hundertmal angesehen haben. Beim Warten auf das Ende eines Luftangriffs, mitten in der Nacht, wenn wir nicht weiterschlafen konnten, obwohl wir hier eigene Betten haben. Ja, jeden Strich und jeden Farbfleck auf diesen Bildern kennen wir. Auch alle Muster auf den Teppichen, die Stikkereien auf den Sesseln, den Bezügen. Hier unten braucht man zwar nicht solche Angst zu haben, aber dafür ist es langweilig. Wir haben keine Lust zu spielen, wir wollen nur, daß die draußen aufhören zu schießen. Mama hat auch keine Idee, was wir jetzt machen sollen. Nur warten. Warten.

Die ganze Nacht haben sie jetzt geschossen. Aber wir wollten nicht im Bunker übernachten, und Mama wollte das auch nicht. Nach einer Weile sind wir wieder hinaufgegangen und haben in unseren eigenen Betten geschlafen. Wir Kinder wohnen jetzt in einem Zimmer zusammen, weil alle anderen Räume besetzt sind. In unserem alten Spielzimmer. Doch ist es längst nicht mehr so schön wie früher. Unsere ganzen Kleider, alle unsere Spielsachen sind hier zusammengepackt. Die Tapete mit dem Blumenmuster hat schon braune Flecken, vom Wasser, das aus den kaputten Rohren sickert. So etwas hat es früher nicht gegeben, früher ist alles sofort repariert worden. Wenigstens unsere eigenen Betten haben wir noch. Die anderen Menschen hier im Haus müssen auf unbequemen Feldbetten schlafen, ohne Matratze. Wenigstens unsere Betten und unsere eigene Bettwäsche, die warmen Daunendecken. In unserem Zimmer ist es kalt, weil hier auch keine Fensterscheiben mehr sind, nur Pappe, die bei Dunkelheit schwarz aussieht. Nachts bauschen sich die Gardinen, wenn der Wind von draußen weht. Dann haben die Kleinen Angst, sie denken, daß jemand durch das Fensterloch hereinklettert. Aber es ist niemand gekommen letzte Nacht, es wurde nur immer geschossen.

Wir sehen Papa kurz beim Frühstück. Papa soll nicht mehr so viele Reisen machen. Fast jeden Tag ist er weg von uns, er fährt regelmäßig bis an die Front, um den Soldaten Essen und Schnaps zu bringen. Aber das ist doch zu gefährlich, an der Front.

Papa, du gehst jetzt nicht mehr so häufig weg, nein?

Nein, Liebling.

Wir wollen ab jetzt lieber zusammenbleiben.

Wie?

Wir alle, unsere Familie.

Ja, da hast du recht.

Aber er hört mir eigentlich nicht zu. Er ißt nur schnell sein Butterbrot und denkt schon an die Arbeit. Wie traurig es hier ist. In Schwanenwerder war es noch viel schöner. Da kam Papa abends nach Hause und hatte Zeit für uns, auch wenn er sehr beschäftigt war oder es ihm nicht gut ging. In Schwanenwerder war schon Frühling, hier ist nur Staub und Dreck. In Schwanenwerder konnten wir im Garten spielen, fast wie im Frieden. Hier stören wir nur.

Können wir Filme gucken?

Nein, Ihr könnt keine Filme schauen. Im Filmsaal wird jetzt Konferenz gehalten.

Wann können wir denn Filme gucken?

Vielleicht heute abend, falls dann kein neuer Angriff kommt.

Wie lange geht das noch mit den Angriffen?

Nicht mehr sehr lange. Das ist schon bald vorbei.

Hedda gibt sich mit dieser Antwort von Papa zufrieden. Aber wie oft haben Papa und Mama uns das schon gesagt? Und bisher ist noch nichts zu Ende.

Es brennt. Im ganzen Garten brennt es. Der Rauch zieht bis in unser Zimmer. Die Pappe haben wir weggerissen. Das flackert hoch bis in den ersten Stock. Da stehen Papas Leute draußen und zünden ein Feuer nach dem anderen an, sie gießen Benzin auf die Haufen. Das ist Papier, das brennt, immer neue Akten werden in die Flammen geworfen. Wie dann die Flammen schlagen, wie das knistert. Papa ist nicht da unten, er sitzt in seinem Zimmer und spricht eine Rundfunkrede auf Band. Sie soll noch heute nachmittag gesendet werden. Haben die Menschen in Berlin denn überhaupt noch Radios? Da knallt es wieder, die Leute laufen von den Feuern weg. Sie stehen jetzt genau unter uns an der Hauswand, um sich zu schützen. Wo ist Mama? Es knallt und knallt, unendlich viele Granaten. Ganz nah müssen die Geschütze schon sein. Wir verkriechen uns in der Zimmerecke, zwischen den Betten. Ob Papa bei dem Krach wohl eine Pause macht beim Sprechen seiner Rede, ob er sich irgendwo in Sicherheit bringt? Mama stürzt ins Zimmer: Kommt, Kinder, kommt da weg, wir müssen runter in den Bunker.

Den ganzen Tag wird viel geschossen. Wir dürfen nicht mehr in unser Zimmer hinauf, wir sitzen mal im Bunker, mal im Wandelgang. Auch Papas Mitarbeiter sind jetzt hier. Wir können uns nicht mehr unterhalten, weil es so laut ist. Nur ab und zu einen Satz. Keiner hat Lust auf Mittagessen. So geht das nicht weiter, das halten wir doch nicht mehr lange durch. Papa ist wieder weggegangen, obwohl er uns versprochen hat, daß wir jetzt erst einmal zusammenbleiben. Als Papa zurückkehrt, spricht er als erstes kurz mit Mama. Mama nimmt uns und unsere Kinderfrau mit hinauf in das Zimmer. Sie sagt: Machen Sie jetzt die Kinder fertig.

Was meint sie damit? Sie sagt: Wir gehen jetzt zum Führer.

Hedda fragt: Bekommen wir beim Führer Kuchen?

Holde meint auch: Der Führer hat bestimmt Kuchen für uns.

Ihr redet Quatsch. Warum soll er denn Kuchen haben?

Weil er der Führer ist, Helga.

Keiner hat Kuchen jetzt. Wie sollte er denn nach Berlin gelangen?

Mit dem Flugzeug vielleicht.

Na, das ist Blödsinn.

Aber die fliegen doch die ganze Zeit.

Aber bestimmt nicht, um für uns Kuchen nach Berlin zu bringen.

Und für den Führer? Mama? Bekommen wir Kuchen?

Mama sagt: Ihr seid wohl völlig ausgehungert, was?

Die Kinderfrau packt unsere Sachen. Sie läßt mich helfen, damit es schneller geht. Sollen wir nur Sommersachen nehmen oder auch Warmes? Die Kinderfrau fragt Mama: Auch Nachtsachen?

Mama sagt: Nein, die brauchen wir nicht mehr.

Was soll das heißen? Mama schaut uns an: Jeder von euch kann sich ein Spielzeug mitnehmen. Aber nur eines, hört Ihr?

Heide sucht verzweifelt nach ihrer Schlenkerpuppe. Aber die ist nirgendwo zu finden, im Bett nicht und nicht bei den Spielsachen. Hat Heide sie im Bunker vergessen? Liegt sie noch unten im Wandelgang? Nein.

Die Kinderfrau zuckt mit den Schultern: Da kann man wohl nichts ändern.

Aber Heide will unbedingt die alte Schlenkerpuppe.

Da wird Mama ein bißchen ungeduldig, sie sagt zu unserer Kinderfrau: Packen Sie für Heide eine andere Puppe ein.

Heide fängt fast zu weinen an. Mama nimmt sie kurz in den Arm, sie weiß nun auch nicht weiter: Was sollen wir denn machen? Wir müssen jetzt doch dringend weg. Und deine Puppe ist ja nirgendwo zu finden.

Heide gibt sich mit einer anderen Puppe zufrieden. Aber nicht wirklich, das sieht man ihrem Gesicht an, als unsere Kinderfrau die Puppe in den Koffer legt. Dann müssen wir nach unten. Papa kommt auch die Treppe herunter, ganz bleich ist er. Er geht so langsam. Was wird jetzt mit uns geschehen?

Draußen stehen zwei Autos schon bereit. Mama sagt: Helga, du kommst mit uns in den vorderen Wagen. Ihr anderen fahrt mit Herrn Schwägermann.

Wir steigen in die Limousine, die Papa einmal vom Führer zu Weihnachten geschenkt bekommen hat. Gepanzert und mit kugelsicheren Scheiben, so kann uns nichts passieren. Aber was ist mit meinen Geschwistern im anderen Wagen, der keine kugelsicheren Scheiben hat? Mama sitzt neben mir und weint jetzt leise. Papa sagt nichts, der Fahrer auch nicht. Seit unserer Ankunft in der Stadt vor drei Nächten sind wir kein einziges Mal mehr draußen gewesen. Jetzt erst sehen wir, wie kaputt hier alles ist. Nur noch Ruinen, große Löcher in den Wänden, die dicken Mauern brechen bald zusammen. Die Schutthaufen hier überall. Granattrichter mitten im Asphalt. Was liegt denn da, da drüben, ist das nicht ein Toter? Mama antwortet nicht. Sieht das leblose Bündel denn nicht wirklich wie ein Toter aus? Wie soll man das genau wissen, wenn man noch nie einen Toten gesehen hat. Dann sind wir schon vorbei.

Wir biegen in die Voßstraße ein. Das kurze Stück sind wir früher immer zu Fuß gegangen. Die Wagen halten. Zum Glück sind wir auf dem Weg nicht beschossen worden. Papa geht vor, die Fahrer nehmen unsere Koffer. Die Kleinen steigen schnell aus dem hinteren Wagen, sie sehen aus, als hätten sie auf der Fahrt geweint. Heide kommt zu mir gelaufen und fragt: Was waren das für Löcher in der Straße und für Haufen Steine? Wird da gebaut?

Vielleicht.

Aber wo waren denn die Bauarbeiter?

Die haben Feierabend. Es ist doch schon fünf Uhr. Und überhaupt: Es ist ja Sonntag.

Heide nimmt meine Hand und läßt sie nicht mehr los, wir gehen Papa hinterher. Hier liegen überall die Trümmer. Dann finden wir den Eingang, es geht hinunter in den Keller. Nein, in den Bunker.

Hier sind vier kleine Kammern ohne Fenster. Zu Hause haben wir fast vierzig Zimmer. Da war es mit der Pappe vor dem Fensterloch noch besser. Hier ist es immer dunkel, wenn man kein Licht anmacht. Hier sieht man keinen einzigen Sonnenstrahl, der durch die Ritzen hereindringt. Hier hört man keine Vögel singen. Die Luft steht still, obwohl es eine Klimaanlage gibt. Die Kammern sind für Mama und für uns, Papa geht den Flur weiter. Er sagt, er muß hinunter. Wir sind doch schon weit unten. Aber es gibt noch eine tiefere Etage. Da wird Papa sein Arbeitszimmer haben. Wie lange sollen wir es hier denn aushalten?

Alle fragen jetzt durcheinander: Kommt unsere Kinderfrau noch nach?

Unsere Lehrerin?

Wo ist die überhaupt?

Und warum haben wir keine Nachtsachen mit?

Warum brauchen wir die denn nicht?

Die brauchen wir natürlich doch, wie wir jetzt merken. Mama weiß keine Antwort. Mama bringt uns zu Bett, wir sollen diese Nacht in Unterhemden schlafen, mit ungeputzten Zähnen. Jetzt verkommen wir. Jetzt haben wir nicht einmal mehr unsere eigenen Betten, nur Luftschutzbetten. Unbequeme Etagenbetten, wie bei kleinen Kindern, aber in dieser Kammer ist für andere Betten kein Platz. In Lanke hatten wir den Wald, den See und viele Tiere draußen. Auch wenn es nicht immer ganz so schön war, weil wir dort manchmal Frauensachen fanden. Einmal ein Lippenstift in einer Farbe, die wir auf Mamas

Lippen nie gesehen hatten. Da wußten wir, daß Papa nicht allein nach Lanke fuhr, wenn er das sagte. In Schwanenwerder gab es zwar auch andere Frauen, aber die gingen dann zu Papa in das Gästehaus. In Schwanenwerder war es eigentlich am schönsten, weil wir auch Freundinnen einladen konnten aus der Schule. Bootsfahrten haben wir gemacht, Schwimmen gelernt. Im Stadthaus hatten wir die schönsten Zimmer, und wenn wir da waren, haben wir Papa auch oft tagsüber gesehen. Dann ging er mit uns aus und kaufte uns jedesmal etwas. Wir hatten soviel Spielzeug in der Stadtwohnung, daß gar nicht alles ins Spielzimmer paßte. Hier haben wir nichts mehr. Selbst Kuchen hat es nicht gegeben. Das war wieder kein schöner Tag.

Mama ist gerade aus dem Zimmer, da hören wir sie auf dem Flur mit jemandem sprechen. Unsere Tür ist nur angelehnt, die beiden Stimmen werden lauter. Da spricht ein Mann, aber nicht Papa. Das ist eine bekannte Stimme draußen. Als erstes sehen wir den kleinen schwarzen Hund Coco, der die Tür mit der Nase aufstupst, dann steht auf einmal Herr Karnau vor uns. Wir erkennen ihn alle sofort wieder, obwohl er von oben bis unten mit Schmutz beschmiert ist. Er hat verfilztes Haar, und seine Kleidung ist zerschlissen. Herr Karnau kommt gleich zu uns ans Bett und lacht, weil wir uns so sehr freuen. Warum ist er hier? Wegen uns? Was macht er im Bunker? Hat er zu arbeiten?

Herr Karnau will sich erstmal waschen und uns dann erzählen, wie er hierhergelangt ist. Coco springt auf mein Bett, und aus der obersten Etage strecken Helmut und Holde die Arme aus, um ihn zu streicheln. Coco wedelt so wild mit seinem Schwanz, daß unser Bettzeug aufgewühlt wird, er leckt mir das Gesicht, er will gekrault werden. Herr Karnau steht am Waschbecken und schrubbt sich den

Hals. Wie hat Herr Karnau es geschafft, zu uns hier nach Berlin zu kommen?

Ihr werdet es nicht glauben: Mit dem Flugzeug.

Gibt es denn überhaupt noch einen Flugplatz in der Stadt?

Nein, sicher nicht. Wir mußten auf dem Kurfürstendamm landen, das war vielleicht eine Wackelpartie, mir wurde ganz flau im Magen.

Mir wird auch immer schlecht beim Fliegen.

Und Hedda sagt: Dann haben wir das Flugzeug vielleicht gesehen. Vorhin am Himmel, heute mittag. Warst du da drin?

Wenn das ein kleines Flugzeug war, dann kann es das schon gewesen sein. Habt Ihr mich vielleicht winken sehen?

Nein, haben wir nicht. Hedda muß lachen. Herr Karnau kämmt sich, und Holde fragt: Woher ist denn dieser ganze Schmutz?

Herr Karnau sagt: Die Stadt ist voller Staubwolken, und überall muß man über die Halden krabbeln, wenn man vorwärts will. Da wird man dreckig wie ein Kind beim Spielen.

Coco schnüffelt und leckt, er erkennt uns wieder, obwohl es schon so lange her ist, daß wir ihn und Herrn Karnau gesehen haben. Hilde will wissen, was Herr Karnau in der ganzen Zeit gemacht hat.

Erzählt doch Ihr erstmal. Wie geht es euch denn überhaupt?

Ganz gut.

Seid Ihr auch erst eben eingetroffen?

Ja. Vor ein paar Stunden.

Und vorher wart Ihr in Schwanenwerder?

Ja. Aber zuletzt hier in der Stadt in der Hermann

Göring-Straße. Doch nur drei Tage. Vorher war es noch schön, in Schwanenwerder.

Aber auch nicht mehr ganz so schön wie früher.

Warum?

Holde weiß keine Antwort. Helmut sagt: Da waren so viele Leute bei uns.

Heide erinnert sich: Manchmal ging abends das Licht aus, im ganzen Haus. Einmal hatten wir Angst, unsere Mama war nicht da, und Papa auch nicht. Auf einmal war es ganz dunkel, dabei hatte keiner den Lichtschalter berührt.

Ein Stromausfall?

Ja, sowas. Und Papa kam erst spät nach Hause.

Herr Karnau ist mit dem Waschen fertig, nun sieht er wieder aus wie immer. Er schrubbt noch seine Hose mit der Kleiderbürste und setzt sich zu uns aufs Bett. Herr Karnau erzählt, daß er heute mittag im Zoo gewesen ist.

Im Zoo? Ist der nicht geschlossen?

Doch.

Und wie geht es den Tieren?

Nicht so besonders gut. Die könnten jetzt endlich den Frieden ebenso gebrauchen wie wir Menschen.

Ist da denn viel kaputt?

Die Wärter versuchen, soviel wie möglich noch zu retten. Sie kümmern sich weiter um alle Tiere. Stellt euch vor: Die Wärter laufen durch die ganze Stadt, um Futter für ihre Tiere zu finden.

Sind viele Tiere krank?

Ja, manche sind verletzt, und es fehlt auch an Wasser.

Wenn Frieden ist, dann wollen wir den Tieren helfen.

Heide: Zuallererst den Fischen.

Und den Löwen.

Meine Geschwister machen Vorschläge, wie man die

Tiere retten könnte. Nach Kriegsende will jeder sich um seine Lieblingstiere kümmern. Die Kleinen denken wohl, daß Herr Karnau ein Tierarzt wäre, er soll die Tiere untersuchen. Es kommt ihnen gar nicht in den Sinn, daß viele Tiere sicherlich schon nicht mehr leben. Herr Karnau sagt darüber auch nichts.

Dann ist Mama zurück, sie will, daß wir jetzt schlafen. Aber Herr Karnau hat doch noch nicht zu Ende erzählt. Heide bettelt: Kommst du morgen früh wieder zu uns?

Oder ist Herr Karnau nur kurz hier zu Besuch und muß gleich wieder fort? Wir haben hier doch niemanden. Herr Karnau sitzt noch immer auf dem Bettrand, er zögert, aufzustehen und hinauszugehen. Wird er den Bunker schon verlassen? Dann sehen wir uns vielleicht niemals wieder. Herr Karnau sagt: Nein, macht euch keine Sorgen, meine Arbeit hier wird sicher mehrere Tage in Anspruch nehmen.

Sehen wir uns dann morgen wieder?

Er lacht: Wenn Ihr nichts anderes vorhabt. Vielleicht zum Mittagessen?

Ja, und am Nachmittag können wir etwas unternehmen, wir können...

Hilde unterbricht: Hedda, Herr Karnau muß doch arbeiten.

Geht er nach seiner Arbeit aus dem Bunker fort?

Herr Karnau antwortet nicht gleich, traurig schaut er uns an. Doch dann lächelt er und sagt leise: Solange Ihr hier bleibt, bekommt mich niemand von hier weg.

Versprochen?

Ja, versprochen.

Und er nimmt meine Hand. Seine Hände sind immer noch nicht ganz sauber, obwohl er sie gebürstet hat, die Fingerrillen sind schwarz. Er streicht Heide über das Gesicht, und dann verläßt er uns, er hat heute abend noch zu tun. Auf unserer frischen Zudecke sind Abdrücke von Cocos kleinen Pfoten. Und in der Freude darüber, daß Herr Karnau nun auch hier im Bunker wohnt, vergißt Heide sogar, daß ihre Schlenkerpuppe nicht mitgekommen ist.

Am Morgen wacht Heide auf und hält ihr Kopfkissen umklammert. Das erste, was sie sagt: Das ist ja gar nicht meine liebe Puppe.

Dann fängt sie an zu weinen und weckt damit die anderen auf. Heide weint und quengelt weiter, sie will unbedingt ihre Puppe haben, sogar beim Frühstück weint sie noch. Mama will sie trösten, aber sie schafft es nicht. Auch Mama ist nicht gut gelaunt, wegen der Hundespuren auf dem Bett. Wir haben nämlich kein Bettzeug zum Wechseln hier. Man merkt, wie Mama sich während des Frühstücks zu einer Entscheidung durchringt. Dann endlich sagt sie: Da nützt wohl alles nichts. Wir müssen noch Sachen aus der Wohnung holen, Zahnbürsten und Nachthemden braucht ihr schließlich auch.

Heide fragt gleich: Holst du meine Puppe?

Ja, Heide, sicher, wenn wir sie noch finden.

Aber ist es nicht zu gefährlich, den Bunker jetzt noch zu verlassen?

Vielleicht kann jemand von den Wachen mitkommen, dann wird es schon gehen.

Mama erzählt Papa, daß sie noch einmal raus will. Diese Idee gefällt ihm gar nicht, er will Mama zurückhalten, die beiden diskutieren, und Papa setzt dabei seine ganze Überredungskunst ein. Aber Mama ist fest entschlossen. Papa lenkt ein: Nimm wenigstens Schwägermann mit, der kennt die Lage draußen. Er kann dir auch beim Tragen helfen.

Mama verabschiedet sich von uns, als würden wir uns nie mehr wiedersehen. Dann ist sie fort. Wir sind allein. Hoffentlich wird Mama auch nicht getroffen. Hoffentlich fällt sie nicht den Russen in die Hände. Erst als Herr Karnau uns besucht, geht es uns allen etwas besser. Herr Karnau will uns aufmuntern: Heute kocht ausnahmsweise die Diätköchin euer Mittagessen. Ihr werdet sehen, wie gut das schmeckt.

Aber das Essen schmeckt nicht so, als wenn Mama für uns kocht. Heide hat keinen Appetit. Erwartet sie so sehnlich ihre Puppe? Herr Karnau sagt: Erinnert Ihr euch, damals, als wir uns gerade kannten und Coco Käserinde fressen durfte?

Die anderen erinnern sich nicht, aber mir fällt es wieder ein. Das war zu Hause bei Herrn Karnau. Da fanden wir ihn noch nicht besonders nett. Hedda fragt: Da, wo auch diese seltsamen Tiere waren?

Die Flughunde meinst du? fragt Hilde.

Herr Karnau lacht: Nein, viel früher, da warst du noch ganz klein, Hedda, da warst du erst zwei Jahre alt.

Hilde sagt: Ihr Freund, der Flughunde zu Hause hatte, der konnte doch mit allen Tieren sprechen?

Holde bittet: Wir wollen auch mit allen Tieren sprechen können.

Aber hier sind doch keine Tiere.

Höchstens Coco.

Herr Karnau gibt nach: Na gut. So kann Coco auch einmal aus dem Zwinger unten. Wartet einen Moment, dann sind wir wieder hier.

Gleich, als er weg ist, denken wir an Mama. Ob sie jetzt schon zu Hause ist? Ob unser Haus noch steht? Auch Hilde macht sich Sorgen, aber die Kleinen sollen das nicht merken. Zum Glück sind Herr Karnau und Coco bald zurück. Erst im Zimmer läßt Herr Karnau seinen Hund von der Leine, es gibt wohl Leute hier im Bunker, die auch vor kleinen Hunden Angst haben. Herr Karnau beginnt mit dem Stimmunterricht. Wir bugsieren Coco in Mamas Zimmer, die Tür bleibt angelehnt, dann ruft Herr Karnau Coco bei seinem Namen. Sofort kommt Coco rein und wedelt mit dem Schwanz. Heide breitet die Arme aus und streichelt ihn. Herr Karnau sagt: Jetzt paßt mal auf, was wir nun machen.

Wieder muß Coco in das andere Zimmer. Aber diesmal ruft Herr Karnau nicht seinen Namen, sondern: Helga. Gleich ist Coco wieder bei uns. Wieso denn das?

Herr Karnau sagt: Coco erkennt nicht die Wörter, er hört am Tonfall, daß man nach ihm ruft.

Noch einmal. Herr Karnau ruft jetzt mit verstellter Stimme. Trotzdem läuft Coco aus Mamas Zimmer zu uns herüber, als wären alle Rufe gleich. Herr Karnau merkt, wie sehr wir staunen: Ihr seht, Coco kümmert sich weder um seinen Namen noch um die normale Stimme seines Herrn. Aber das tut er nicht aus Dummheit, im Gegenteil: Er hat so gute Ohren, daß er meine Stimme trotzdem erkennen kann. Besser, als jeder Mensch sie erkennen könnte. Wenn Coco kommen soll, muß man einfach freundlich rufen.

Wir rufen Coco abwechselnd. Herr Karnau macht uns vor, wie wir den Tonfall verändern müssen, damit Coco bestimmt auch reagiert. Er leckt uns das Gesicht, sobald wir ihn nur freundlich ansprechen. Wir üben gerade Knurren, Jaulen und Bellen, als Mama plötzlich wieder da ist. Ein Glück. Die Kleinen stürzen auf sie zu und plündern die Tasche mit den Spielsachen und Kuscheltieren. Heide drückt ihre geliebte Schlenkerpuppe fest an sich, daß die Beine baumeln. Aber sie ist ganz still und steht nur da mit rotem Kopf. Mama sieht gleich, daß Heide krank ist. Mama sagt: Komm mal mit mir, wir müssen Fieber messen.

Nachts kommt der furchtbare Bombenkrach nun auch bis zu uns hier unten im Bunker. Die Betten beben. Wir wachen alle auf. Die Kleinen fangen an zu weinen: Was ist das, Helga?

Ist der Bunker schon kaputt?

Treffen die Bomben uns jetzt bald?

Nein, hier können sie uns nicht treffen. Auf keinen Fall.

Wir liegen stumm im Dunkeln und horchen. Das nimmt kein Ende draußen, ein Einschlag nach dem andern, und alles wackelt. Das Bett, der Boden und der Tisch. Es hört sich an, als kämen die Granaten immer näher. Keiner traut sich, aufzustehen und das Licht anzumachen. Heide fängt an zu wimmern. Ist denn da niemand, der uns rettet? Schläft Mama fest? Arbeiten alle anderen? Oder sind wir hier ganz allein im Bunker? Rufen nützt nichts, die Bomben sind zu laut. Meine Geschwister starren hoch zur Decke. Wir alle starren hoch zur Decke.

Sollen wir nicht lieber alle zusammen in einem Bett liegen, damit wir uns nicht so sehr fürchten?

Meine Geschwister kommen angekrabbelt, mit allen Tieren und Zudecken. Wir warm das ist, wenn wir zusammenliegen, ein Knäuel von Armen und von Beinen. Mein Nachthemdärmel ist ganz naß von Heides Tränen.

Nun habt keine Angst. Der Führer wird die Feinde schon besiegen. Darum wird draußen auch so laut geschossen.

Heides heißer Fieberkopf liegt still auf meiner Brust, wir beide starren weiter an die Decke, noch als die andern wieder eingeschlafen sind. Wird uns Herr Karnau helfen, hier herauszukommen? Wenn Mama und Papa nichts unternehmen, ist er der einzige, der uns noch helfen kann.

Als Papa uns am Morgen weckt, sieht seine Haut noch schlechter aus als sonst. Er hat wohl auch nicht viel geschlafen. Mit Mama geht er ins Nebenzimmer, sie wollen sich alleine unterhalten. Aber man kann doch hören, was sie reden, wenn man gut achtgibt. Papa fragt Mama, wie es zu Hause war, als sie noch einmal hingegangen ist. Mama ist außer sich: Das kannst du dir nicht vorstellen. Alles verwüstet, jedes Zimmer. Die Teppiche dreckstarrend von den unzähligen Fußtritten. Da noch etwas für die Kinder zu finden ... Das Personal ist längst verschwunden, die haben das Haus einfach verlassen und mitgenommen, was sie tragen konnten. Jetzt sitzt der Volkssturm drin. Sie wollten mich erst gar nicht hineinlassen, ein Bursche von vielleicht gerade vierzehn Jahren stand da auf Wache und hielt mich auf, mit einer Panzerfaust. Stell dir das vor: Nur vierzehn Jahre alt, und schon Soldat. Ein Kind wie unsere Helga. Was soll der mit seiner Panzerfaust anrichten? Der weiß doch kaum, wie man das Ding bedient.

Papa sagt nichts dazu. Oder er spricht so leise, daß man ihn nicht verstehen kann. Denn draußen wird schon wieder laut geschossen. Meine Geschwister spielen auf dem Flur mit ihren Sachen, als hätten sie sich über Nacht schon an den Krach gewöhnt. Nur Heide darf nicht mit dabeisein, sie muß im Bett bleiben, weil das Fieber noch nicht gesunken ist. Plötzlich hört man Papa doch ganz deutlich reden, er schreit jetzt fast: Um was soll man sich hier denn alles kümmern? Kannst du dir überhaupt vorstellen, was unten für eine Stimmung herrscht? Das absolute Tief, das geht nicht lange weiter. Der Führer ist mit den Nerven völlig am Ende. Hast du eine Ahnung, wie wir alle darunter leiden müssen?

Jetzt kracht eine Granate oben. Papas Satz geht unter. Oder Papa macht eine Pause bei dem Lärm. Das nächste Wort, das man verstehen kann, ist: Schokolade. Papa brüllt immer wieder: Schokolade.

Was meint er damit? Gibt es im Bunker Schokolade? Dürfen wir eine Tafel haben? Wir würden sie auch gerecht teilen. Da jubeln auf dem Gang meine Geschwister: Herr Karnau kommt, Herr Karnau kommt.

Herr Karnau schaut mich an: Na, Helga, grübelst du?

Weiß nicht. Was ist denn heute für ein Datum?

Heute ist Dienstag, oder? Dann ist der 24. April.

Können Sie mir vielleicht einen Gefallen tun?

Ja, selbstverständlich.

Hedda hat bald Geburtstag, schon am 5. Mai, aber wir haben noch kein einziges Geschenk. Vorhin hat Papa von Schokolade gesprochen, und eine Tafel Schokolade wäre doch wirklich ein schönes Geschenk für Hedda. Können Sie vielleicht einmal schauen, ob Sie hier irgendwo tatsächlich Schokolade finden?

Da wollen wir mal die Augen offenhalten, man kann ja auch einmal ein wenig in der Küche luchsen.

Aber Hedda darf davon nichts erfahren, sonst ist es keine Überraschung mehr.

Kein Sterbenslaut wird über meine Lippen kommen.

Herr Karnau lächelt. Er ist der einzige, dem man Geheimnisse verraten kann.


Moskitos, kreischt Hedda. Mama guckt ganz erschrocken.

Da sind Moskitos draußen.

Moskitos? Die können uns hier unten gar nichts tun.

Aber guck doch, Mama, da fliegen sie, da vor der Tür.

Tatsächlich, da sind lauter kleine schwarze Fliegen auf dem Gang. Mama sagt: Ach, du meinst die Fruchtfliegen hier draußen.

Ja, die Moskitos.

Das sind keine Moskitos. Moskitos stechen. Das können die hier nicht.

Aber die schwirren hier herum.

Die kommen aus der Küche, Hedda. Die tun dir nichts.

Mama hat wohl gedacht, Hedda meint diese Flugzeuge. Aber nun ist sie erleichtert. Sie fragt: Habt Ihr schon Hunger? Wollt Ihr etwas essen?

Ja, ein bißchen Hunger schon.

Holde fragt: Gibt es Erdbeeren zum Mittag, Mama?

Nein, leider haben wir hier keine Erdbeeren für euch. Es ist doch auch noch gar nicht Sommer.

Aber das wäre schön.

Ja, das wäre wirklich schön, mein Liebes. Vielleicht später, wenn wir wieder raus sind. Aber wir werden uns schon etwas Gutes kochen.

Wenn Mama in die Küche geht und Essen für uns zubereitet, müssen wir im Zimmer bleiben. Sie meint, die Köchin drüben hat es nicht so gerne, wenn Kinder in der Küche sind. Wenn wir unser Mittagessen bekommen, wird manchmal gerade erst das Frühstück der Erwachsenen weggeräumt, so spät stehen die auf. Die arbeiten bis tief in die Nacht, erklärt uns Mama, und dann schlafen sie eben bis zum Mittag. Solange die Erwachsenen noch schlafen, müssen wir ruhig sein, genauso, wenn die ihren Mittagsschlaf machen, also eigentlich ihren Abendschlaf. Verrückt. Nur zwischendurch, wenn die Erwachsenen wach sind, dürfen wir in die untere Etage, sonst nicht.

Und in der Nacht, wenn alle anderen auf sind, schlafen wir.

Man kann nicht denken, wenn man immer nur hin und herlaufen muß, weil man sich fürchtet. Alle werden darüber dumm. In der Furcht kann man nicht mehr sprechen, keine langen Sätze mehr. Das geht allen so, nicht nur uns Kindern: Die Sätze werden immer kürzer. Mama und Papa sagen oft nur noch einzelne Wörter. Meistens fragen sie Was oder Wie, als hätten sie erst nicht gemerkt, daß eins von uns Geschwistern etwas sagt. Als wären unsere Worte erst mit Verzögerung bei ihren Ohren angekommen. Als hätten unsere Wörter sich eins nach dem anderen durch zähe Luft vorkämpfen müssen. Wer jetzt noch lange Sätze spricht, wer jetzt noch richtig nachdenken kann, der hat noch nicht begriffen, daß es bald mit uns zu Ende ist.

Hier klingen alle Stimmen falsch. So hat sich Papa sonst nicht angehört, und Mama auch nicht. Selbst wenn sie lächelt, merkt man, daß etwas nicht stimmt. Im Bunker gibt es unheimliche Gestalten, und sogar die Leute, die früher ganz normal gewesen sind, benehmen sich jetzt seltsam. Es ist, als wären alle hier verrückt. Ein Mann ist da, der immer mit den Augen zuckt, und einer hat vorhin plötzlich laut gerufen: Der Bunker ist ein Jungbrunnen.

Da haben alle ganz erschrocken geguckt. So laut redet hier sonst kein Mensch. Immer neue Besucher erscheinen, steigen hinunter in die untere Etage und verschwinden dann gleich wieder. Manchmal sehen wir einen vorbeigehen, die meisten schauen düster und sagen nichts. Was haben sie da unten Entsetzliches erfahren? Wir dürfen auch jeden Tag einmal hinunter, wenn uns der Führer sehen will, aber uns sagt niemand etwas, nur Nettigkeiten und daß alles gar nicht so schlimm sei. Will keiner uns verraten, wie es um uns steht? Der Mund des Führers zuckt, die Lippen zittern die ganze Zeit während unseres Besuchs. Dann kommt Herr Stumpfecker, sein Arzt, und sagt, daß wir wieder hinauf müssen.

Was sollen wir spielen? Ein Löffel. Ein kleiner Löffel ist eine kleine Schaufel. Zucker ist Sand. In der Zuckerdose ist ein Haufen, und ein Loch muß gegraben werden. Das Loch wird immer wieder zugeschüttet. Der Zucker rutscht nach. Mit einem zweiten Löffel kann man den Zucker beiseite halten, so daß er nicht nachrutscht. Dann kann man eine kleine Stelle auf dem Boden sehen. Auf dem Boden der Zuckerdose. Wo es funkelt. Aber schon wieder fallen die ersten Zuckerkörner nach.

Nimm deine Finger aus der Zuckerdose, Hedda.

Eine Gabel. Eine Kuchengabel ist eine Harke. Mit der Gabel kann man den Zucker glattstreichen. Dann wieder harken. Was sollen wir jetzt spielen?

Können wir Erdbeeren haben?

Nein, es gibt keine Erdbeeren. Fragt doch nicht immer wieder. Wie oft soll man euch das erklären?

Aber in Lanke hast du gesagt: Seht Ihr, da wachsen Erdbeeren im Garten. Warum können wir die jetzt nicht haben? Sind sie denn noch nicht reif?

Nein, sind sie nicht.

Dürfen wir denn wieder aus dem Bunker raus, wenn die Erdbeeren reif sind? Dann können wir sie selber pflükken.

Mama fängt heimlich an zu weinen. Sie steht vom Tisch auf und geht in ihr Zimmer. Sie knallt die Tür zu. Aber wir können trotzdem hören, daß sie weint. Einen Moment ist es ganz still. Mama weint durch die Eisentür, sie weint durch diese dicke Bunkermauer.

Warum müßt Ihr die Mama auch immer ärgern?

Wieso denn ärgern, Helga?

Weil sie doch alles für uns tut. Sie stopft die Löcher in euren Kleidern und näht euch Knöpfe an und jeden Tag kocht sie für uns. Woher soll sie denn Erdbeeren nehmen? Oder wollt Ihr, daß sie draußen erschossen wird, wenn sie für euch die Erdbeeren besorgt?

Keiner will das. Alle gucken nur stumm auf den Boden. Mama weint immer noch in ihrem Zimmer. Alles ist traurig hier. Der Zucker ist traurig. Und die Zuckerdose. Der Löffel und die Gabel auch. Hier kann man nur ganz in sich selber sein. Sonst ist hier nämlich gar kein Platz. Der Tisch ist traurig und der Boden. Man kann nirgendwo hingehen. Die Zimmer sind ganz traurig und die Lampen. Nur immer hin und hergehen. Ganz in sich selber. Nur noch die Hunde sind ein bißchen fröhlich. Und Coco geht auch hin und her. Er glaubt, daß man was in der Hand hält, das ihm schmecken könnte. Wir kommen hier nie wieder raus.

Mama tritt aus dem Zimmer, sie hat rote Augen. Sie sagt: Ihr wollt doch nicht den ganzen restlichen Tag lang hier sitzen und nur schweigen.

Helmut fragt: Dürfen wir einmal in die Garage, wo unsere Autos stehen? Als wir angekommen sind, hat Papas Chauffeur gesagt, daß er die Autos in die Garage fährt.

Das ist viel zu weit weg, Helmut, da müßten wir durch alle Gänge laufen. Aber vielleicht kannst du Herrn Schwägermann ja einmal fragen, wie es in der Garage aussieht, er wird dir das bestimmt gerne erzählen. Horcht mal: Es wird gerade nicht geschossen. Vielleicht ist es möglich, einen Moment im Garten spazierenzugehen. Sollen wir eine Wache fragen, ob es erlaubt ist, an der frischen Luft zu spielen?

Wir ziehen alle unsere Jacken an. Wir Großen helfen den Kleinen, während Mama nach einer Wache sucht. Als sie zurückkommt, sagt sie gleich: Na, seid Ihr fertig? Der Wachmann hat gemeint, es wird wohl erstmal nicht geschossen.

Draußen sieht alles ganz anders aus, das erkennen wir sofort. Vorher war da nur Rasen, und jetzt ein tiefes Sandloch, wo es einen Baum weggerissen hat. Die Kleinen rennen gleich dahin und fangen an, mit ihren Löffeln und Gabeln im Sand zu buddeln. Hinter dem großen Wurzelballen kann man sich auch verstecken vor den Russen und Granaten. Hilde zupft an meinem Ärmel: Guck mal, da drüben, Helga, wo die Trümmer liegen, sind wir bei unserer Ankunft vor ein paar Tagen noch gelaufen.

Ja, und die Säulen haben sie fortgeschafft.

Da liegen sie doch noch, sie sind zerbrochen.

Wie dieses Dach zerlöchert ist.

Das stürzt bestimmt bald ein.

Mama sieht auch, wieviel die Bomben zerstört haben. Keiner wagt es, zu unserem Haus hinüberzuschauen, noch nicht einmal in diese Richtung. Überall in den Häusern um uns herum liegen Soldaten versteckt, die uns verteidigen. Ob es wirklich Kinder sind? Oder hat Mama übertrieben? Die Luft ist ruhig. Der Wachmann, der oben im Turm sitzt, wird uns auf jeden Fall Bescheid sagen, wenn es für uns gefährlich wird. Wir können ein bißchen zwischen den Trümmern und Schutthaufen herumlaufen. Wie soll man das nur alles wieder aufbauen? Die Straße ist nicht mehr passierbar. Heide, Hedda und Helmut spielen Fangen. Wie gut, daß wir ein bißchen atmen können. Und mit den Armen schlenkern. Das traut man sich im engen Bunker nicht. Holde schaut in den Himmel: Seht mal, da oben ist ein Flugzeug.

Helmut bleibt stehen. Er zeigt mit seinem Finger in die Wolken: Ja, das kreist bald über uns.

Mama, warum können wir nicht mit einem Flugzeug von hier wegfliegen?

Herr Karnau ist der einzige Erwachsene hier unten, der nicht verrückt ist. Zwar sind alle anderen auch nett zu uns, doch jeder benimmt sich auf eine Weise wunderlich. Er ist der einzige, bei dem man nicht das Gefühl hat, daß er etwas verheimlicht. Und das Geheimnis mit der Schokoladensuche teilt er mit mir. Herr Karnau sagt: Helga, können wir einen Moment alleine miteinander sprechen?

Er führt mich in das Kinderzimmer. Was will er mir sagen? Ist der Krieg jetzt aus? Oder ist etwas passiert? Mit Mama oder Papa? Aber wenn etwas wäre, würde Herr Karnau nicht so unbesorgt gucken. Er macht die Tür hinter uns zu und zieht aus seiner Tasche eine Tafel Schokolade.

Das ist ja toll. Wo haben Sie denn die her?

Das darf man nicht verraten. Denn, unter uns gesagt: Wenn jemand merkt, daß diese Tafel Schokolade in dem geheimen Lager fehlt, gibt es Höllenärger.

Sie haben die geklaut?

Kann man das überhaupt so nennen, wenn es um ein Geburtstagsgeschenk für Hedda geht?

Nein, vielleicht...

Siehst du. Also sollten wir jetzt nicht mehr darüber reden. Du mußt mir nur versprechen, die Schokolade so gut zu verstecken, daß niemand außer dir sie finden kann. Nicht deine Mutter, nicht deine Geschwister. Und hol sie bitte erst an Heddas Geburtstag wieder aus dem Versteck heraus. Keiner darf etwas von dieser Schokolade wissen. Wenn Ihr vor dem 5. Mai den Bunker verlaßt, dann mußt du diese Tafel hierlassen, verstehst du? Damit sie auch auf der Reise niemand entdecken kann. Versprochen?

Ja, versprochen. Das beste Versteck wäre...

Nein, sag es mir nicht. Niemand außer dir allein soll davon wissen.

Herr Karnau hat sein Wort gehalten, egal, ob er die Schokolade irgendwo gestohlen hat. Er dreht sich um, er will nicht sehen, wo die Tafel jetzt verschwindet. Unter dem Kissen? Nein. Wenn meine Geschwister wieder einmal in mein Bett krabbeln, dann könnten sie es merken. Aber hier, unter der Matratze, das ist gut, da wird niemand schauen. Herr Karnau hat sich noch nicht umgedreht. Da Herr Karnau mir so vertraut, wird er auch nicht weitererzählen, was Mama heute Schreckliches gesagt hat: Herr Karnau? Der Mann, der heißt wie dieses Raubtier... Leopard...

Du meinst Herrn Gebhardt?

Ja, Herr Gebhardt, der war doch gestern abend hier im Bunker zu Besuch. Und der hat Mama gefragt, das konnte man mithören, ohne zu lauschen, als sich Mama und Papa vorhin unterhielten, lauschen soll man nicht, aber die haben einfach laut genug gesprochen, daß man alles verstehen konnte, also der Mann hat Mama vorgeschlagen, uns alle von hier wegzuholen, er wollte uns retten, wir sollten gleich mit ihm den Bunker verlassen, mit dem Roten Kreuz, aber Mama, Mama hat nicht Ja gesagt, sie hat gesagt, daß wir das überhaupt nicht wollen, viel lieber hier sind, aber das stimmt doch nicht, wir würden doch so gerne weg von hier.

Helga, du mußt doch jetzt nicht weinen. Komm mal zu mir. Da hast du dich bestimmt verhört, warum sollte eure Mama denn so etwas sagen? Sie will doch auch, daß es euch gut geht.

Nein, will sie nicht.

Sag sowas nicht, Helga.

Wir müssen sterben.

Wie kommst du denn darauf?

Wir werden bald sterben.

Helga, hör auf.

Mama und Papa wollen uns alle sterben lassen. Mama hat ja schon gar kein Nachtzeug für uns mitnehmen wollen. Sie hat nicht einmal mehr damit gerechnet, daß wir noch eine Nacht länger leben.

Da war sie nur verwirrt. Sie will doch nicht ihre sechs lieben Kinder sterben lassen, Helga. Das glaubst du doch selber nicht.

Aber warum benimmt sie sich dann so?

Du siehst doch, daß es allen im Moment nicht gut geht. Aber du kannst dir sicher sein, Helga, bevor euch Kindern etwas passiert, wird jeder hier mit aller Kraft für euer Leben eintreten, jeder würde sein eigenes Leben für euch opfern.

Bestimmt?

Ja, ganz bestimmt.

Herr Karnau schaut mir in die Augen. Und seine Lider zucken nicht. Was er sagt, darf man glauben. Wenn auch niemand uns mehr helfen würde, dann wäre immer noch Herr Karnau für uns da. Hilde klopft an die Tür: Helga, seid Ihr da drin?

Das Klo ist abgeschlossen. Von innen, da ist jemand drauf. Immer, wenn man ganz dringend muß, ist das Klo abgeschlossen. Hallo, Mama, bist du es?

Doch es kommt keine Antwort. Auch Klopfen nützt nichts. Wie lange dauert es denn noch?

Mama antwortet immer noch nicht. Vielleicht ist ihr

schon wieder schlecht? Mist. Wo ist denn hier jetzt noch ein anderes Klo? Auf dieser Etage nicht, aber unten werden sie noch ein anderes Klo haben. Müssen sie ja, sie kommen nicht immer herauf, wenn sie zur Toilette wollen. Mir bleibt nichts übrig, als runterzugehen. Allein. Das ist eigentlich nicht erlaubt. Aber als älteste Schwester darf man nicht in die Hose machen. Mama wäre verärgert, sie müßte dann schon wieder waschen. So viele Sachen haben wir nicht mit.

Auf der Treppe begegnet mir niemand, nur unten hört man Leute bei der Arbeit, die unterhalten sich ganz hinten in dem Zimmer. Vielleicht ist das Klo gleich unter der Treppe, da ist ein Kämmerchen. Niemand zum Fragen hier. Egal. Wenn keiner da ist, kann sich auch niemand gestört fühlen.

Tatsächlich eine Toilette. Aber die stinkt gräßlich. Es reicht nicht mehr, um zurück nach oben zu laufen und vor unserem Klo zu warten. So eine eklige Toilette. Ganz dringend pinkeln. Sitzen kann man hier nicht, so wie das stinkt, und alles ist verschmiert. Hier muß man den Atem anhalten, weil die Luft voll Pisse ist. Vielleicht ist das nur ein Männerklo.

Auf den Kacheln sind Kritzeleien. Wir Kinder dürften niemals die Wände im Klo bemalen. Zu Hause nicht und auch nicht oben. Da ist ein lächelndes Mädchengesicht, ganz grob, nur ein paar Striche. Das Mädchen hält die Arme hinterm Kopf verschlungen, so daß unter dem langen Haar die Hände nicht zu sehen sind. Die Frau ist nackt. Riesige Brüste hat sie angemalt, mit großen Warzen. Die Beine sind gespreizt, und dazwischen ein schwarzer Kritzelpunkt. Das sollen wohl die Haare sein. Welche Menschen malen solche Bilder?

Ist hier kein Klopapier? Doch da, ein letzter Rest ist auf

der Rolle. Nur raus hier, schnell. Ein Glück, hier draußen stinkt es nicht mehr. Von hinten aus dem Zimmer kommt noch immer eine Stimme, aber nur eine, obwohl der Mann mit jemand anderem spricht. Als er mich durch die offene Tür gucken sieht, winkt er mich zu sich hinein und zeigt auf einen Sessel, ohne etwas zu mir zu sagen. Er spricht weiter in sein Mikrophon. Hier ist die Telephonzentrale, da ist die Schalttafel, in die der Mann hastig die Kabel stöpselt.

Ein Gespräch nach dem anderen wird durchgestellt. Hinten in einer Ecke rattert die Telephonanlage. Da kommt ein dringender Anruf von draußen, der Telephonist nimmt die Kopfhörer ab und läuft ins Nebenzimmer. Als ein Soldat zum Telephonhörer stürzt und in die Muschel spricht, kommt der Telephonist zu mir: Na, Helga, hast du dich verlaufen?

Nein, aber oben war die Toilette besetzt.

Durch diesen Zufall siehst du mal unsere Telephonvermittlung.

Macht das Spaß, soviel zu telephonieren?

Die Anrufe sind ja nicht für mich. Aber man bekommt hier doch eine ganze Menge mit.

Dürfen wir auch einmal nach draußen telephonieren?

Heute geht das wohl nicht, es gibt zu viele wichtige Gespräche. Aber vielleicht ist morgen ein bißchen Ruhe. Mit wem willst du denn sprechen?

Weiß nicht.

Schon rattert es wieder in der Leitung, der Telephonist muß den Kopfhörer aufsetzen. Er schaut zu mir, er zuckt mit den Schultern und lächelt: Wieder Arbeit.

Jetzt kommen die Russen. Da trampeln sie schon die Treppe herunter. Wir verstecken uns im Zwinger, hinter den Hunden. Die rühren sich nicht, weil sie uns schützen müssen. So hocken wir, damit die Russen uns nicht sehen. Das Fell von Coco kratzt mir im Gesicht. Sind wir auch tief genug geduckt, damit die Russen nicht mal unsere Haare sehen können? Sie sind ganz nah. Jetzt dürfen wir nicht atmen. Werden sie uns erschießen? Müssen wir jetzt sterben? Keiner ist da, der uns noch helfen kann. Die Schritte kommen näher. Die Hunde zittern, aber sie rühren sich nicht von der Stelle. Wie es im Zwinger riecht, hier haben die Hunde bestimmt schon mal auf den Boden gepinkelt, wo wir jetzt hocken. Meine Hand ist auch ganz naß, aber das ist jetzt nicht wichtig. Weil wir nicht atmen dürfen, riechen wir den Hundedreck auch nicht. Jetzt ruft eine Mann vom Flur her: Kommt raus da.

Ist das ein Russe? Weiß er, wo wir sind? Wird er uns jetzt mitnehmen? Wo sind denn Mama und Papa? Wo sind denn alle andern? Warum ist es so still? Bloß nicht atmen. Noch einen kleinen Augenblick. Hoffentlich halten auch meine Geschwister mit dem Luftanhalten durch.

Kommt da jetzt sofort raus.

Die Schritte sind ganz nah. Jemand atmet, das können wir hören. Er atmet laut. Die Hunde werden unruhig und treten von einer Pfote auf die andere. Er steht direkt vor dem Gitter. Jetzt wird er merken, daß der Zwinger nicht mehr abgeschlossen ist. Jetzt hat er uns erwischt. Die Zwingertür quietscht. Die Hunde drängen uns langsam an die Mauer. Wir schauen nicht hin, wir schauen nicht zur Tür. Die Hunde machen Platz. Da kommt er rein, man sieht die schwarzen Stiefel. Er sagt: Kommt raus. Was soll das?

Da sind seine Haare. Das ist ein Riese, der uns von oben über die Hunde hinweg sehen kann: Warum versteckt Ihr euch denn hier? Das ist doch viel zu dreckig.

Das ist Herr Stumpfecker, der vor uns steht. Er streckt die Hände aus. Will er uns jetzt erwürgen? Er sagt: Kommt, Kinder, das ist kein Ort für euch. Eure Mutter sucht euch schon oben.

Wir können nicht aufstehen, so erschrocken sind wir. Will Herr Stumpfecker uns wirklich nichts antun? Wir sind nicht mehr versteckt, wir müssen jetzt heraus. Herr Stumpfecker sagt: Kommt mit nach oben, da könnt Ihr euch die Hände waschen. Es ist doch nichts passiert, was habt Ihr denn? Hier zwischen den Hunden, damit hat wirklich niemand gerechnet...

Er schüttelt den Kopf und lächelt uns seltsam an. Über dem linken Auge zuckt eine große Narbe. Wir flitzen an Herrn Stumpfecker vorbei und rennen die Treppe hoch zu Mama. Da steht sie auf dem Gang, zum Glück, Herrn Stumpfecker haben wir abgehängt. Mama freut sich, als sie uns sieht: Ihr seid ja ganz außer Puste. Seid Ihr so schnell gelaufen?

Wir hatten Angst und wollten schnell zurück zu dir.

Wo habt Ihr euch denn versteckt?

Unten, im Hundezwinger.

Aber Ihr sollt doch nicht allein hinunter.

Wir wollten nur telephonieren.

Telephonieren?

Ja, gestern hat der Telephonist gesagt, wir dürften heute telephonieren. Aber nun geht es nicht mehr, alle Verbindungen nach draußen sind jetzt unterbrochen.

Setzt euch hierhin und laßt euch einmal ordentlich kämmen. Wir machen gleich einen Ausflug durch die Gänge. Papa wird uns begleiten. Er ist gerade erst aufgestanden, die haben unten die ganze Nacht durchgearbeitet.

Wohin gehen wir denn?

In einen anderen Bunker. Da wollen wir mit den Berlinern feiern.

Sind da auch Kinder?

Ja, bestimmt.

Was ist das denn für eine Feier?

Wir wollen uns verab- ... Mama stockt.

Papa hat das gehört, er ist gerade vor unserer Tür angekommen: Nur einfach eine Feier, damit die Menschen dort im Luftschutzbunker auch ein bißchen Freude haben.

Papa trägt einen Korb mit Geschenken für die Leute. Die Bomben sind jetzt direkt über uns. Rausgehen dürfen wir schon längst nicht mehr. Alles erzittert. Hoffentlich müssen wir nicht so weit laufen. Auf einem langen Gang flackert plötzlich das Licht. Es darf jetzt nur nicht ausgehen, dann wären wir in diesem Labyrinth verloren. Aber es flackert einfach weiter. Wir gehen ganz langsam, es dauert ewig, bis wir da sind. Dann gelangen wir endlich zu einem Raum, wo eine Krankenschwester uns erwartet. Nebenan ist wohl ein Lazarett, denn da laufen auch Ärzte in Kitteln. Die sind mit Blut beschmiert. Verwundete werden hereingeführt, die ganz schwach auf den Beinen sind. Einer hat keine Ohren mehr, der ganze Kopf ist bandagiert. Heide fragt: Warum ist der so eingemummelt, Mama?

Mama sagt nichts dazu. Es kommen immer mehr Leute, auch Frauen und Kinder. Die sehen erschöpft aus. Wir treten einen Schritt zurück, wir wollen uns am liebsten hinter Mama und Papa verstecken. Hilde schämt sich auch ein bißchen, weil wir noch so gut angezogen sind, als wäre gar kein Krieg. Aber wir dürfen nicht an der Wand stehenbleiben, wir müssen uns mit Mama und Papa an den Tisch setzen, der in der Mitte steht. Die Leute starren uns ins Gesicht. Die stehen so dicht gedrängt und schauen uns an, als wollten sie uns gleich was tun. Mama flüstert: Sie freuen sich, daß wir bei ihnen sind.

Papa spricht erst einige Worte zu den Menschen, dann verteilt er die mitgebrachten Sachen. Die fremden Kinder bekommen Süßigkeiten. Wir mögen Papa nicht beim Austeilen helfen. Früher haben wir das gerne gemacht, aber hier haben wir ein bißchen Angst. Dann tritt ein Junge aus der Menge an den Tisch. Was will er von uns?

Nichts. Er will nur mit uns singen. Er hat ein Akkordeon umgeschnallt, das er spielen kann, obwohl sein linker Arm verbunden ist. Als er den Mund aufmacht, sieht man, daß er keine Schneidezähne mehr hat. Sobald der Junge mit dem Akkordeon einsetzt, fangen alle an zu singen, die Leute singen furchtbar laut, die Einschläge dröhnen von allen Seiten, sogar von unten, obwohl sie doch von dort nicht kommen können, das Bombendröhnen nimmt kein Ende, die Leute hören nicht auf mit dem Singen, der Bombenlärm ist nicht mehr auszuhalten, aber die Leute singen trotzdem weiter, man hört nichts mehr, nur ihre Münder gehen auf und zu.

Mamas Perücke ist verrutscht. Der rote Zopf, den sie sich hinten mit Haarnadeln festmacht. Mama liegt im Bett und will nicht aus ihrem Zimmer kommen. Wir haben ihre verweinten Augen gesehen. Dabei hat sie uns vorhin doch gesagt, daß wir nun bald den Bunker verlassen. Sie hat gesagt, daß es nun keinen Sinn mehr hat, noch hier zu bleiben, daß wir mit einem Flugzeug fliehen werden. Das bringt uns dann heraus aus dieser Stadt, weit weg, an irgendeinen Ort, wo längst nicht mehr gekämpft wird. Wahrscheinlich hat Herr Karnau sehr ernst mit ihr gesprochen und sie überzeugt, daß wir endlich gerettet werden müssen.

Trotzdem weint Mama jetzt den ganzen Tag. Wir sind auch nicht fröhlich. Und plötzlich fangen Hilde und Helmut an zu raufen. Warum, weiß keiner richtig. Helmut boxt, Hilde kratzt zurück, Helmut will sich gegen das Kratzen wehren und tritt nach Hilde, aber die bekommt seinen Schopf zu fassen und zieht an den Haaren, so fest, daß Helmut hinfällt. Er schlägt noch um sich, doch Hilde sitzt schon auf ihm und hält seine Hände fest. Helmut schreit und spuckt, aber er trifft Hildes Gesicht nicht. Helmut zischt durch seine Zahnspange. Da steht Mama in der Tür und brüllt: Hört auf damit, hört auf. Wie könnt Ihr jetzt noch zanken?

Mit einem Mal ist es still. Keiner rührt sich. Hilde sitzt immer noch auf Helmut, aber der wehrt sich nicht mehr. Die beiden haben ihre Arme sinken lassen und starren Mama an. Wir anderen starren auch. Kein Laut. Wir haben Hilde und Helmut beim Kämpfen zugesehen, aber jetzt sehen wir nur Mama vor uns. Und ihre rotgeweinten Augen. Wie sie sich am Türrahmen festhält. Wie sie zittert, am ganzen Leib. Und wie sie atmet, wie ihre Brust sich hebt und senkt unter dem Kleid. Niemand sagt etwas. Alle starren. So bleibt es eine endlos lange Zeit.

Wir wissen nicht, wie es dann passiert, daß wieder jemand etwas sagt. Kam das erste Wort von Mama? Oder von Helmut, weil er Hildes Gewicht auf seinem Bauch nicht mehr ertragen konnte? Und wer hat sich zuerst bewegt? Daran kann sich niemand erinnern. Erst abends vertragen die beiden sich. Herr Karnau merkt sofort, daß wir betrübt sind, als er zu uns kommt. Er darf uns heute zu Bett bringen, weil Mama dazu nicht genug Kraft hat, wie sie sagt. Herr Karnau steht am Waschbecken und drückt jedem Zahncreme auf die Bürste. Er fragt: Was ist denn heute mit euch los?

Mama war vorhin komisch, obwohl wir jetzt bald wegfliegen von hier.

Wegfliegen? Na seht Ihr, da müßt Ihr nicht mehr lange im Dunkeln unter der Erde bleiben. Dann seht Ihr endlich wieder Himmel. Draußen ist bestimmt schönes Sonnenwetter. Vielleicht fliegt Ihr nach Süden in die Berge. Und Frieden ist dann auch, stellt euch vor: Der Krieg zu Ende.

Hilde sagt: Als wir mal in den Bergen waren, da haben wir gehört, wie Leute jodeln. Können Sie jodeln?

Nein, Hilde, leider nicht.

Aber wir können es ein bißchen. Die Leute in den Bergen haben es uns gezeigt.

Und Holde macht ein komisches Geräusch. Hilde lacht: Das ist doch gar kein Jodeln, Holde. Hör mal, so geht das.

Hilde kann wirklich jodeln, zwar nur einen Moment, aber es hört sich an wie in Tirol. Herr Karnau sagt: Du kannst das aber richtig gut, Hilde. Zeig uns doch auch mal, wie das geht.

Wir schauen alle in den Spiegel und sehen Hilde dabei zu, wie sie die Lippen formt. Der Schaum vom Zähneputzen läuft an ihrem Kinn hinunter.

Nochmal, Hilde, nochmal.

Und langsam, daß wir richtig schauen können.

Plötzlich kreischt Hilde: Igitt, ist das kalt.

Ihr ist der Schaum hinunter bis zum Bauch gelaufen. Jetzt kann sich Hilde nicht mehr auf das Vorjodeln konzentrieren, weil alle lachen müssen. Hilde versucht ganz ernst zu bleiben. Herr Karnau unterstützt sie: Wenn Ihr jetzt albern seid, werdet Ihr es nie lernen. Ihr müßt genau in Hildes Mund hineinschauen, das Wichtigste dabei ist doch die Zunge.

Jeder versucht, der Hilde nachzujodeln. Herr Karnau sagt: Nein, Helmut, du öffnest deinen Mund zu weit, du mußt eine Höhle bilden, in der die Zunge flattern kann.

Aber mit Helmuts Zahnspange geht das nicht so gut. Hedda verschluckt sich, weil sie lachen muß. Herr Karnau klopft ihr auf den Rücken. Wir jodeln alle durcheinander. Dann geht es ab ins Bett. Heide muß wieder drüben im anderen Zimmer schlafen, sie ist noch immer nicht gesund, und Mama will nicht, daß sie uns noch ansteckt. Heide ist traurig, daß sie nicht bei uns anderen bleiben darf. Mama kommt, um uns Gute Nacht zu sagen. Wir betteln, daß Herr Karnau uns noch ein Märchen erzählen darf. Mama erlaubt es. Sie geht Kartenlegen, und Herr Karnau setzt sich zu uns aufs Bett. Kywitt, kywitt. Herr Karnau kann gut Märchen erzählen. Zwischendurch muß er immer wieder eine kleine Pause machen, damit wir abwechselnd Heide in ihrem Bett drüben berichten können, wie die Geschichte weitergeht. Auch wenn man vom Märchen gar nicht alles verstehen kann, weil manche Sätze Plattdeutsch sind. Kywitt, kywitt, wat vör'n schöön Vagel bün ik.

Die Tafel Schokolade ist noch da. Sie ist auch noch nicht zerbrochen. Dabei hätte das jeden Abend leicht passieren können, wenn Herr Karnau auf der Bettkante saß. Heute ist der 1. Mai, nur noch vier Tage bis zu Heddas Geburtstag. Wenn wir vorher abreisen, dann wird die Tafel Schokolade auf immer hier versteckt bleiben, weil niemand sie finden kann. Oder wäre es besser, sie noch schnell aufzuessen? Ein Stückchen Schokolade. Nur ein bißchen kosten. Aber meine Geschwister würden das riechen. Wer so lange keine Schokolade bekommen hat, der kann den Duft sofort erkennen, sobald der Schokoladenesser spricht.

Mein Schokoladenatem würde dann Herrn Karnaus Diebstahl verraten.

Heute hat Herr Karnau zusammengezogene Augenbrauen. Stimmt etwas nicht?

Doch, alles. Nach den anstrengenden Tagen sind eben alle sehr erschöpft.

Werden Sie den Bunker auch bald verlassen?

Ja, wenn Ihr erst einmal in Sicherheit seid, dann werden auch die anderen Erwachsenen weggehen.

Wohin?

Keine Ahnung, vielleicht sehr weit weg.

Ins Ausland?

Möglich.

Sehen wir uns dann nie mehr wieder?

Ach Unsinn, Helga. Wir werden uns noch sehen, wenn Ihr schon längst erwachsen seid. Dann habt Ihr einen alten Opa vor euch, der so schwerhörig ist, daß Ihr schreien müßt, damit er was versteht.

Er lächelt mich an. Er ist wohl auch sehr froh, wenn er endlich raus kann. Wir stellen uns gemeinsam vor, wie schön es draußen ist. Wie lange haben wir schon an keiner Blume mehr gerochen. Und keine Tiere mehr gesehen außer den Hunden. Und frische Luft. Und Regen.

Stell dir vor, Helga, endlich wieder einmal im Frühlingsregen stehen ohne Schirm. Es regnet und regnet, bis die Kleider am Leib kleben, und trotzdem wird einem nicht kalt. Ein Frühlingsregen, daß hinterher die Luft so herrlich duftet. Oder Seeluft, die hohen Wellen, Meeresrauschen.

Ja. Wir waren früher manchmal an der Ostsee, Burgen bauen, sonnen, schwimmen. Braungebrannt.

Mama kommt mit den anderen. Herr Karnau läßt uns jetzt allein. Mama sagt, wir sollen uns alle noch einmal gründlich waschen vor dem Abflug. Papa kommt auch. Er spielt mit Heide und ihrer Schlenkerpuppe. Wer fertig ist mit Waschen, der darf zu Papa gehen. Heute will er uns etwas vorlesen. Mama hat unsere Nachtsachen frisch gebügelt, mein blaues Nachthemd ist ganz weich. Helmut zieht seinen weißen Schlafanzug an, den mit den kleinen Blumen in Rot und Türkis. Die Kleinen liegen auf dem Bett und hören Papa beim Vorlesen zu. Aber mir geht zuviel im Kopf herum, um die Geschichte zu verfolgen. Papa liest langsam und streicht Heide dabei immer wieder über den Kopf.

Dann dürfen wir noch eine Weile in die untere Etage. Es ist noch viel zu früh zum Schlafengehen. Herr Karnau ist aber nicht da, auch Coco sehen wir hier nicht. Hier riecht es ja ganz anders als sonst, hier wird jetzt wohl geraucht. Wir gehen zu Papa ins Arbeitszimmer, da sitzt er unter der Bergsonne, mit seinen Augenklappen. Das sieht immer wieder gefährlich aus. Und Papa raucht tatsächlich eine Zigarette. Das hat er nicht getan seit unserer Ankunft im Bunker. Mama kämmt uns ganz gründlich, eine nach der anderen.

Fliegen wir jetzt bald wirklich weg?

Ja, Hedda, wirklich.

Noch heute nacht? Oder erst morgen früh?

Das wissen wir noch nicht genau. Die Luft muß wirklich sicher sein, damit auch nichts passiert. Aber auf ein paar Stunden kommt es jetzt doch nicht mehr an, oder?

Die Bergsonne klingelt. Papa nimmt seine Augenklappen ab. Am Anfang ist dann das Gesicht immer ein bißchen rot, aber später sieht man, wie braun die Haut geworden ist. Papa geht hinaus auf den Flur. Die Bergsonne steht jetzt wieder im Regal bei Papas Büchern. Hier in der unteren Etage ist überall der Boden feucht. Das ist kein gutes Zeichen, hier stimmt doch etwas nicht. Wo sind die Hunde? Warum sind sie nicht mehr in ihrem Zwinger? Sie sind uns doch auch nicht auf der Treppe begegnet. Hat man sie auf einem anderen Weg nach draußen geführt? Da stimmt etwas nicht, mit Coco muß etwas passiert sein. Papa und Mama sind beide so bedrückt. Auf einmal geht nichts anderes mehr als weinen. Nur weinen. Mama nimmt mich in den Arm. Nur noch weinen. Es ist alles so traurig hier. Hilde fängt auch noch an zu weinen.

Mama führt uns wieder hinauf, wir sollen jetzt ins Bett. Warum so früh? Mama kann sich auch kaum mehr halten. Ihre Stimme zittert: Ihr wollt doch ausgeschlafen sein, wenn wir losfliegen.

Heide darf wieder neben mir im Bett liegen, obwohl sie immer noch nicht ganz gesund ist: Mama, kommt denn Herr Karnau noch und sagt uns Gute Nacht?

Mama verspricht, nach ihm zu suchen. Sie sagt: Ihr braucht jetzt gar nicht gleich zu schlafen. Ein Arzt wird euch später noch eine Spritze geben, damit im Flugzeug auch niemandem schlecht wird.

Dann schaltet sie das Licht aus und geht weg. Holt sie Herrn Karnau? Wir hören, wie sie draußen mit jemandem redet. Ist das Herr Karnau, der jetzt zu uns kommt?

IX

Ist das Herr Karnau, der jetzt zu uns kommt?

Ja, das muß Helga sein, die älteste der Schwestern. Und kurz vorher auf dieser Platte: Mama, kommt denn Herr Karnau noch und sagt uns Gute Nacht?

Das ist die kleine Heide, ich erkenne sie eindeutig, obwohl ihre Stimme ein wenig krank klingt. Dann stammt der Satz zwischen den beiden Kinderfragen von der Mutter: Ihr braucht jetzt gar nicht gleich zu schlafen.

Ich muß nur aufmerksam hinhören, dann sind die Stimmen alle voneinander unterscheidbar. Aber von welchem Abend stammt diese Aufnahme? Anhand der in das Wachs gekratzten Daten müssen die Matrizen in eine Abfolge zu bringen sein, die Einritzung am Rillenende der zuerst gehörten Platte besagt: Montag, den 30. April, die Aufzeichnung mit: Klippe, klappe. Das ist kein Aufnahmefehler, wie sich zeigt, die Kinder sagen es tatsächlich, jedoch mit sehr verstellten Stimmen, und das Hick Hack, Hick Hack kommt ebenfalls aus ihrem Mund. Was haben diese Laute zu bedeuten? Bedienten sich die Geschwister untereinander einer Art Geheimsprache, wenn niemand sie belauschen konnte? Privatwörter benutzten sie ganz offensichtlich ab und zu, das war mir schon bald nach dem Kennenlernen aufgefallen, aber warum verstellen sie die Stimmen hier?

Da ich dieselbe Passage wiederhole, geht mir auf: Es handelt sich nicht um Privatsprache, sondern um Phantasiewörter aus einem Märchen. Es stimmt, an einem Abend, vor dem Schlafen, haben sich die Kinder von mir eine Gute Nacht-Geschichte gewünscht. Die Kinder imitieren hier meine Stimme, das ist mein eigener Märchenton, in dem sie Versatzstücke der Erzählung wiederholen.

Das Märchen beschäftigt sie offensichtlich so sehr, daß die kurzen Andeutungen genügen, um die ganze Geschichte wieder aufzurufen. Und daß sie dabei auch noch meine Stimme nachahmen ... Mir klingt das unvertraut, doch werden von den Kindern bestimmte Züge meiner Sprechweise präzise wiedergegeben. Ich habe mir nie Gedanken darüber gemacht, wie aufmerksam die Kinder meine Stimme gehört haben und auf welche Besonderheiten sie dabei achteten.

Jetzt noch einmal von vorne. Hier ist die erste Platte: Sonntag, den 22. April. Die Kinder sprechen über mich, sie freuen sich, Coco gesehen zu haben und unterhalten sich über den Zoo. Die Armen wußten nicht, wie schlecht es den Tieren dort zu diesem Zeitpunkt ging, daß viele schon längst nicht mehr lebten. Aber während des Gesprächs klingt in ihren Stimmen auch Bedrückung mit: Sie fürchten sich vielleicht, weil sie die erste Nacht im fremden Bunker sind.

Hier, auf der zweiten Aufnahme, ahmen sie Hundebellen nach und Jaulen, von Lachen unterbrochen kläffen sie einander an. Wie unbekümmert sie ihre Stimmen erproben. Nur ein paar Stunden später schlugen die ersten Granaten auf dem Gelände der Neuen Reichskanzlei ein, aber da schliefen die Kinder wohl fest, davon haben sie nichts gemerkt.

Die Stimmen der sechs Kinder sind in meinen Besitz übergegangen, sie erklingen in der Dunkelheit, ihr Klang erfüllt die Küche, niemand hört sie außer mir, niemand, alles schläft, ich bin ihr einziger Zuhörer. Und die sechs Kinder wissen nichts davon.

Mittwoch, der 25. April. Erregt unterhalten sie sich über zuckende Gesichter, Erdbeeren und eingefallene Wangen, ich kann keinen Zusammenhang erschließen, obwohl nun alle sechs deutlich zu verstehen sind. Nur Helmuts Stimme klingt seltsam, als hätte er beim Sprechen zuviel Speichel, als dienten seine Zähne der Zunge nicht in gewohnter Weise zum Formen von Lauten, als müßten die Worte noch ein zusätzliches Hindernis überwinden.

Die Stimmen auf einer weiteren Matrize. Zu Anfang der Aufnahme rufen die Kinder aus den Betten mir beim Hinausgehen etwas hinterher: Kommen Sie morgen auch bestimmt wieder?

Meine Antwort hört man nicht mehr. Ich bin von dem geheimen Mikrophon schon zu weit entfernt. Dann schlägt der Ton der Kinder um, sie klingen nicht mehr kindlich wie in Gegenwart der Erwachsenen, sondern sie sprechen stockend, ernst von ihrer Angst. Die Angst, die sie bei jedem Bombeneinschlag draußen überkommt. Die Angst, den Bunker nie wieder verlassen zu können. Die Angst auch vor den Eltern, welche sich langsam eingeschlichen hat während der letzten Tage, da Mutter und Vater unter dem Druck der Lage immer seltsamer geworden sind. So seltsam, daß es ihnen offensichtlich nicht gelingt, die eigenen Sorgen den Kindern gegenüber zu überspielen. Die Kinder haben einen Ton angenommen, als spürten sie etwas davon, daß sie bis ans Lebensende das Tageslicht nicht wiedersehen werden.

Hier knistert es sehr laut, auf diesem Mitschnitt eines Nachtgesprächs, ein störendes Geräusch ganz nah am Mikrophon unter dem Bett. Was kann das sein? Gleich nach dem Knistern hört man die Kinder normal sprechen. Dann wiederholt sich das unerklärliche Geräusch. Ich halte die Platte an und entziffere die Beschriftung: Freitag, den 27. April. Doch diese Datumsangabe gibt keinen Hinweis auf die Ursache dieses Knisterns.

Ich kann erst einmal nicht mehr weiterhören. Noch immer Dunkelheit. Nur im Haus gegenüber ist jetzt in einem Fenster Licht: Hinter der schimmernden Gardine sehe ich die Silhouette eines Mannes, der sich langsam ankleidet, ganz verschlafen, da er vor Tagesanbruch zur Frühschicht muß. Noch immer Stille. Nur die sechs Kinderstimmen sind in meinem Kopf.

Erschreckender Besitz: Die allerletzten Aufnahmen der Kinder, denn kurz darauf starben sie alle sechs. Nicht bei einem Bombenangriff, nicht auf der Flucht, nicht vor Entkräftung oder Unterernährung in der Nachkriegszeit. Die Kinder wurden, bevor dies ihnen überhaupt hätte zustoßen können, noch im Bunker getötet. Es muß in einem Augenblick geschehen sein, da ihr Mörder sichergehen konnte, daß ich ihn nicht bei seiner Tat überraschen werde, jemand muß den Moment der Tötung auf die Sekunde abgepaßt haben, damit ihm nichts dazwischenkam, denn jede freie Minute, die mir meine Arbeit ließ, führte mich in das Kinderzimmer in der oberen Etage. Ganz instinktiv lag mir daran, die Kinder nicht aus den Augen zu lassen.

Wenn schon die Kinder nichts von der bevorstehenden Tötung wissen konnten, warum ist dann nicht wenigstens mir als Erwachsenem, als jemandem, der mit den restlichen Bewohnern in ständigem Kontakt stand und der manches offene Gespräch führen oder zumindest mithören konnte, nichts von den Vorbereitungen der Ermordung zu Ohren gekommen? Warum habe ich, wenn mir schon nichts davon verraten wurde, ich, der Schallmensch, nicht aus den Stimmen meiner Umgebung etwas von dieser Absicht herausgehört, und sei es nur als schwache Färbung, als Stocken, als Abbrechen eines nur im Vorbeigehen formulierten Satzes? Hatte denn nicht Helga, bei einem Gespräch unter vier Augen während der letzten Bunkertage, mir das Versprechen abgenommen, jeder der Anwesenden werde alles daran setzen, das Überleben der Geschwister zu garantieren? Wer hat dieses Versprechen brechen können?

Am 7. Mai 1945 erfolgt die Vernehmung eines gewissen Doktor Kunz. Kunz spricht, indem er den Mund ruckartig öffnet und beide Zahnreihen zeigt, als beiße er die Luft: Die Mutter der sechs Kinder habe ihn bereits am Freitag, dem 27. April, darum gebeten, ihr bei der Tötung ihrer Kinder behilflich zu sein. Er habe sein Einverständnis gegeben. Am Dienstag, dem 1. Mai, habe die Mutter ihn dann zwischen 16 und 17 Uhr in seinen Praxisräumen angerufen, über die Haustelephonanlage, da jede Verbindung nach draußen längst abgebrochen gewesen sei: Er solle sofort zu ihrem Bunker kommen. Medikamente habe er jedoch nicht mit dorthin genommen, keine Medikamente, beteuert er und kann dabei den Blick nicht vom Himmel abwenden, als bestehe noch immer die Gefahr von Luftangriffen, kein Schmerzmittel, nicht einmal Pflaster habe sich in seiner Tasche befunden. Die Mutter habe ihm mitgeteilt, daß die Entscheidung nun gefallen sei. Etwa nach zwanzig Minuten sei auch der Vater erschienen und habe gesagt, er wäre Kunz sehr dankbar, wenn dieser beim Einschläfern der sechs Kinder helfen würde. In diesem Augenblick, so Kunz, dessen Schlips nicht schlaff über die Brust herunterhängt, sondern bei jeder heftigen Bewegung, mit der Kunz seine Erklärungen begleitet, hin und her baumelt, habe das Bunkerlicht zu flackern begonnen, berichtet Kunz, was ihn aus unerklärlichen Gründen daran erinnert habe, wie er als Kind frühmorgens am Küchentisch gesessen und mit der Hand über die Wachstuchdecke gestrichen habe.

Der Vater sei dann gegangen und die Mutter habe sich etwa eine Stunde lang mit Kartenlegen beschäftigt. Dann habe sie Kunz mit in die Bunkerwohnung genommen, wo sie aus dem Schrank im Vorzimmer eine mit Morphium gefüllte Spritze genommen und Kunz überreicht habe. Spritze und Inhalt stammten von Stumpfecker. Kunz stemmt seine Füße auf, immer darauf bedacht, daß beide Sohlen zur Gänze aufliegen, als fürchte er, den Bodenkontakt zu verlieren. Gemeinsam hätten sie das Kinderschlafzimmer betreten, wo die Kinder zwar schon im Bett gewesen, aber noch nicht eingeschlafen seien. Die Mutter habe mit leiser Stimme gesagt: Kinder, habt keine Angst, der Doktor gibt euch jetzt eine Spritze, die nun alle Kinder und Soldaten bekommen.

Nach diesen Worten verläßt sie das abgedunkelte Zimmer wieder, und Kunz beginnt unverzüglich mit dem Injizieren. Erst Helga, dann Hilde, Helmut, Holde, Hedda und Heide, dem Alter nach, je nullkommafünf Kubikzentimeter am Unterarm eingespritzt, um die Kinder schläfrig zu machen. Die weiche Haut der Kinderarme sei ihm besonders in Erinnerung geblieben. Das Spritzen dauert ungefähr acht bis zehn Minuten. Kunz geht zur Mutter hinaus, und beide warten weitere zehn Minuten, um die sechs Kinder in Ruhe einschlafen zu lassen. Kunz blickt auf seine Uhr: 20 Uhr 40. Dann betreten sie das Kinderzimmer erneut, wo die Mutter ungefähr fünf Minuten braucht, um jedem Kind eine zerdrückte Ampulle Zyankali in den Mund zu legen. So, jetzt ist Schluß mit allem.

Noch einmal das Knistern auf der Platte: Das ist Papier, eine Verpackung, das ist die Tafel Schokolade, die Helga ihrer Schwester Hedda zum Geburtstag am 5. Mai schenken wollte. Helga hatte mich um Schokolade gebeten.

Hinter dem Rücken der Diätköchin gelang es mir, eine Tafel aus den großen Schokoladenvorräten zu entwenden, ein gefährliches Unternehmen, denn auf Lebensmitteldiebstahl stand die Todesstrafe, ohne Verhandlung eine Kugel durch den Kopf. Hätte das auch für Kinder gegolten? Helga brauchte ein Versteck, und so hat sie das Geschenk wohl unter die Matratze geschoben, um abends, nachdem das Licht schon ausgeschaltet war und die Geschwister auch nichts sehen konnten, zu kontrollieren, ob das Versteck auch sicher sei. Und beim Betasten der Schokolade kam sie dann, ohne es zu wissen, mit ihrer Hand dem Mikrophon ganz nah.

Der Telephonist mit Namen Mischa behauptet allerdings, Naumann sei zu ihm in die Vermittlung gekommen und habe gesagt: Stumpfecker wird ihnen gleich Bonbonwasser geben. Sie müssen eben sterben. Mischa sieht sich aber nicht in der Lage, den Zeitpunkt dieser Auskunft präzise anzugeben, er weiß nur noch, daß alle Leitungen nach draußen tot waren.

Was aber ist Bonbonwasser? Nach dem Knistern läßt sich das Gespräch der Kinder ohne Störung weiterverfolgen, sie erinnern sich an ihren Aufenthalt bei Moreau. Die Kinder haben nie von Moreaus Tod erfahren. So sprechen sie von ihm wie von einem Lebenden: Glaubt Ihr, daß der Freund von Herrn Karnau immer noch böse auf uns ist, weil wir seinen Salon mit Schokolade vollgeschmiert haben?

Holdes Stimme: Wenn wir jetzt ein bißchen Schokolade hätten...

Helga antwortet auf Hildes Frage: Nein, Herr Moreau ist bestimmt nicht mehr sauer. Herr Karnau hat ihn doch beruhigt. Erinnert Ihr euch, wie wir an diesem Abend mit den beiden draußen waren?

Helmut: Da haben wir nach Fledermäusen geschaut.

Und Heide sagt enttäuscht: Aber die kamen gar nicht.

Kamen doch.

Nein, keine einzige.

Vielleicht waren dir die Augen auch schon zugefallen, du Schlafmütze.

Gar nicht.

Aber gekommen sind sie.

Holde: Das waren Vögel.

Helmut wird ungeduldig: Waren es nicht. Herr Moreau hat uns doch gezeigt, daß die ganz anders mit den Flügeln schlagen.

Da war es aber schon dunkel.

Das hat gestochen, als wir uns im Gebüsch versteckt haben.

Jetzt wieder Helgas Stimme, ganz nah: Nein, später, als wir unter dieser Laterne standen. Da haben wir Steine in die Luft geworfen, denen die Fledermäuse nachgeschossen sind.

Hedda von oben: Bis zu unseren Köpfe sind sie heruntergeflogen und haben uns das Haar zerzaust.

Nur fast.

Aber doch sehr nah. Die schwarzen Tiere.

Helga: Herr Karnau hat gesagt, die Fledermäuse glaubten dann, die Steine wären Mücken.

Und wieder Heide: Ja, Mücken. Und Moskitos.

Ihre Geschwister wie aus einem Mund: Ach, Quatsch.

Die Aufnahme bricht ab. Das war die Wachsmatrize vom Abend des 27. April. An diesem Tag sprach die Mutter der sechs Kinder Doktor Kunz zum ersten Mal. Wer war dieser Kunz, daß er der Bitte der Mutter entsprochen hat? Warum ist er mir während jener Tage nie über den Weg gelaufen? Jemand hätte ihn aufhalten müssen, wenn nötig mit Gewalt. In einer zweiten Vernehmung am Donnerstag, dem 19. Mai 1945, widerruft Kunz seine vorherigen Aussagen, nachdem der Verdacht aufgekommen ist, daß außer ihm noch ein zweiter Arzt an der Ermordung der sechs Kinder beteiligt gewesen sei. Jeder Zeuge ist ein falscher Zeuge. Kunz streicht sich immer wieder durch das Haar, berührt seine Ohren und wischt sich die Augen, als würde er von kleinen schwarzen Fliegen umschwirrt, die ihn stören. Kunz sagt aus: Er gebe zu, falsche Angaben über die Umstände der Tötung gemacht zu haben. Es sei wahr, daß Stumpfecker ihm geholfen habe.

Was aber ist Bonbonwasser? Handelt es sich dabei um ein wohlschmeckendes Getränk, welches aus Wasser besteht, in dem Bonbons aufgelöst worden sind, worunter man das Morphium mischt? Oder wird nicht erst das Beruhigungsmittel, sondern gleich das tödliche Gift in die penetrant süße Limonade geträufelt? Soll man Bonbonwasser als eine falsch wiedergegebene Bezeichnung von Bonbons mit flüssiger Giftfüllung ansehen, die man den Kindern zum Lutschen gibt, wobei mit keinem Widerstand zu rechnen ist, da die sechs schon so lange keine Süßigkeiten mehr bekommen haben, daß ihre Zungen die Kruste innerhalb kürzester Zeit ausreichend aufrauhen werden, um die Zyanverbindung durch die Wände des Zuckerwerks in die Mundhöhle dringen zu lassen? Haben die Ärzte gezittert, weil sie nicht zweifelsfrei sichergehen konnten, ob der dominierende Zuckergeschmack die Geschmacksnerven soweit gegen andere Reize unempfindlich machen würde, daß die Kinder von dem Gift nichts merkten und es, vermischt mit Speichel und Zucker, ahnungslos schluckten?

Nachdem Kunz allen Kindern Morphium gespritzt hat, verläßt er das Kinderschlafzimmer und wartet im benachbarten Raum gemeinsam mit der Mutter, bis die Kinder eingeschlafen sind. Sie bittet ihn, ihr dabei zu helfen, wenn sie den Kindern das Gift gibt. Kunz lehnt ab. Daraufhin schickt die Mutter ihn nach Stumpfecker. Der sitzt im Speisezimmer des Bunkers und folgt Kunz auf den Satz: Doktor, die Mutter der sechs Kinder bittet Sie, zu ihr zu kommen. Da die Mutter sich nicht mehr im Vorraum aufhält, geht Stumpfecker direkt ins Schlafzimmer der Kinder. Nach vier bis fünf Minuten kommt er gemeinsam mit der Mutter wieder heraus und entfernt sich, ohne Kunz auch nur ein Wort zu sagen.

Alles hätte ich diesem Mann zugetraut: Stumpfecker, der in Ravensbrück Kinderbeine zertrümmert hatte, ihm, der in seinem Arbeitszimmer die präparierten Sprechorgane von Frühgeburten aufstellte zur Zierde. Alles, nur dieses eine nicht: den Mord an den sechs Kindern. Er hat mich zum Kopieren unserer Aufnahmen geschickt, um mich für eine Weile fernzuhalten, während er zu den Kindern ging: Kopieren Sie das alles, aber sorgfältig. Diese völlig bedeutungslosen Aufzeichnungen einer Krüppelstimme. Und wie er hinterher, als alles längst vorüber war, noch darauf bestand, daß die Schallfolien nicht beschädigt werden dürften.

Samstag, der 28. April. Helga erzählt von einem abstoßenden Erlebnis: Und alles vollgepißt.

Die anderen kichern. Helga empört: Das ist nicht witzig, das ist schlimm. Ihr glaubt nicht, wie es da stinkt. Und welche widerlichen Bilder die Männer dort an die Wände geschmiert haben.

Was denn für Bilder?

Nackte, grinsende Frauen mit großen Brüsten haben sie gemalt, die Beine sind gespreizt, daß man die Haare, fast die Spalte sieht. Achtet immer darauf, daß Ihr nie in dieses

Klo geratet, auch wenn hier oben abgeschlossen ist. Es ist besser, in die Hose zu machen, als da unten sitzen zu müssen.

Unten auf der Straße fährt ein letzter Nachtschwärmer auf seinem Rad vorbei, die Reifen schwirren über den Asphalt.

Der Fahrer Kempka, ein falscher Zeuge unter falschen Zeugen, berichtet folgendes: Stumpfecker habe ihm erzählt, daß der Vater sich an ihn gewandt habe mit der Bitte, seine sechs Kinder durch Einspritzung eines schnell wirkenden Giftes aus dem Leben scheiden zu lassen. Er, Stumpfecker, habe jedoch abgelehnt mit der Begründung, er könne diese Tat in Gedanken an seine eigenen Kinder unmöglich durchführen. Der Vater der sechs Kinder sei verzweifelt gewesen.

Kempka fragt zwischendurch immer wieder nach den Hunden. Er schnüffelt an seinen Fingern, mit der Entschuldigung, der Benzingeruch habe sich noch immer nicht endgültig abwaschen lassen. Schließlich wird unter den Flüchtlingen im Kohlenbunker ein Arzt ausfindig gemacht, der für die Einstellung des Ehepaares Verständnis findet. Er ist es, der den Tod der sechs Kinder herbeiführt. Wer soll aber dieser Arzt gewesen sein? Kunz ist es nicht. Es läßt sich niemand sonst ermitteln. Hat Stumpfecker seine Verschleierungstaktik so weit geführt, daß er den anderen Menschen im Bunker vorsichtshalber schon Lügen erzählte, bevor er überhaupt nach seiner Verstrickung hätte gefragt werden können?

Wir wollen uns verab-: Was hat Mama damit gemeint? Wann?

Vorhin, als wir zur Feier in den anderen Bunker gegangen sind.

Ja, da hat Papa sie mitten im Satz unterbrochen.

Hat sie gesagt: Verabschieden?

Helga beschwichtigt ihre aufgeregten Geschwister: Verabschieden? Warum? Von wem sollten wir uns denn da verabschieden? Die Verwundeten sind nicht weggegangen, die liegen immer noch im Bunkerlazarett.

Heide fragt: Und auch die Kinder?

Ja.

Hilde meint: Komisch. Sonst sind gar keine Kinder mehr hier in Berlin.

Helmut wirft ein: Wir sind doch schließlich auch noch da.

Holde: Die sahen furchtbar aus.

Die Kinder?

Nein, die Kranken. Da war einer, ganz hinten, der war versteckt, weil er gar keinen Mund mehr hatte.

Helga: Das denkst du dir nur aus, um uns angst zu machen.

Nein, wirklich. Gar kein Mund. Nur so ein Loch.

Hör auf damit.

Den letzten Satz hat Helga so kategorisch gesprochen, daß eine Weile Stille herrscht auf der Matrize vom Sonntag, dem 29. April. Als versuchten die Kinder jetzt jedes für sich allein, den Ansturm von Verwundetenbildern zu verdrängen. Oder als zweifelten sie an Helgas Erklärung zum abgebrochenen Satz der Mutter. Und so, als würde Helga sich in diesem Moment bewußt, daß sie verzweifelt versucht, ihre Geschwister zu beschwichtigen, ohne den eigenen Worten noch Glauben schenken zu können.

Der Adjutant des Vaters, Schwägermann, berichtet, er habe etwa gegen sieben Uhr abends beobachtet, wie die Mutter in das Kinderschlafzimmer gegangen sei. Wenige Minuten darauf sei sie wieder herausgetreten, grau im Gesicht. Als sie Schwägermann gesehen habe, sei sie ihm schluchzend um den Hals gefallen und habe nur mit Mühe sprechen können. Langsam sei Schwägermann, der während der Vernehmung ständig an den losen Fäden herumnestelt, wo die Kragenspiegel abgerissen sind, klar geworden, was sie gestammelt habe: Sie hat soeben ihre sechs Kinder umgebracht. Die Mutter bricht völlig zusammen. Der Adjutant führt sie in das Konferenzzimmer, wo ihr Mann bereits auf sie wartet. Der ist sehr bleich. Er weiß, was geschehen ist, auch ohne daß ein Wort gesprochen wird. Lange Zeit sagt er nichts.

Der Telephonist mit Namen Mischa ergänzt, die Mutter der sechs Kinder sei mit ausdruckslosem Gesicht aus dem Vorbunker gekommen und an der Telephonzentrale vorbei in das Arbeitszimmer ihres Mannes gegangen, wo sie am Tisch Platz genommen und weinend Patiencen gelegt habe. Nach etwa zwanzig Minuten sei sie wieder nach oben verschwunden. Ihr Mann sei allerdings nicht zu sehen gewesen. Mischa kann sich nicht verkneifen, anzubringen, daß Schwägermann einmal entrüstet gewesen sei, weil Helga ihm angeblich unsittliche Anträge gemacht habe.

Entgegen der Darstellung, die Mutter der sechs Kinder habe einen Schwächeanfall erlitten und sei völlig aufgelöst gewesen, heißt es nach anderen Angaben, sie habe als erstes Kaffee gekocht, um dann, gemeinsam mit ihrem Mann, Axmann und Bormann eine angeregte Plauderei über vergangene Zeiten zu führen, wie ein Zeuge sich ausdrückt. Auch Kempka berichtet, das Ehepaar habe sich ruhig und gefaßt gezeigt, als er gegen 20 Uhr 45 noch einmal in den Bunker zurückgegangen sei, um sich von den Eltern der sechs Kinder zu verabschieden. Kempka bricht immer wieder ab und horcht, als spräche noch jemand außer ihm. Am Ende habe die Mutter ihn gebeten, Harald, ihren Sohn aus erster Ehe, falls er ihn träfe, sehr herzlich von ihr zu grüßen.

Eine Rekonstruktion besagt, die Mutter habe ihre sechs Kinder gegen 17 Uhr 30 ins Bett gebracht und ihnen dann einen Schlaftrunk gegeben, vermutlich einen Fruchtsaft mit Veronal. Nachher, als die Kinder eingeschlafen oder zumindest benommen gewesen seien, habe die Mutter ihnen aus Glasampullen Blausäure in die Mundhöhlen geträufelt. Hierfür, so heißt es, habe sie sich umständlich über das jeweils vorne liegende Kind hinwegbeugen müssen, um das dahinterliegende zu erreichen. Die Kinder hätten ihr schließlich nicht mehr behilflich sein können, indem sie der Mutter den Oberkörper entgegenstreckten und den Mund öffneten, um das tödliche Gift einzunehmen. Gerade bei den Kindern in den oberen Etagenbetten sei das Einflößen, zumal mit dem für eine solche Tätigkeit unvorteilhaften braunen Kleid mit weißem Besatz, welches die Mutter bereits in Erwartung der bevorstehenden eigenen Todesstunde angezogen habe, ein schwieriges Unterfangen gewesen, das Fingerspitzengefühl erfordert habe, um die Blausäure nicht in dem Moment zu verschütten, da die Mutter mit der anderen Hand den Hinterkopf des Kindes anhob.

Alle Kinder ließen diese Prozedur widerstandslos über sich ergehen, lediglich Helga habe sich gegen die Einnahme gewehrt, woran auch gutes Zureden nichts änderte, so daß die Mutter schließlich keine andere Lösung sah, als Helga das Gift unter Gewaltanwendung einzuflößen.

Wer schildert diesen Sachverhalt? Die Angaben klingen vollkommen unglaubwürdig: Die Mutter hätte dies alles nicht ohne fremde Hilfe schaffen können. Derjenige, der diese Angaben macht, aber seinen Namen nicht nennen will, verheimlicht etwas: Wer war gemeinsam mit der Mutter im Kinderzimmer an diesem letzten Abend? Noch einmal der 30. April: Bevor die Kinder meinen Märchenton imitieren, hört man im Hintergrund auch meine Stimme. Wir singen gemeinsam ein Gute Nacht-Lied: Morgen früh, wenn Gott will, wirst du wieder geweckt. Die hellen Stimmen strengen sich an, trotz aller Müdigkeit im Einklang zu singen.

Aber der Gesang wird durchkreuzt von dumpfen Stöhnlauten, die aus der Wohnung neben meiner dringen: Nachbarn beim Liebesspiel vor Morgengrauen.

Das Mädchen ist am ganzen Körper nackt. Das ist ganz offensichtlich, auch wenn es nur von den entblößten schmalen Schultern angedeutet wird. Schon ab dem Brustansatz wird der Leib von einer hellen Plane bedeckt. Über der linken Brust rutscht die Plastikfolie ein wenig herunter, da der Kopf angehoben wird, das leicht spitze Kinn, darüber die vollen, locker geschlossenen Lippen, die kleine Nase, die geschlossenen Augen unter den weiten Augenbogen, die langen Wimpern, die geschwungenen Brauen und darüber die blanke, faltenlose Stirn. Makellos, wie überhaupt die Haut ebenmäßig strahlt, ein gesunder Teint, wären da nicht die bläulichen Flecken, der leicht grünliche Schimmer im ganzen Gesicht, der um so deutlicher hervorsticht, da das Haar aus der Stirn gestrichen ist. Vom Haaransatz hinauf wird der dunkle Schopf unnatürlich straff gezogen, das Gewicht des gesamten Körpers hängt gewissermaßen an den Haaren, in die eine behandschuhte Hand gekrallt ist, welche dem im Leichenschauhaus arbeitenden Soldaten gehört, der den Kopf der toten Zwölfjährigen, dem Photographen zugewandt, vor seine dunkle Schürze hält, so daß sich auf dem Bild das bleiche

Gesicht vor dem dunklen Hintergrund um so kontrastreicher abhebt.

Man habe die sechs Kinder im Bunker der Reichskanzlei in einem separaten Zimmer gefunden, mit leichten Nachthemden bekleidet auf Betten liegend. Unter der Erde, heute eingeebnetes Gelände. Dort liegt, vermischt mit Erdreich, auch noch die Tafel Schokolade, bei der Sprengung zermalmt vom berstenden Beton. Alle sechs Kinder hätten Vergiftungserscheinungen gezeigt. Zwecks Identifikation durch Personen, mit denen sie nahe bekannt waren, habe man die Leichen in die Räumlichkeiten der Abteilung Smersh des 79. Schützenkorps der 1. Belorussischen Front nach Berlin-Buch gebracht.

Bei der Obduktion von Helgas Leiche wird folgende Akte abgefaßt. Äußere Untersuchung: Die Leiche gehört einem Mädchen, dem Aussehen nach etwa fünfzehn Jahre alt, gut ernährt, in ein hellblaues Nachthemd mit Spitzen gekleidet. Größe: Ein Meter achtundfünfzig. Brustumfang in der Höhe der Brustwarzen: Fünfundsechzig Zentimeter. Farbe der Hautdecken und der sichtbaren Schleimhäute: blaßrot mit kirschrotem Ton. Auf der rückwärtigen Körperoberfläche verstreut rote Totenflecke mit kirschrotem Ton, die sich nicht mehr wegdrücken lassen. Die Fingernägel sind bläulich. In der Gegend der Schulterblätter und des Gesäßes ist die Haut infolge Drucks ausgeprägt blaß. Die Haut des Bauches aufgrund der Fäulnis schmutziggrün verfärbt. Kopfform länglich, seitlich abgeflacht. Kopfhaare lang, dunkelblond, zu Zöpfen geflochten, Gesichtsform oval, in Richtung des Kinns spitz zulaufend. Stirn leicht fliehend. Farbe der Augenbrauen: dunkelblond. Lange Wimpern. Farbe der Regenbogenhaut: blau. Nase gerade, von regelmäßiger Form, klein, Augen geschlossen. Mund geschlossen. Zungenspitze zwischen den Zähnen etwas eingeklemmt. Beim Umwenden der Leiche und beim Druck auf den Brustkorb wird aus Mund und Nase der Leiche Blutserum abgesondert und ist ein kaum merklicher Geruch von Bittermandel erkennbar. Brustkorb normal ausgebildet, Brustwarzen klein, in den Achselhöhlen keine Behaarung festgestellt. Bauch flach. Äußere Geschlechtsorgane normal entwickelt. Große Schamlippen und Venusberg bis zum oberen Rand der Symphyse behaart. Hymen ringförmig. Innere Untersuchung: Schleimhaut hat etwas bläuliche Färbung. Darminhalt wie üblich. Gebärmutter fest, vier Zentimeter lang, in der Höhe der Eileiter drei Zentimeter breit, zwei Zentimeter dick. Äußerer Gebärmuttermund schlitzförmig, geschlossen.

Die Akte spricht von Zöpfen, doch auf dem Totenphoto trägt Helga das Haar offen. Wer hat der Leiche die Zöpfe entflochten? War es die Pathologenhand im Gummihandschuh?


Ein erster Vogel regt sich, ist jetzt aufgewacht, beginnt zu singen, gleich ertönt auch aus anderen Bäumen das Gezwitscher. Der Moment, da die Nacht endgültig zu Ende ist. Was läßt sich aus den Aufnahmen wirklich rekonstruieren? Ich habe jede Platte mehrfach aufmerksam abgehört. Ich habe alle Stimmen wiedererkennen können, auch meine eigene, auch die der Mutter der sechs Kinder. Wäre es besser, die Wachsmatrizen zu vernichten? Nein, nicht löschen, das bringe ich nicht über mich, nicht diese letzten Tage der sechs Kinder unhörbar machen, ich will sie nicht der Stille überlassen, diese Kinder, die am Vorabend ihrer Tötung noch aus meinem Mund ein Märchen hörten.

Das war am 30. April. Die letzte Aufzeichnung, an diesem Abend sahen wir uns zum letzten Mal. Am nächsten

Mittag wurde dann alles Wachs, wurden alle Aufnahmegeräte zusammengesucht und teils noch im Bunker vernichtet. Neun Abende, vom 22. April an gerechnet, ergibt neun Wachsmatrizen. Ich bringe die Platten in die richtige Reihenfolge und notiere mir die Daten. Aber hier sind nicht neun, sondern insgesamt zehn Platten, die auf dem Küchentisch liegen. Haben wir bereits am 21. April begonnen? Oder an einem Abend zwei Aufnahmen geschnitten? Das kann nicht sein, ein Plattenwechsel nachts war unmöglich. Und am späten Nachmittag des 1. Mai schickte mich Stumpfecker dann ja schon zum Kopieren. Haben wir denn einmal an einem Vormittag eine Aufnahme durchgeführt? Mit einem anderen Gerät, in meinem Zimmer? Haben die Kinder, die von meiner Arbeit wußten, mir auch einmal auf Platte sprechen wollen? Nein, niemand hätte dies gegen den Willen des Vaters durchsetzen können. Kein Tagesdatum, keine Nummer. Hier liegt ein Fehler vor, das habe ich nicht aufgenommen.

Ist das Herr Karnau, der jetzt zu uns kommt?

Diese Platte habe ich zu Anfang schon einmal gehört, mit dem kurzen Gespräch zwischen Helga, Heide und ihrer Mutter.

Ist das Herr Karnau, der jetzt zu uns kommt?

Das ist der letzte Satz, den ich verstehen kann. Nein, diese Aufnahme habe ich nun wirklich nicht durchgeführt. Sie weist an keinem Punkt die Tonqualität der anderen Dokumente auf, und man hört nichts von den lebhaften Nachtgesprächen der sechs Kinder. Dieses Dokument muß jemand Unerfahrenes erstellt haben: Nach Helgas letztem Satz ertönen erst einmal nur noch Geräusche, die nicht zu identifizieren sind. Andererseits aber wußte niemand außer mir von dem versteckten Mikrophon, von dem Aufnahmegerät unterm Bett. Jetzt eine dunkle Erwachsenenstimme, Frau oder Mann? Sie spricht zu kurz, das läßt sich nicht entscheiden. Sie sagt wie aus der Ferne: Ja, ja, oh ja.

Ab diesem Punkt spricht niemand mehr. Ein Schlürfen nur, das sich insgesamt sechsmal wiederholt. War da ein Schrei? Ein kurzes Weinen? Dann bleibt nur das Atmen. Das Atmen von sechs Kinderlungen in versetztem Rhythmus. Es läßt an Intensität und Lautstärke nach. Schließlich ist gar nichts mehr zu hören. Es herrscht absolute Stille, obwohl die Nadel noch immer in der Rille liegt.

Obwohl einige Charaktere im vorliegenden Text Namen realer Personen tragen, sind sie doch, wie die anderen Figuren, Erfindungen des Autors.

Der Vorspruch stammt aus Joseph Goebbels' Tagebucheintrag vom 20. April 1941.

Die Arbeit an diesem Roman wurde von der Stiftung Niedersachsen im Rahmen ihres Autorenförderungsprogramms unterstützt.